D0508045

Rita Falk

Leberkäsjunkie

Ein Provinzkrimi

dtv

Neben der Serie um Franz Eberhofer sind von
Rita Falk bei <u>dtv</u> außerdem erschienen:
Hannes (28001, 21463, 71612)
Funkenflieger (26019, 21613)

*Mit Glossar und den
Originalrezepten von der Oma*

Originalausgabe 2016
© 2016 dtv Verlagsgesellschaft mbH & Co. KG, München
Umschlaggestaltung nach einer Idee von Lisa Höfner
unter Verwendung von Fotos von gettyimages und
bridgemanart.com/Cadogan Gallery, London
Satz: Greiner & Reichel, Köln
Gesetzt aus der Garamond 10,25/13,7°
Druck und Bindung: CPI – Ebner & Spiegel, Ulm
Gedruckt auf säurefreiem, chlorfrei gebleichtem Papier
Printed in Germany · ISBN 978-3-423-26085-5

Kapitel 1

»Bei der Mooshammerin brennt's, Bub«, schreit mich die Oma vom Türrahmen her an, dass ich beinah vom Kanapee flieg. »Jetzt komm schon, steh auf und zieh dir was an!«

»Ich bin bei der Polizei, Oma, das weißt doch, und nicht bei der Feuerwehr. Außerdem ist München jetzt mein Revier und nicht Niederkaltenkirchen«, schrei ich aus meinen Federn her zurück und fuchtle dabei auch noch mit Händen und Füßen, weil die Ohren von der Oma seit geraumer Zeit eher dekorative Zwecke erfüllen als funktionale. Ich schau auf den Wecker, es ist Viertel nach zwei. Der Ludwig liegt vor mir am Boden und blickt von der Oma zu mir und wieder zurück, gähnt einmal tief durch, dreht sich ab und schläft seelenruhig weiter. Hund müsste man sein.

»Bei der Mooshammerin brennt's, Franz«, brummt jetzt auch noch der Papa, grad wie er zur Türe reinschlurft.

»Und was, bitte schön, soll ich da machen? Drüberpieseln, oder was?«, frag ich ehrlich genervt und setze mich auf. »Herrschaftszeiten, bin ich denn hier für alles verantwortlich!?«

»Ja, hinfahren vielleicht, immerhin bist ja bei der Polizei«, sagt er weiter und krault dem Ludwig übern Schädel.

»Du sagst es, bei der Polizei und nicht bei der Feuerwehr. Vielleicht rufst einfach mal bei denen an, was meinst?«

»Die sind schon vor Ort.«

»Dann ist ja alles paletti, oder? Und jetzt raus hier, ich muss in drei Stunden zum Dienst«, knurr ich noch so, leg mich wieder nieder und zieh mir die Decke übern Kopf. Die zwei verziehen sich nörgelnd, und dann kehrt endlich wieder Ruhe ein. Aus der Ferne kann ich durchs Fenster hindurch das Blaulicht erkennen. Das ist schön, irgendwie beruhigend, wie es so leuchtet und kreist, und schon schlaf ich wieder ein. Allerdings wohl nur ein paar Atemzüge lang. Weil dann läutet mein Telefon. Es ist zum Verrücktwerden in diesem Kaff hier, es geht praktisch zu wie am Stachus. Der Ludwig sendet mir vorwurfsvolle Blicke. Ich schau ihn kurz an und zuck mit den Schultern.

»Hm?«, grunze ich in den Hörer.

»Eberhofer«, kann ich unseren werten Herrn Bürgermeister sofort eindeutig erkennen. »Sie müssen umgehend kommen, bei der Mooshammerin brennt's!«

»Seid ihr jetzt allesamt komplett narrisch, oder was? Für Brände bin ich nicht zuständig, zefix! Rufen S' mich an, wenn irgendwo eingebrochen wird. Bei einem Verkehrsunfall, Raubüberfall, einer Geiselnahme oder Vergewaltigung meinetwegen. Im Idealfall bei einem glasklaren Mord! Aber nicht, wenn's bloß irgendwo brennt, verstanden? Ausnahmefälle sind einzig und allein die Metzgerei Simmerl und das Wirtshaus vom Wolfi. Ende der Durchsage!«

Dann häng ich ein.

Mein sehnlichster Wunsch auf eine kurze Privataudienz mit dem Sandmännchen bleibt leider unerhört, einfach weil beim erneuten Anruf des Bürgermeisters die Welt gleich ganz anders ausschaut. Gut, sagt er nämlich, mit einem glasklaren Mord kann er vielleicht nicht direkt dienen, zumindest nicht hundertprozentig. Es könnte sich auch durchaus nur um einen Unfall handeln. Eine Leich allerdings, die hätte er schon im Angebot. Genauer gesagt eine Brandleich. Und zwar exakt bei diesem depperten Feuer im Haus von der Mooshammer Liesl. Sie selber, sagt er weiter, scheidet als Opfer allerdings Gott sei Dank aus. Weil sie derzeit nämlich grad für ein paar Tage in Bad Wörishofen zum Wellnessen verweilt. Deshalb kann es eigentlich nur einer von ihren Untermietern sein. Na bravo!

Was mich jetzt erwartet, weiß ich leider genau. Und schön ist es nicht, das kannst du mir glauben. Immerhin gehören Brandleichen garantiert mit zu den unerfreulichsten Fällen, die wo es überhaupt gibt. Außer Wasserleichen vielleicht, die schon ein Weilchen so vor sich hingelümmelt haben. Das ist dann auch nicht lustig, keine Frage. Bei Brandleichen aber ist es eben neben den optischen Zuständen auch noch dieser Geruch, der mich schier wahnsinnig macht. Wobei es da jedoch freilich drauf ankommt, wie lange der Körper schon den Flammen ausgesetzt war. Im Härtefall aber, da riecht es nach Schweinebraten. Ja, im Ernst. Es riecht exakt wie der hammermäßige Schweinebraten von der Oma. Optisch aber natürlich keinerlei Ähnlichkeit. Nullkommanull. Und das ist dann echt gruselig. Da duftet es weit und breit nach dem besten Essen diesseits und jenseits der Isar, und vor dir liegt ein verkohlter Leichnam. Gruselig, wirklich!

»Ja, wo bleiben S' denn, Eberhofer? Und wie schaun S' denn eigentlich aus?«, begrüßt mich der Bürgermeister, kaum dass ich aus dem Streifenwagen gestiegen bin, und beginnt auch gleich, an meinem Bandana zu zupfen, das ich mir vorsorglich um Nase und Mund gebunden habe. »Machen S' jetzt einen auf Cowboy, oder was, hähä?«

»Finger weg«, sag ich und deute mit dem Kinn rüber aufs Haus. »Ist der Tote da noch drinnen?«

Ein paar Feuerwehrler sind grade im Schein ihrer Stirnlampen ganz eifrig damit beschäftigt, ihre Siebensachen im Vorgarten zu ordnen, und grüßen mich der Reihe nach freundlich. Und trotz meiner ganzen Mumifizierung dringt

7

der Schweinebratenduft langsam, aber sicher bis in meinen Riechkolben vor.

»Die Tote«, verbessert mich der Bürgermeister und tupft sich mit einem Taschentuch über die Stirn. »Es handelt sich um eine Frau, hat der Brunnermeier gesagt.«

Und wie auf Kommando tritt der Doktor Brunnermeier just in diesem Moment durch die Haustür hindurch und eilt gleich prompt auf uns zu.

»Sie sehen ja vielleicht dämlich aus, Eberhofer. Aber ja, das ist korrekt, Leiche weiblich, mittleres Alter, Hautfarbe weiß, äh, ja, also jedenfalls vorher. Sie liegt oben im ersten Stock, genau vor der Badezimmertür, also praktisch im Flur. Alles andere erfahren Sie von den Kollegen in der Pathologie. Also, Herrschaften, ich muss jetzt leider schon los, mir pressiert's. Hab nämlich ein wichtiges Schachspiel heute Vormittag und muss mich davor noch ein bisschen aufs Ohr hauen«, lässt er uns im Vorbeieilen noch kurz wissen, hockt sich dann ins Auto und schon düst er davon. Er muss sich aufs Ohr hauen, weil er ein wichtiges Schachspiel hat! Aber gut, dazu muss man vielleicht wissen, der Brunnermeier, der ist ja eigentlich schon a. D. Will heißen, ist nicht mehr der Jüngste und hat sich mittlerweile auf sein Altenteil zurückgezogen. Und drum gibt er den Dorfarzt nur noch in Notfällen ab, so wie halt jetzt. Einen Nachfolger hat er leider nicht. Da will wohl keiner raus zu uns. Vermutlich gibt's einfach nicht genug Privatpatienten hier bei uns auf dem Land draußen. Aber wurst. Meine Aufgabe ist es jetzt jedenfalls, erst mal nach der Leiche zu sehen, auch wenn's hundertmal nach Schweinebraten riecht. Also geh ich ins Haus und prompt rauf in den ersten Stock und achte bei jedem einzelnen Schritt darauf, nicht zu tief einzuatmen. Oben angekommen, kann ich die Frau sofort sehen, und ganz offensichtlich liegt sie auf dem Bauch. Und sie muss wohl längere Zeit den Flammen ausgesetzt gewesen sein, jedenfalls hat sie bereits die berühmt-berüchtigte Fechterstellung eingenommen. Das bedeutet, dass sich all ihre Gliedmaßen durch den enormen Wasserverlust irgendwie zusammenziehen, was freilich irgendwie grotesk und auch ziemlich unheimlich ausschaut. Und nachdem ich die Geschichte von vorn und hinten und allen Seiten her ausgepeilt hab, mach ich nur noch schnell ein paar Fotos, und dann will ich nix wie weg hier.

»Glücklicherweise ist ja das Opfer nicht unser Dings. Also unser Bengo sozusagen!«, sagt der Bürgermeister, gleich wie ich wieder bei ihm im Garten aufschlag. Dazu muss man wohl wissen, dass der »Bengo« ja auch bei der Mooshammerin wohnt.

»Unser wer?«, frag ich, weil ich grad nicht recht weiß, von wem er eigentlich spricht.

»Mei, Eberhofer, unser Bengo halt. Das wissen S' doch noch, oder? Unser Fußballgott Rot-Weiß-Niederkaltenkirchen. Unser Lokalmatador mit Maximalpigmentierung. DER Fuß Gottes ...«, sagt er zunächst ganz versonnen und zeigt schließlich rüber zur Haustür. Dort schau ich dann auch gleich mal hin, kann aber gar nichts erkennen. Doch wenigstens fällt bei mir jetzt der Groschen.

»Ach, Sie meinen den Buengo.«

»Ja, sag ich doch. Der Bengo! Der hat den Brand übrigens auch gemeldet, gell, Bengo? Geh, komm doch einmal her zu uns. Der Herr Polizist hat vielleicht ein paar Fragen an dich«, ruft er, und zwar wieder in die Richtung vom Haus, und so kneif ich mal meine Augen zusammen. Und tatsächlich, dort neben der Türe kann ich unseren maximalpigmentierten Fußballgott dann auch wirklich erkennen, wenn auch nicht besonders deutlich. Er lehnt da praktisch in der Dunkelheit an dieser rußigen Hauswand und ist offensichtlich auch noch in eine ziemlich dunkle Decke gehüllt. Wie soll man den dann noch sehen? Aber nachdem er nun kurz zu uns hergeschaut hat, kommt er auch schon angetrippelt.

»Du, Bengo, jetzt tust dem Franz einmal schön erzählen, was so alles passiert ist heut Nacht, gell«, sagt der Bürgermeister und hat dabei einen Tonfall drauf, als würde er mit einem geistig Umnachteten reden. »Und danach tust schön …«

»Ja, ja«, muss ich hier aber gleich unterbrechen, lege meinen Arm um den leicht verwirrten Buengo, begleite ihn dann zu meinem Wagen und öffne die Beifahrertüre. »Der Buengo tut jetzt dem Franz alles schön erzählen und der Herr Bürgermeister tut in sein Büro reinfahren und tut Niederkaltenkirchen schön regieren, gell. Servus, miteinander«, sag ich noch so, und schon brausen wir los.

Viel zu erzählen hat er dann aber gar nicht, unser Buengo. Er war abends im Training wie immer und hinterher noch im Vereinsheim Rot-Weiß, ebenfalls wie immer. Also quasi am Stammtisch und hat mit ein paar Mannschaftskollegen gekartelt, bis dort dann halt irgendwann zugesperrt wurde. Anschließend hat er sich sein Radl geschnappt und ist heimgedüst. Also zum Haus von der Mooshammer Liesl praktisch, wo er ja schon seit geraumer Zeit zur Untermiete wohnt. Er hat den Rauch sofort gerochen, erzählt er weiter, und den Qualm auch gesehen, aber es war noch gar nicht so arg schlimm. Trotzdem hat er sich freilich beeilt, dort die Haustür aufzuschließen. Und dann, kaum, dass er sie geöffnet hatte, da gab's einen Bums, das kann man gar nicht erzählen.

»Es hat mir wirklich aus Türe gebumst, Franz. Wirklich so richtig aus Türe gebumst«, sagt er mit ganz großen Augen und versucht mir dabei mit ein paar dramatischen Handbewegungen, diesen Bums anschaulich zu machen. Ich muss grinsen.

»Wer außer dir wohnt denn zurzeit noch bei der Liesl?«, muss ich jetzt noch wissen, grad wie ich in unsere Einfahrt reinfahr. Die Oma und der Papa hocken dort auf dem Bankerl vorm Haus, obwohl's grade erst zu dämmern anfängt. Doch vermutlich warten sie einfach schon sehnsüchtigst auf Neuigkeiten. Was man dann aber schon irgendwie auch wieder verstehen kann. Weil wenn wir einmal ehrlich sind, so arg viel passiert jetzt hier bei uns auch wieder nicht, gell.

»Nur ein Frau. Nette Frau und schön«, sagt der Buengo weiter, und so bleiben wir noch einen kurzen Moment lang hier sitzen.

»Name?«

»Karim oder Karin oder so, vorne. Hinten weiß i nickt. Liesl weiß alles. Besser fragst Liesl.«

»Wie lang war die bei euch?«

»Nickt lange. I glaub, bloß a paar Tag oder so.«

Jetzt aber trommelt auch schon die Oma ans Beifahrerfenster.

»Mei, der Buengo!«, schreit sie und reißt die Autotür auf. »Gut, dass dir nix passiert ist, Bub. Hast einen Hunger?« Und gleich nachdem sie ihn voll Inbrunst aus dem Wagen gehievt hat, da hakt sie ihn unter, und schon eilen die beiden dem Wohnhaus entgegen. »Jetzt gibt's erst einmal einen feinen Kaffee, Bub, und dazu ein schönes, resches Bauernbrot, gell. Vier Sorten selber gemachte Marmelade hab ich da, die wird dir schmecken. Und ich kann dir auch noch ein paar Rühreier machen mit Speck, was meinst. So ein Sportler, der braucht doch ein anständiges Frühstück ...«

»Und?«, fragt der Papa von seinem Bankerl herüber und zieht sich dabei einen Joint aus der Brusttasche seiner uralten Latzhose.

»Sag einmal, Papa, geht denn das mittlerweile in der Früh auch schon los?«, frag ich im Hinblick auf seinen aktuellen Drogenkonsum.

»Bloß in Stresssituationen. Also, was war?«, brummt er so mehr vor sich hin.

Ich lass ihn kurz an meinem kargen Wissensstand teilhaben, ehe ich mich in die Küche begebe, in der Hoffnung, dass mir der Buengo noch irgendwas Essbares übrig lässt.

Nach dem zweiten Teller mit Rühreiern, einem wunderbaren Brot mit Rhabarber-Erdbeer-Marmelade und ein paar Haferl Kaffee hab ich dann immerhin mehr in Erfahrung gebracht, als ich es von einem simplen Frühstücksgespräch jemals erwartet hätte. Vielleicht sollte ich den Rahmen meiner zukünftigen Verhöre mal gründlich überdenken. Jedenfalls ist es ausgerechnet der Papa, der mir jetzt eine möglicherweise sogar sehr wertvolle Information liefern kann. Einfach, weil er sich nämlich ziemlich sicher ist, dass diese Untermieterin, also diese Karin, wohl im Auftrag einer Hotelkette hier ist, um erneut mit der Gemeinde in Verhandlungen zu treten.

»Ich hab sie doch erst gestern noch kurz gesehen, wie sie beim Simmerl drüben eingekauft hat. Und als aufmerksamer Beobachter, ja, da merkt man sich halt alles«, sagt er leicht überheblich und lehnt sich zurück.

»Was alles?«, frag ich ganz leicht genervt.

»Ja, mei, gleiches Autokennzeichen, gleicher Fahrzeugtyp und auch haargenau noch die gleiche Aktentasche wie diese blöden Hotelhanseln, kannst dich noch erinnern?«, fragt Sherlock Holmes, wie er mir nun höchstpersönlich gegenübersitzt. An dieser Stelle muss ich die Augen verdrehen.

»Nicht schon wieder!«, murmele ich dann und nippe kurz am Kaffee. »Die sind uns doch letztes Jahr erst schon allen miteinander auf den Zeiger gegangen.«

»Ja, aber genau das ist doch der Punkt, Franz«, fährt der Papa jetzt fort und beugt sich dabei sehr weit nach vorne. »Eben nicht uns allen miteinander, verstehst. Der eine oder andere hier, der will nämlich ums Verrecken und ganz unbedingt dieses verdammte Hotel zu uns her bauen. Und allen voran unser werter Herr Bürgermeister. Wahrscheinlich möcht er sich einfach noch ein Denkmal setzen für seine aufopferungsvolle Arbeit in der Gemeinde Niederkaltenkirchen, ha.«

Apropos aufopferungsvolle Arbeit. Das ist mein Stichwort. »Ich muss los«, sag ich, steh auf und bring meinen Teller rüber zur Spüle.

Der Buengo rülpst ziemlich laut, entschuldigt sich aber gleich brav.

»Du, Oma«, muss ich noch schnell loswerden. »Jetzt hör lieber auf, ihn zu mästen, sonst platzt er uns hier noch.«

Doch wie erwartet hört sie mich gar nicht erst, aber der Buengo, der lächelt mich recht dankbar an.

Wie ich nach einem eher ruhigen Arbeitstag wieder aus München zurückkomm, ist Niederkaltenkirchen im Ausnahmezustand, könnte man sagen. Die Straßen sind wie leer gefegt. Gut, das sind sie sonst auch. Aber dieses Mal scheint auch alles andere wie ausgestorben. Nirgendwo brennt ein Licht, kein Auto, kein Radl auf der Straße. Und selbst die Metzgerei Simmerl hat geschlossen, obwohl noch gar kein Ladenschluss ist. Weil ich unsere Eingeborenen hier aber kenne wie ein Hängebauchschwein das andere, weiß ich freilich sofort, wo ich jetzt fündig werde. Und ja, ich soll recht behalten. Die Dorfgemeinschaft steht nämlich geschlossen vor dem Haus der Mooshammer Liesl und dahinter und drum herum, am Gehweg, im Garten, und dabei wird begutachtet, spekuliert und analysiert, was das Zeug hält. Thermoskannen werden herumgereicht, selbst gebackene Kuchen und auch ein paar Flachmänner sind im Einsatz und drehen ihre Runden. Fast könnte man meinen, es geht zu wie am Jahrmarkt.

»Servus, Franz«, sagt unser dorfeigener Gas-Wasser-Heizungspfuscher, der urplötzlich neben mir aus dem Boden gewachsen sein muss.

»Servus, Flötzinger.«

13

»Du, sag einmal, Franz, du warst doch da drin?«, will er auch gleich wissen und deutet mit dem Kinn in die Richtung vom Haus. »Ich mein, hast du vielleicht zufällig mitgekriegt, ob das Bad in Mitleidenschaft gezogen wurde? Oder die Heizung womöglich?«

»Nein, keine Ahnung, warum?«

»Nicht? Scheiße! Aber wenn du mich fragst, dann muss das Haus jetzt sowieso renoviert werden, oder was meinst du? Das stinkt doch dort aus jedem verdammten Winkel heraus nach dieser Brandleich, oder? Da kann doch kein Mensch mehr drinnen wohnen. Das kriegt die Liesl nie im Leben wieder raus. Außerdem ist das ohnehin längstens überfällig, da ist ja schon jahrzehntelang nix mehr dran gemacht worden. Sag mal, weißt du zufällig, wann die Liesl eigentlich wieder zurückkommt dort von Bad Wörishofen?«

»Nein, keine Ahnung.«

»Das ist ja wieder mal typisch, dass ausgerechnet du keine Ahnung hast«, tönt es jetzt direkt neben uns und dieses Mal ist es der Simmerl, der mich mit seiner Anwesenheit beglückt. »Die Liesl, die ist nämlich längst schon zurück aus Wörishofen. Und so wie's ausschaut, seid ihr beiden Helden hier die Einzigen, die das noch nicht mitbekommen haben.«

Aha. Der Flötzinger und ich schauen den Simmerl auffordernd an. Aber der lässt seine Überlegenheit erst einmal ein bisserl raushängen. Steht da mit verschränkten Armen und starrt auf das Wohnhaus.

»Ja, gut, wenn's weiter nix gibt«, sag ich deshalb und tu so, als würde ich aufbrechen.

»Jetzt wart halt, Franz!«, ruft mir der Flötzinger hinterher. »Der Simmerl, der weiß doch bestimmt noch mehr, gell, Simmerl, du weißt doch noch mehr?«

»Freilich weiß der Simmerl noch mehr«, brummt der blöde Metzger grinsend. Und dann lässt er uns auch großzügig an seinem Wissensstand teilhaben. Nämlich dem, dass die Liesl heut in aller Herrgottsfrüh, nämlich gleich wie sie von dem furchtbaren Feuer erfahren hatte, freilich sofort in den erstbesten Zug gesprungen und heimgefahren ist. Und nachdem sie sich das Desaster erst mal von Ort hat ansehen können, da hat sie auch prompt einen Nervenzusammenbruch gekriegt. Und seitdem flackt sie wohl bei uns daheim im Gästezimmer und wird dort vom Doktor Brunnermeier ärztlich versorgt.

»Sie ist wo?«, frag ich, weil mir die Vorstellung von einem längeren Aufenthalt der Mooshammerin bei uns daheim am Hof nicht grade die Freudentränen in die Augen treibt. Einfach schon, weil sie die größte Ratschn im ganzen Dorf ist, wo man sich überhaupt vorstellen kann, und somit jeder noch so kleine Krümel unter unserer Eckbank von ihr zu unserer totalen Vermüllung auf- und unter die Mitbürger hinausgeblasen wird. Die Antwort, die ohnehin unbefriedigend ausfallen würde, kann ich erst gar nicht mehr abwarten, weil dann mein Telefon läutet. Es ist der Günter aus der Pathologie in München, der dran ist. Und er lässt mich wissen, dass er just in diesem Moment unsere Brandleich auf seinem Obduktionstisch hat.

»Wirklich?«, frag ich und bin ehrlich erstaunt. »Das ist aber schnell gegangen.«

»Ja«, lacht er mir in den Hörer. »Wenig los hier im Augenblick. Die Münchner sterben gerade nicht so gerne. Liegt aber wahrscheinlich auch an der ganzen gesunden Ernährung, dem vielen Yoga und der ewigen Joggerei durch unsere Parks. Die wollen alle unbedingt hundert werden. Minimum.«

»Auch gut. Also, was hast für mich?«

»Nicht viel, ich habe ja grade erst angefangen. Aber eins ist jetzt schon sonnenklar. Ein Unfall scheidet definitiv aus. Die Tote weist Spuren einer Brennpaste auf. Und ich gehe mal davon aus, dass sie sich die nicht selbst aufgetragen hat.«

Na wunderbar! Somit ein Mord also. Dann ist das hier ja jetzt praktisch ein Tatort. Genauer ein Tatort, wo grade unzählige Füße in derben Schuhen durch den Frühjahrsmatsch latschen und dadurch jeglichen denkbaren spurensicherungstechnischen Anhaltspunkt zunichtemachen. Irgendwer hätte das hier wohl alles absperren müssen. Vermutlich ich. Deswegen verbringe ich anschließend meinen wohlverdienten Feierabend damit, die aufgebrachte Bevölkerung vom Grundstück runter- und auf die Straße rauszujagen. Zuerst versuch ich's ja noch im Guten, also praktisch mit erklärenden Worten und Schulterklopfen und allem möglichen diplomatischen Pipapo. Aber schon kurz darauf muss ich kapitulieren und notgedrungen zur Waffe greifen, weil diese Dickschädel einfach nicht den geringsten Bock haben, das Feld hier zu räumen. Und wie endlich der letzte Hax durchs Gartentürl verschwunden ist, bin ich erstens erleichtert und zweitens ziemlich entsetzt. Weil jetzt plötzlich ganz sonnenklar ist, hier ist nichts mehr zu erkennen. Nicht das Geringste. Wenn es zuvor tatsächlich noch so was wie brauchbare Spuren gegeben hätte, jetzt sind sie ein für alle Mal im Arsch. Begraben unter Fußabdrücken jeglicher Sorte. Na prima. Absperren tu ich aber trotzdem noch schnell, weil: Tatort ist Tatort. Und grad zerr ich diese Rolle mit dem rot-weißen Bandl aus meinem Kofferraum, wie ein weiteres Mal mein Telefon klingelt. Und dieses Mal ist es der Moratschek, der mir die Ehre erweist.

»Richter Moratschek, habe die Ehre. Was kann ich Schönes für Sie tun?«, frag ich, während ich grad das Ende dieses Absperrbandes durchtrenne.

»Es gibt schon wieder einen Mordfall dort in Ihrem Kaff, Eberhofer«, kann ich vernehmen – und im Anschluss ebenso das genüssliche Einverleiben seines heiß geliebten Schnupftabaks. »Das jedenfalls hat mir grad ein Vögelchen gezwitschert.«

»Ein Vögelchen, soso. Das muss ja dann ein ausgewachsener Wanderfalke gewesen sein, so schnell, wie das passiert ist. Ich selber hab die Info nämlich grad erst mal seit drei Minuten.«

»Ein Wanderfalke! Ja, ja, das ist schon gut möglich. Aber was anderes, Eberhofer«, sagt er weiter, und dann schnäuzt er ausgiebig. »Dieser Fußballer da bei euch draußen, Sie wissen schon, der mit dem Migrationshintergrund ...?«

»Der Buengo?«

»Meinetwegen auch Buengo. Also dieser Buengo, der war doch auch der Brandmitteiler, nicht wahr? War denn sonst noch jemand außer dem am Tatort? Ich meine, Sie sind doch selber auch vor Ort gewesen, oder etwa nicht?«

»Doch, doch. Wer war dort? Ja, mei, ein paar Feuerwehrler waren natürlich dort, der Doktor auch und unser Bürgermeister halt.«

»Aha. Aha. Verstehe. Und dieser Buengo, der ist jetzt wo genau?«

»Ja, keine Ahnung, ich bin doch nicht dem sein Babysitter.«

»Den müssen S' verhaften, Eberhofer, haben Sie mich verstanden. Der ist zunächst mal unser einziger Verdächtiger.«

»Der Buengo? Dass ich nicht lach! Bloß weil der zufällig bei der Mooshammerin wohnt!? Der spielt Fußball, das ist ein Sportler durch und durch und sonst nix, Menschenskind! Das ist doch kein Mörder nicht!«

»Soso. Und was ist dann mit den Herrschaften Simpson und Pistorius, wenn die Frage gestattet ist? Gell, da fällt Ihnen nix mehr ein. Also verhaften S' ihn und aus!«

Dann hängt er mir ein.

Kapitel 2

Ja, manchmal ist dieser Job wirklich zum Kotzen. Genauer gesagt ist mein ganzes Leben manchmal wirklich zum Kotzen. Aber schön der Reihe nach. Wie man sich wohl unschwer vorstellen kann, ist meine aktuelle Aufgabe jetzt nicht so der Brüller. Und zugegebenermaßen bin ich auch relativ kleinlaut, wie ich den armen Buengo über sein neues Domizil aufklären muss, das er ja hoffentlich nur vorübergehend beziehen wird. Sonderbarerweise aber nimmt er es ziemlich gelassen auf. Er hat ja eh grad kein Dach überm Kopf, sagt er. Und überhaupt würde ein alter Spezl aus seiner Heimat ebenfalls grad in der JVA Landshut residieren. Womöglich trifft er ihn dort, wer weiß. Zu erzählen gäb's jedenfalls vieles.

»Halt die Ohren steif«, sag ich noch, wie ich ihn dort schließlich an meine Kollegen übergeb.

»Ohren steif? Wieso?«, fragt er und fasst sich dabei an die Lauscher.

»Mei, das sagt man halt so.«

»Gut. Halt Ohren steif, Franz«, grinst er mich noch kurz an, dreht sich ab und folgt dann artig dem Beamten, der ihn bereits in Empfang genommen hat. Und so steh ich an der Pforte und schau ihnen noch ein Weilchen hinterher.

Netter Kerl, wirklich. Also der Buengo, mein ich. Über den Wärter kann ich ja nix sagen, den kenn ich einfach nicht. Obwohl ich einige andere hier schon kenn. Ziemlich gut sogar.

Den Rottmann Sigi zum Beispiel. Oder den Oswald Georg. Ja, genau, der Sechzger-Schorsch. Den gibt's ja wirklich, seit ich überhaupt denken kann. Das ist ja vielleicht ein Kaliber, und der hat sich regelrecht hochgedient hier. Zuletzt war er eine ziemliche Nummer, soviel ich weiß. Ob der überhaupt noch im Dienst ist, der alte Sack? Wenn, dann dürfte er schon gut auf seine Pensionierung zurasen.

»Ist noch was?«, will jetzt der Typ hinter seiner Glasscheibe wissen und reißt mich damit aus meinen Gedanken heraus.

»Äh, ja, Kollege, du sag einmal, der Oswald Schorsch, ist der eigentlich noch im Dienst?«

»Der Sechzger-Schorsch? Ja, freilich ist der noch da. Um genau zu sein, warte kurz … noch, warte …«, lacht er mir durchs dicke Glas hindurch, dreht sich dabei jedoch um und schaut hinter sich auf ein Maßband, das dort an die Wand genagelt und offensichtlich schon ein gutes Stück abgeschnitten wurde. »Noch exakt dreiundsiebzig Tage, dann hat er den Wahnsinn hier überstanden. Aber warum fragst? Kennst den, oder was?«

»Ja, ja«, antworte ich und muss grinsen. »Den Schorsch, den kenn ich schon ewig. Weil meistens, wenn ich euch hier neue Gäste vorbeigebracht hab, da war exakt er es, der sie in Empfang genommen hat.«

»Da schau einer an, eine echte Männerfreundschaft, hähä.«

»Würde ich so nicht unterschreiben, meistens haben wir uns gestritten, was das Zeug hält.«

»Ha, lass mich raten! Fußball?«

Ich nicke.

»Bravo! Ein Bayer, so isses recht! Sei gegrüßt Bruder!«

Ich nicke ein weiteres Mal.

»Ja, du, ich muss los«, sag ich und dreh mich auch schon ab. »Aber sagst ihm recht schöne Grüße, wennst ihn siehst.«

»Mach ich … aber, stopp! Von wem denn?«

»Eberhofer. Franz Eberhofer aus Niederkaltenkirchen.«

»Nicht wahr, oder? DER Eberhofer?«

Doch da bin ich schon draußen.

Kaum bin ich ein paar Meter gefahren, da läutet mein Telefon und der Bürgermeister ist dran.

»Sagen Sie mal, Eberhofer«, knurrt er mir in den Hörer.

»Haben Sie nicht mehr alle an der Waffel, oder was? Aus welchem Grund verhaften Sie unseren Dings, also praktisch unseren Bengo, bitte schön?«

»Das war eine richterliche Anordnung, Bürgermeister, vom Richter Moratschek, und zwar höchstpersönlich. Da bin ich praktisch machtlos dagegen.«

»Ja, ist der denn deppert geworden, oder was? Der Bengo, das ist doch ein Spitzensportler, verdammt noch mal. Der bringt doch niemanden um.«

»Denken Sie an die Herrschaften Simpson und Pistorius, Bürgermeister.«

»Eberhofer, mir ist jetzt grad gar nicht nach lustig, verstehen S'. Wir haben am kommenden Wochenende nämlich unser erstes Punktspiel, verdammt. Und ausgerechnet gegen Frontenhausen, unsere stärkste Konkurrenz. Da sind wir aufgeschmissen ohne den Bengo, zefix. Machen S' was!«

Und dann mach ich halt was, und zwar leg ich auf. Gut, vorher sag ich noch schnell, dass er diesen ganzen Senf gefälligst dem Moratschek selber aufs Aug drücken soll, aber bitte nicht mir. Und fertig!

Wie ich heimkomm, ist die Küche voll, das kann man gar nicht glauben. Nicht nur, dass die Oma und der Papa drinnen sind, was ja normal wär. Nein, auch die Mooshammerin ist zugegen, samt Privatarzt Doktor Brunnermeier. Und als ob das nicht schon genügen würde, glänzt auch mein älterer Bruder Leopold mit seiner Anwesenheit, was mich jetzt regelrecht herwürgt. Es ist ja noch nicht mal mehr ein einziger

Sitzplatz frei. Und freilich werd ich auch hier gleich mit Fragen bombardiert, was die Verhaftung unserer schwarzen Perle betrifft. Ja, in Niederkaltenkirchen, da gibt es keine Abhörskandale nicht, gell. Und wird's auch nie geben. Weil da fließen die Informationen völlig legal durchs komplette Kaff, und zwar in Überschallgeschwindigkeit. Ich werf einen Blick in die illustre Runde, geh schließlich rüber zum Kühlschrank und hol mir ein Bier raus. Dann lehn ich mich gegen die Spüle und mach erst mal die Flasche auf.

»Was wird das hier, wenn's fertig ist? Eine Alten-WG, oder was?«, frag ich und nehm einen Schluck.

»Also, Franz, das ist ja wohl wirklich die Höhe«, sagt der Leopold und schnaubt ganz empört. »Mich persönlich kannst du damit natürlich nicht kränken, ich kenne deinen geistigen Horizont freilich nur zu genau. Aber unseren Gästen gegenüber ist das eine Unverschämtheit, wie es im Buche steht.«

Ja, mit Büchern kennt er sich aus, die alte Schleimsau.

»Unseren Gästen? Wieso sind es deine? Wohnst du zur Abwechslung neuerdings wieder mal hier, oder was? Etwa Ärger im trauten Heim?«

»Franz!«, knurrt jetzt der Papa.

Huihuihui!

»Ach, Papa, lass ihn doch«, sagt der Leopold weiter, schnauft dabei theatralisch durch und legt die Hand auf die Schulter vom Papa. »Er weiß doch gar nicht, was er da überhaupt redet, der Ärmste. Der hat doch von Familie sowieso keinen blassen Schimmer. Und wie sollte er auch?«

»Da spricht wohl der Profi, gell, Leopold«, muss ich hier aber kontern. Doch die alte Schleimsau hier lässt sich gar nicht erst bremsen. Ganz im Gegenteil: Er übergeht meinen Einwand komplett und lässt seiner Klugscheißerei einfach weiter freien Lauf.

»Überleg doch nur mal, Papa. Da hat er endlich ein einziges Mal was zustande gebracht in seinem freudlosen Dasein, nämlich, dass er dir diesen wunderbaren kleinen Enkel geschenkt hat. Ja, und was ist passiert? Mutter und Kind sind zwar wohlauf, aber leider, leider halten sie einen gescheiten Sicherheitsabstand zum stolzen Erzeuger, gell. Ein Jammertal, in dem du da wanderst, Bruderherz. Ein Jammertal, wirklich.«

Wenn ich im Laufe meines Lebens eines gelernt habe, dann Folgendes: Es gibt Situationen, die sind jeglichen Kommentars überflüssig. Einfach weil es alternativ nur zwei Möglichkeiten gibt. Die eine ist, du regst dich wahnsinnig auf, wirst demzufolge relativ ausfallend und hast somit verloren. Die zweite wäre, dagegen zu argumentieren und seine eigene Sicht auf die Dinge zu erklären. Wenn dein Gegenüber aber völlig diskussionsresistent ist und die Weisheit sowieso mit dem Schöpflöffel … dann lieber Klappe halten, auf Durchzug schalten und sich seinen ganz persönlichen Teil einfach denken.

»Blödes Arschloch!«, muss ich trotzdem noch loswerden, und dann mach ich mich lieber vom Acker.

Und so schnapp ich mir also den Ludwig und wir drehen unsere Runde. Wir brauchen zwei-dreiunddreißig dafür, weil ich heute einfach das Bedürfnis verspür, doppelt so lange durch unsere dämlichen Wälder zu laufen, wie ich es sonst immer tu. Der Leopold, ha, dieser elendige Gscheitschmatzer! Hat schon zwei Ehen in den Sand gesetzt, und seine dritte steht wohl grad auch nicht da wie ein Fels in der Brandung. Zumindest dümpelt er momentan so völlig alleine hier rum, während der Rest seiner kleinen Familie schon unzählige Wochen lang in Thailand verweilt. Genauer bei seinen Schwiegereltern. Da muss doch dann was im Busch sein, oder nicht? Und stattdessen, dass er seinen Arsch in die Höh kriegt und sein eigenes Leben sortiert, nein, da kommt er hier angeschissen und will über das meinige urteilen! Ausgerechnet! Arschloch.

Wobei es dann aber natürlich schon auch wieder fast irgendwie stimmt. Leider. Mein kleiner Sohn und die wunderbare dazugehörende Mutter, also die Susi, die wohnen nämlich tatsächlich separat und nicht wirklich bei mir daheim. Und wenn man mal genauer drüber nachdenkt, dann ist das halt scheiße!

Wie ich ihn das allererste Mal gesehen habe, diesen kleinen Racker, da hätt ich ja beinah geweint. Nein: Ich habe geweint. Aber das weiß freilich keiner, und so soll es auch bleiben. An diesem Tag im Krankenhaus, ich weiß es noch genau, da bin ich zuerst mal ein ganzes Weilchen lang vor dieser blöden Zimmertür rumgestanden, ehe ich mich überhaupt getraut hab, dort anzuklopfen. Alle Menschen, die damals durch diesen Flur gelatscht sind, die haben fast alle versucht, mich irgendwie zu ermutigen, oder haben mich wenigstens auffordernd angelächelt. Und irgendwann hab ich es schließlich getan. Hab angeklopft, zunächst noch relativ zaghaft und dann vehementer, und als schließlich das ersehnte »Herein!« gekommen ist, bin ich auch hereingekommen. Was auch sonst? Mein Herz hat mir getrommelt bis rauf zu den Schläfen. Und zunächst einmal, da hat sie mich gar nicht erst sehen können, die liebe Susi. Weil mein Blumenstrauß, natürlich Rosen, nämlich so dermaßen riesig war, dass ich ihn fast gar nicht schleppen konnte. Drei Vasen haben wir später dafür gebraucht und noch einen Eimer. Aber wurst.

»Franz?«, wollte sie dann freilich wissen, und irgendwie hab ich mir ein »Servus« rausgeächzt. Und nachdem ich ihr dann den depperten Strauß endlich aufs Bett gelegt hab, da bin ich schnurgerade zum Kinderbett hin, hab mich drübergebeugt und hineingeschaut. Ziemlich lange sogar. So was Winziges hab ich zuvor in meinem ganzen Leben noch niemals gesehen. So was Schönes aber auch nicht. Ja, gut, bis auf diese Nase vielleicht. Ein richtiger Eberhofer-Zinken, könnte man sagen. Und ausgerechnet da, wie ich so reinschau und bloß dieses dämliche Naserl angaff, genau da kommen mir die Tränen und laufen mir übers Gesicht. Ganz toll, wirklich!

»Weinst du etwa, Franz?«, hat die Susi dann ganz leise gefragt.

»Nein«, hab ich gesagt und mir mit der Hand über die Augen gewischt. »Bloß eine kleine Erkältung.«

»Dann geh sofort weg von ihm!«

»Also keine richtige Erkältung, äh, mehr so eine Art Dings … also eine Art Allergie vielleicht.«

»Wogegen?«

»Wie wogegen?«

Dann hat sie gegrinst.

»Und wie … wie heißt er denn eigentlich?«, ist es mir aus der Kehle gekratzt.

»Leopold!«

»WIE?«, hab ich darauf gleich gerufen, und vermutlich ein bisschen zu laut, jedenfalls macht der kleine Kerl just in dem Moment seine blauen Augen auf, blinzelt kurz raus ins Leben und beginnt auch prompt, an seinen winzigen Fäusten zu nuckeln.

»Der heißt doch nicht wirklich Leopold, oder, Susi?«

»Nein, natürlich nicht!«, hat sie gelacht und ihren hübschen Kopf in den Nacken geworfen. »Aber sag mal, Franz, was würdest du denn von Paul halten?«

»Paul? Du meinst, so wie mein Opa? Ja, das ist schön!«

»Mhm, das hat deine Oma auch gesagt.«

Danach haben wir nur ein bisschen geschwiegen und wie von Sinnen nur diesen nuckelnden Wicht angeglotzt. Mit seinen langen Wimpern, diesem unglaublichen Schmollmund

und dem irren Haarbüschel, der ihm schon jetzt ganz tief in die Stirn fällt. Da fehlen dir tatsächlich die Worte.

»Das hast du ziemlich gut hingekriegt, Susimaus!«, hab ich irgendwann zu ihr gesagt.

»Ja, dieses Erfolgserlebnis wird dir dein ganzes Leben lang verwehrt bleiben, lieber Franz«, hat sie geantwortet, und eine gewisse Genugtuung war dabei durchaus kaum zu überhören.

»Du, ich glaub, der kleine Paul hier, der hat einen furchtbaren Durst, so wie er grad an seiner Faust rumnuckelt«, hab ich gesagt und zu ihr rübergeschaut.

»Soso, ja, da spricht wohl der Fachmann. Aber nein, das kann schon gut sein, er ist ja schließlich von dir. Komm, sei so lieb und reich ihn mir mal rüber. Aber sei bitte vorsichtig.«

»Ich … äh, ich glaub, ich trau mich nicht.«

»Du … was?«, hat sie dann gesagt und dabei ihre schönen Augen verdreht. Hat die Bettdecke zurückgeworfen und ist in ihrem getigerten Nachthemd und den dicken Wollsocken an den Füßen zu uns rübergekommen. Hat dann diesen kleinen Scheißer ganz routiniert auf den Arm genommen, grade so, als hätte sie noch niemals zuvor je etwas anderes getan. Und exakt in diesem Moment ist die Türe aufgeflogen und eine nicht mehr ganz taufrische Schwester kam zu uns ins Zimmer.

»Ach, schön, Frau Gmeinwieser! Wie ich sehe, ist er ja doch noch gekommen, der stolze Papa. Ja, dann will ich auch gar nicht länger stören und schau lieber hernach noch mal nach Ihnen und dem kleinen Fratz, gell«, hat sie gesagt, und schon war sie auch wieder verschwunden.

Später am Abend, grad wie ich mich auf den Heimweg machen will, da hab ich sie draußen im Flur noch einmal kurz getroffen. Und jetzt wollte ich freilich noch unbedingt wissen, warum sie zuvor einfach so dermaßen sicher davon ausgegangen ist, dass ich so eindeutig der Kindsvater bin.

»Na, Sie sind ja gut«, hat sie gelacht. »Die Nase, meine Güte! Diese Nase macht jeden Vaterschaftstest überflüssig. Glauben Sie einer alten und sehr erfahrenen Säuglingsschwester, mein Lieber!«

Ja, so ist das alles gewesen. Und es ist grade erst mal ein paar Wochen her. Und jetzt steh ich hier allein in diesem blöden Wald rum, und der arme Ludwig, der sitzt vor meinen Füßen und glotzt zu mir hoch. Wahrscheinlich ist sie ihm heut ja tatsächlich etwas zu lang, unsere Runde. Immerhin ist er ja auch nicht mehr der Jüngste. Und vermutlich wird er wohl auch allmählich Hunger kriegen. Genauso wie ich. Also bleibt uns gar keine andere Wahl, als langsam, aber sicher den Rückweg anzutreten. Selbst wenn man daheim grad tausendmal das Gruseln kriegt … Jetzt, gerade wo ich so nachdenk, da ist es wahrhaftig ein richtiges Wunder, dass es diesen kleinen Kerl, den Paul, nun überhaupt gibt. Weil die Susi und ich, wir hatten schon viele gute Zeiten zusammen. Aber eben nicht nur. Leider. Im Grunde hat es halt einfach immer unglaublich viel Auf und Ab gegeben in unserer Beziehung. Und Meinungsverschiedenheiten, schier ohne Ende. Wegen der blöden Heiraterei beispielsweise. Weil die Susi halt ums Verrecken heiraten wollte und ich ums Verrecken eben nicht. So was in der Art halt. Und dann, ganz urplötzlich war da diese Schwangerschaft, die sie ganz alleine überstehen musste, meine tapfere, kleine Susi. Da war nämlich grad wieder mal Sendepause bei uns beiden. Zum einen, weil ich lange Zeit gar nicht gewusst hab, dass sie überhaupt schwanger ist. Und wie ich es irgendwann endlich wusste, bis zum Schluss hin der sicheren Meinung war, dass ein ganz anderer dafür verantwortlich und nun der stolze Papa sei. Hm. Jetzt zieh ich mein Handy heraus und schau mir die ersten Bilder wieder an. Das mach ich gerne. Besonders, wenn der Alltag grad mal wieder nicht so plüschig ist. So wie jetzt halt. Die Susi ist da drauf. Und freilich auch der Paul. Oder der Paul und die Susi. Und hier wieder die Susi und der Paul. Manchmal auch der Paul ohne die Susi. Oder umgekehrt. Ja, achthundertvierundsechzig sind es mittlerweile. Sehr schön. Der Ludwig fängt grad zu winseln an. So müssen wir wohl los, eh er mir hier noch jämmerlich verhungert, der Ärmste.

Wie durch ein Wunder treffen wir exakt in dem Moment auf dem Hof ein, wo grad das traditionelle Abschiedszeremoniell vom Leopold seinen Lauf nimmt.

Es ist immer und immer wieder das Gleiche. Und das geht so: Erst umarmt er allesamt der Reihe nach, grad so, als müsste er gleich eine zehnstündige OP über sich ergehen lassen, bei der die Überlebenschance bei unter einem Prozent liegt. Um dann, ganz am Ende, den armen Papa bis hin zur Schnappatmung zu quetschen.

»Komm heil zurück, Leopold«, sagt der jetzt fast weinerlich und quetscht den Leopold gleichermaßen retour.

»Muss er denn in den Krieg, oder was?«, frag ich deswegen erst mal.

»Nein«, sagt der Papa und schaut zu mir her. »Der Leopold, der fliegt doch morgen nach Thailand. Zu seiner Familie, weißt.«

»Und was, bitte schön, wird dann aus seiner heiligen Buchhandlung?«, muss ich nun wissen.

»Sei so gut und zerbrich dir nicht meinen Kopf, Bruderherz. Ich hab freilich bestens vorgesorgt. Meine zwei Mitarbeiter sind topfit, bestens eingewiesen und haben alles total im Griff. Also, Papa«, wendet er sich wieder ab. »Jetzt muss ich aber wirklich los, muss ja noch mein Köfferchen packen. Obwohl man dort ja eigentlich gar nicht viel braucht, gell. Die haben dort ja selber nix. Also, ihr Lieben, macht's gut, ich denk an euch und ich schreib euch eine schöne Karte, gell!«

Das letzte Mal, wo der Leopold eine schöne Karte aus Thailand geschrieben hat, ist draufgestanden, dass er grade ein nettes Mädchen kennengelernt hat. Wie diese Karte dann endlich bei uns daheim angekommen ist, da hat dieses nette Mädchen schon längst bei ihm gewohnt und war im siebten Monat schwanger.

Wie auch immer, Autotüre zu, winke, winke, und schon gehen die Reifen durch, dass der Kies nur so fliegt.

»Komm, Bub«, sagt die Oma anschließend und hakt sich bei mir unter. »Ich hab dir noch ein bisserl was vom Abendessen aufgehoben. Viel ist es nicht, die haben ja gefressen wie die Schleuderaffen. Und mit so vielen Leut hab ich sowieso gar nicht gerechnet. Aber wirst schon noch satt werden.«

Und kurz darauf komm ich auch schon in den Genuss der diversen Reste. Gut, von der Leberknödelsuppe ist nur noch die Suppe da, kein einziger Knödel. Dafür ist der Kaiserschmarrn aber umso besser, vom Marillenkompott mag ich gar nicht erst reden.

»Sag einmal Franz«, sagt die Liesl, gleich nachdem ihr der Brunnermeier mithilfe eines Löffels irgendwelche abgezählten Tropfen in den Schlund befördert hat. »Wenn du den armen Buengo verhaftet hast, dann war das doch offensichtlich ein Mord, oder etwa nicht? Dieser Brand dort in meinem Haus drüben?«

»So wie's momentan ausschaut, war es ein Mord, Liesl, ja, das ist richtig.«

»Aber der Buengo, der ist doch kein Mörder, Franz! Nie im Leben!«

»Ja, stell dir vor, dieser Gedanke ist mir auch schon gekommen.«

»Ja, dann setz deinen Arsch in Bewegung und klär den Fall auf, Mensch! Dieser arme Kerl dort in dem furchtbaren Knast. Und das mit seiner Hautfarbe! Und überhaupt … die ganzen Schwulen dort drinnen. Ja, pfui Teufel, sag ich dir. Den musst du da unbedingt ganz schnell rausholen, Franz!«

»Du kennst dich ja aus, Liesl.«

»Ja, ob du's glaubst oder nicht, ich kenn mich aus. Außerdem kannst sowieso gleich zum Essen aufhören, Dorfsheriff, und zum Landgasthof rausfahren. Die kannst nämlich alle miteinander direkt verhaften, dieses blöde Gschwerl!«

»Also, wenn ich bitten darf, Mooshammerin, was ist denn in Sie gefahren, meine Gute?«, fragt jetzt der Brunnermeier und scheint grad wirklich entsetzt zu sein. Hat der die Liesl noch nie in Action erlebt?

»Ja, weil's wahr ist«, brummt sie weiter und jetzt kommt sie erst richtig in Fahrt. Und so erfahren wir, dass sie seit Neuestem nämlich keine Lust mehr hat, denen vom Landgasthof weiterhin den Deppen zu machen und deren Tischdecken zu waschen und zu bügeln, wie sie es eigentlich jahrzehntelang schon tut, einfach weil halt ihre kleine Pension oft nicht genug abwirft. Und ihr Boykott, der hat auch einen ganz simplen Grund, einfach weil sie halt immer noch ein und dasselbe Geld dafür kriegt, wie sie es eben auch schon vor Jahrzehnten gekriegt hat. Knickrig sind die bis zum Dorthinaus, sagt die Liesl, und dabei haben die doch wahrhaftig genug! Ja, von den Reichen, da kann man das Sparen lernen! Aber jetzt … jetzt hat sie die Schnauze endgültig voll. Sie bügelt doch nicht mitsamt ihrem furchtbaren Kreuzweh für drei-achtzig die Stunde! Schließlich ist sie ja nicht deppert! Und das hat sie ihm jetzt auch gesagt, dem Wirt vom Landgasthof. Und zwar höchstpersönlich. Wirt, hat sie zu ihm gesagt, unter acht Euro mach ich dir nix mehr! Da krieg ich ja beim Putzen noch mehr! Ja, hat er daraufhin erwidert, dann gehst halt zum Putzen, Mooshammerin! Da war sie erst einmal sprachlos. Doch bevor sie schließlich und endlich und mit wehenden Fahnen zur Gasthoftür raus ist, da hat sie ihn noch angebrüllt, möge euch der blöde Landgasthof abfackeln! Woraufhin der Wirt zurückgebrüllt hat, sie soll bitte schön recht brav aufpassen, dass sie nicht selber bald abfackelt, dort in ihrem Drecksloch! So weit die Fakten. Der arme Herr Doktor wirkt jetzt ziemlich entsetzt, ja beinah erschüttert, ob der derben Ausdrucksweise seiner einzigen Patientin.

»Bist satt geworden, Franzl?«, will die Oma mit Blick auf meinen leeren Teller nun wissen.

»Ja, mei«, sag ich und zuck mit den Schultern.

»Gell, hab ich mir schon gedacht. Wart, ich mach dir noch ein paar Bratkartoffeln mit Speck. Erdäpfel sind ja von gestern noch etliche übrig«, sagt sie, und schon wandert sie herdwärts.

»Sie sollten sich ein bisschen gesünder ernähren, Eberhofer«, empfiehlt mir der Brunnermeier nun etwas besorgt und schüttelt dabei den Kopf.

»Ja, und überhaupt, du wirst doch jetzt nicht noch mal etwas essen, Franz«, übernimmt die Liesl wieder das Zepter. »Wann, bitte schön, willst denn endlich da rausfahren und dieses elendige Dreckspack verhaften? Immerhin ist das deine Pflicht und Schuldigkeit als Polizei.«

Dem armen Brunnermeier wird's jetzt, glaub ich, zu bunt. Jedenfalls verabschiedet er sich relativ hastig, verspricht aber, morgen wieder nach dem Rechten zu schauen. Wobei er wohl stark bezweifeln dürfte, dass die Mooshammerin tatsächlich auch weiterhin ärztlich betreut werden muss.

Kaum stehen ein paar Augenblicke später meine Bratkartoffeln auf dem Tisch, da geht die Tür auf und der Flötzinger erscheint. Manchmal kommt's mir beinah so vor, als wär das hier die einzige Anlaufstelle für sämtliche verpfuschte Existenzen dieses Planeten.

»Servus, miteinander«, sagt er und zieht sich gleich mal einen Stuhl hervor. »Hab mir schon gedacht, dass ich dich hier finde, Liesl. Gut schaust aus, so erholt. Gell, so ein bisschen Wellness, und schon sind zwanzig Jahr wie weggeblasen, hähä«, trällert er über den Tisch und lehnt sich damit sehr weit aus dem Fenster.

»Was willst?«, fragt die Liesl erwartungsgemäß mit schiefem Kopf und verschränkten Armen.

»Ja, mei«, antwortet er und räuspert sich dann. »Du, wegen deinem Haus, gell, da muss doch jetzt sicherlich so einiges gemacht werden, nehme ich an. Die Heizung wahrscheinlich und vielleicht sogar das Bad und so weiter und so fort.«

Die Mooshammerin starrt ihn an wie ein Mondkalb.

»Gut, also.« Räusper. »Äh, ja, was ich eigentlich sagen wollte, wenn du da einen erfahrenen Fachmann brauchst, Liesl, also praktisch einen echten Profi, jemanden, der sein Handwerk aus dem Effeff versteht wie kein zweiter, dann …«, sagt er weiter, kramt seinen Geldbeutel aus der Hosentasche und zückt daraus eine seiner Visitenkarten hervor. Die legt er exakt vor ihr auf den Tisch und trommelt mit seinem Zeigefinger darauf herum wie ein Wilder. »Dann ruf mich einfach an, okay? Tag oder Nacht, ganz egal und völlig unverbindlich, freilich. Ich mach dir dann einen guten Preis, versteht sich ja von selbst, gell.«

»Der Flötzinger ist ein Halsabschneider, Liesl«, sagt jetzt die Oma von ihrer Spüle herüber.

»Geh, das weiß ich schon selber, Lenerl«, antwortet die, ohne auch nur mit der Wimper zu zucken.

»Sag einmal, Franz«, schaut mich unser Heizungspfuscher daraufhin an. »Wie macht sie das eigentlich, eure Oma? Sie kann doch gar nix mehr hören, oder, zefix!«

»Flötzinger«, sag ich und schieb mir die letzten Kartoffeln in den Mund. »Wenn du hier bei uns aufschlägst, dann hat das jedes Mal finanzielle Hintergründe. Jedes Mal, verstehst. Da muss man gar nix hören, das weiß man halt einfach.«

Nun steht er auf, geht zur Mooshammerin rüber und beugt sich tief über sie.

»Einen sensationellen Sonderpreis mach ich dir, Liesl«, zischt er ihr ins Ohr. »Einen absoluten Wahnsinnspreis, da kannst deinen knackigen Arsch drauf verwetten.«

Anschließend klopft er dreimal auf unseren Tisch und verschwindet durch die Türe, grad so, wie er eben gekommen ist.

»Halsabschneider«, knurrt ihm die Oma noch hinterher, während sie sich die Hände abtrocknet. Vom Wohnzimmer rüber tönen mittlerweile die Beatles in alter Manier. Can't Buy Me Love. Und ich schieb meinen Teller zur Seite, und jetzt ist es mir schlecht. Ob das nun allerdings eher kulinarische Ursprünge hat oder akustische, kann ich nicht definitiv zuordnen. Das Einzige aber, das ich mit Sicherheit weiß, ist, dass ich jetzt dringend ein klitzekleines Schnapserl brauch. Und so hol ich ein Glas aus der Vitrine und schenk mir was ein.

»Ja, sag einmal«, nervt die Liesl aber prompt weiter. »Jetzt fängt er auch noch zu saufen an. Herrschaftszeiten, wann fährst denn endlich los und schnappst dir diese Bagage da draußen? Immerhin handelt es sich dabei um Mörder!«

»Du, Mooshammerin, jetzt mach einmal schön langsam, gell. Und sag mir bitte schön DU nicht, wie ich meinen Job zu machen hab. Und überhaupt, wie lang soll das jetzt so gehen, ha? Wie lang wohnst du jetzt eigentlich bei uns da, wenn die Frage gestattet ist. Hock dich doch einfach auf deinen Besen und düs ab!«

»Franz!«, tönt nun auch noch der Papa vom Türrahmen her. Er schlurft durch die Küche hindurch zum Kühlschrank und holt sich ein Bier raus. »Die Liesl, die ist unser Gast hier, verstanden. Und immerhin wohnt sie ja bei uns da herüben im Wohnhaus und nicht drüben in deinem Domizil, gell. Und wann immer dir unsere Gäste nicht passen, Bub, dann gehst einfach schön rüber in deine eigenen vier Wände und machst die Tür hinter dir zu. Sind wir uns da einig?«

Die Blicke, die mir die blöde Mooshammerin im Laufe dieses Vortrags zuschmeißt, sind an Triumph nicht mehr zu überbieten. Wenn ich's nicht besser wüsste, hätte ich gesagt, die Mooshammerin streckt mir doch tatsächlich die Zunge raus. Ich hau dann hier besser mal ab, das ist ja nicht mehr zum Aushalten, wirklich.

Wie ein geprügelter Hund schleich ich über den Hof und schnurstracks rein in meinen umgebauten Saustall. Steig über die Carrerabahn, quetsch mich am Kickerkasten vorbei und roll die drei Fußbälle ins Eck. Alles Sachen für den kleinen Paul, die ich bei diversen Schnäppchentouren mit der Oma relativ günstig erstehen konnte. Dann schalt ich AC/DC auf Horrorlautstärke, schnapp mir die Wolldecke, knall mich aufs Kanapee und mach die Augen zu. Mir ist immer noch schlecht. Außerdem wird mir jetzt auch noch schwindelig, und zwar saumäßig. Heiß ist es auch hier drinnen, sogar ganz unerträglich heiß. Verreck, wie ich schwitze! Und mein Herz, schlägt das denn nicht auch viel unregelmäßiger als sonst? Doch, doch! Taktak, taktaraktak, taaaaak, taktarak … Wahnsinn! Ob's nun dahingeht mit mir? Wunder wär's ja keins nach so einem freudlosen Tag. Ich öffne die Augen und starr an die Zimmerdecke. Sie dreht sich. Ganz langsam. Aber dort oben kann ich meine Mama erkennen. Zunächst eher verschwommen, ganz allmählich aber deutlicher und deutlicher. Sie lächelt. Und streckt die Hand nach mir aus. Meine Mama ist bei meiner Geburt gestorben. Jetzt gibt's wohl keinerlei Zweifel mehr.

Kapitel 3

Wie am nächsten Morgen der Wecker läutet, fühl ich mich ziemlich erschlagen. Da kann man bloß von Glück reden, dass heute endlich Freitag ist. Schlecht ist es mir zwar nicht mehr, weil ich aber die ganze Nacht lang im Schweiße meines Angesichts und in kommenden und wieder gehenden Schwindelanfällen mit meiner Mama geredet hab, bin ich echt wie gerädert. Nach so einer Nahtoderfahrung, da ist eine heiße Dusche und ein anständiges Frühstück quasi die reinste Wiedergeburt. Die Oma hat auch den Tisch schon gedeckt und Kaffee eingeschenkt, der wunderbar duftet, und zu meiner hellen Freude ist außer ihr noch kein anderer wach. Die Liesl und der Papa wälzen sich zweifellos noch in den Federn. Und so sitzen wir zwei also einträchtig und Zeitung lesend zusammen und genießen unser schweigsames Mahl. Anschließend mach ich mich auch schon gleich auf den Weg. Immerhin gibt's hier einen Mord aufzuklären. Draußen im Hof treff ich noch kurz auf den Brunnermeier, der grad mit seinem Köfferchen hier anwackelt – wohl, um seine Patientin aufzusuchen.

»Morgen«, sag ich deswegen und will grad in meinen Wagen steigen.

»Morgen, Eberhofer, Morgen«, antwortet er und bleibt plötzlich stehen. »Schlecht schaun S' aus heute, wirklich schlecht.«

»Ja, das kann schon gut sein, war eine Scheißnacht heut, wissen S'.«

»Soso. Ja, was ist denn gewesen?«, will er jetzt noch wissen, und so berichte ich ihm halt kurz von meinen nächtlichen Qualen. Währenddessen holt er ein Lamperl aus seinem Koffer und leuchtet mir damit ins Gesicht. Dabei schaut er mir ganz tief in die Augen, erst ins rechte und danach auch links, und wie er schließlich meine Zunge sehen will, da kann ich logischerweise nicht mehr weitersprechen.

»Das gefällt mir nicht, Eberhofer«, murmelt er, packt seine Lampe zurück und wirft mir einen sehr ernsthaften Blick zu. »Nein, das gefällt mir nicht. Das gefällt mir gar nicht.«

»Das sagten Sie bereits.«

»Kommen S' heut Abend bei mir vorbei, ich will mir das unbedingt einmal genauer anschaun.«

»Heut Abend? Da ist es eher schlecht, weil …«

»Kommen S' vorbei und aus, fertig, Äpfel, Amen!«

Und so lässt er mich einfach stehen, dreht sich ab und verschwindet schließlich durch unsere Haustür hinein. Ich schau kurz auf die Uhr, die mir drei viertel acht anzeigt. Höchste Zeit, um zum Haus von der Liesl zu düsen, denn für heute hat sich die Spurensicherung aus Landshut angekündigt. Kaum, dass ich dort antreff, brausen sie auch schon an, die vier Kollegen in weißem Plastik.

»Servus, Eberhofer«, begrüßt mich gleich der Erste von ihnen. Er hat riesige Löcher in den Ohren, wo Metallringe drinstecken, und kommt zu mir ans Gartentürl, während die anderen derweil schon mal ihren Kofferraum plündern.

»Servus, ihr seid's ja pünktlich wie die Maurer«, sag ich, und es fällt mir echt schwer, den Blick von seinen überdimensionalen Ohrlöchern zu nehmen.

»Logo«, sagt er weiter und schaut dann in den Garten. »Oh, leck mich! Wie schaut's denn da aus? Meine Herren! Ja, ist denn da eine Herde von Wildschweinen durchgetrampelt, oder was?«

»Ja, so ähnlich könnte man das schon sagen.«

»Und warum zum Teufel ist da nicht abgesperrt worden?«

»Das muss wohl irgendwie versäumt worden sein, keine Ahnung.«

»Irgendwie versäumt, verstehe. Ja, perfekt, wirklich. Auf geht's, Jungs, schauen wir lieber gleich mal nach drinnen. Da heraußen, da gibt's eh nix mehr zu finden.« Und so überreich ich dem Ohrloch also den Hausschlüssel, und schon macht er sich samt Komplizen auf ins Haus, die möglicherweise informativen Hinterlassenschaften eines Mörders in kleine Tüten zu verpacken. Wo hingegen meine Wenigkeit zurück ins Auto springt und prompt Richtung Landshut düst. Genauer: ins Gerichtsgebäude. Noch genauer: zum werten Richter Moratschek. Schließlich und endlich muss ich jetzt schön langsam mal wissen, wo eigentlich momentan mein Aufgabengebiet liegt. Ist es München, wohin ich seit über einem Jahr zwangsbefördert wurde und seitdem Dienst schieb? Oder ist es eher mein früherer Wirkungskreis Niederkaltenkirchen, also meine Heimat sozusagen, was ich insgeheim freilich hoffe? Allein schon, weil es ja auch deutlich mehr Sinn macht, vor Ort einen brutalen Meuchler zu finden, anstatt in unserer wunderbaren Landeshauptstadt popelige Strafsünder zu verfolgen, oder? Wohin also mit all meiner Schaffenskraft? Das heißt es nun erst mal herauszufinden.

»Fassen Sie sich kurz, Eberhofer«, sagt der Moratschek gleich nach der Begrüßung. »Ich hab um neun die erste Verhandlung, also in exakt zwanzig Minuten.«

Und so komm ich auch gleich auf den Punkt und bring ihm mein Anliegen ohne Umschweife entgegen.

»Da haben Sie nicht ganz unrecht, Eberhofer«, sagt er, lehnt sich im Bürostuhl zurück und öffnet dann die Schreibtischschublade. Dort holt er sein heiß geliebtes Doserl heraus und genehmigt sich erst mal eine ordentliche Prise Schnupftabak. »Also, genau genommen sind Sie natürlich für München zuständig, ganz klar. Aber andererseits fragt man sich natürlich, warum sollte man einen so erfolgreichen Ermittler wie Sie nach München schicken, wenn ausgerechnet vor Ihrer eigenen Haustür ein Mörder rumhängt. Das wäre ja direkt ein Schwachsinn, oder?«

»Das seh ich genauso.«

»Gut, dann sind wir uns ja einig. Ausnahmsweise. Also fahren S' in Ihr Kaff raus und lösen S' den Fall. Ich kümmere mich derweil um die Formalitäten. Wie heißt Ihr Vorgesetzter gleich noch?«

»Stahlgruber«, sag ich, und schon bin ich wieder weg.

»Und grüßen S' mir Ihren Herrn Vater recht herzlich!«, hör ich noch durch die geschlossene Türe.

»Mach ich«, ruf ich zurück.

Es ist beinah unglaublich. Ich hab einen neuen Fall! Und zwar ausgerechnet in Niederkaltenkirchen! Das schreit ja förmlich nach einer Leberkässemmel. Oder zwei.

»Zwei Warme wie immer«, sag ich deswegen, gleich wie ich beim Simmerl eintreff.

»Ja, dir auch einen wunderschönen guten Tag, lieber Franz«, erwidert der Simmerl übertrieben freundlich und wischt sich seine Wurstfinger an der Schürze ab. »Und wieso zwei wie immer? Wenn ich mich richtig entsinne, dann sind es doch sonst jedes Mal drei, oder?«

Wenn er sich richtig entsinnt!

»Mit ›wie immer‹ mein ich natürlich den Senf, du Gscheithaferl. Und zwei deswegen, weil es mir momentan irgendwie grad nicht so gut geht.«

»Und du meinst, das liegt an meinem Leberkäs, du Spinner?«

Ich verdreh mal die Augen.

»Mach einfach zwei Leberkässemmeln, Simmerl, und schreib's auf, okay. Oder ist das zu viel verlangt?«

Jetzt verdreht der Metzger die Augen, schneidet aber brav meine Semmeln auf.

»Du, was anderes, Franz«, sagt er dann weiter, grad wie er einzutüten beginnt. »Wegen diesem Mord, also praktisch dem bei der Liesl, weißt schon?«

»Ja, ich weiß, Simmerl. So arg viele Morde haben wir ja momentan auch grad nicht, gell.«

»Stimmt. Also, ist das wahr, dass die Geschichte ... also praktisch der Mord, dass der mit diesem Hotelbau zusammenhängt?«

»Was weißt du über den Hotelbau?«

»Ja, eigentlich nix. Jedenfalls nix Genaues. Mir ist halt nur zu Ohren gekommen, dass diese Sache doch noch nicht endgültig vom Tisch ist, weißt. Und wenn das wirklich alles noch mal von vorne verhandelt wird, dann ...«

»Dann willst du dabei freilich auch deinen Reibach machen und dein wertloses Grundstück endlich loswerden, hab dich schon verstanden, Simmerl.«

»Hey, komm! Und wieso wertlos? Stoppstoppstopp, Eberhofer, warte! Bleib gefälligst stehen, wenn ich mit dir rede, sag ich dir! Außerdem musst du verdammt noch mal auch noch bezahlen!«

»Schreib's auf, hab ich gesagt!«

»Arschloch!«

Anschließend fahr ich ein weiteres Mal zum Haus von der Liesl oder besser: den kläglichen Überresten davon und erkundige mich nach dem Stand der Dinge. Und nachdem ich von der Spusi zuerst mal einen Anschiss kassiert hab, dass ich ohne Überzieher hier einfach rumhample, und einen weiteren, dass ich mit meinen blöden Semmeln auch noch alles vollbrösele, bekomm ich endlich eine anständige Antwort. Befriedigend ist sie deshalb aber noch lange nicht. Ja, heißt es, hier gibt es Spuren über Spuren, und wahrscheinlich ist seit Jahren der Staubsauger defekt. Jedoch etwas zum Tathergang zu sagen, dafür ist es einfach zu früh. Da müsse man erst die Auswertungen abwarten. Und das könne bei diesen Dimensionen durchaus etwas dauern. Ja, herzlichen Dank auch, sag ich noch so und geh zurück zu meinem Auto.

Jetzt weiß ich ehrlich nicht, ob ich's mir einbilde oder ob es wirklich den Tatsachen entspricht, aber ich könnte schwören, dass es mir schon wieder leicht schwindelig wird. Ich hock im Streifenwagen und atme tief durch. Mach die Augen zu und dann wieder auf. Doch es ist völlig eindeutig, die Straße wackelt, und zwar beträchtlich. Vielleicht sollte ich doch mal beim Brunnermeier vorbeischauen und mich durchchecken lassen. Womöglich ist es ja was Ernstes, und die Geschehnisse der letzten Nacht waren sozusagen schon die ersten Vorzeichen dafür, was mich nun erwartet. Großer Gott, ich muss zum Brunnermeier! Aber heut ist es wirklich eher schlecht. Weil heute, da kommt nämlich die Susimaus mit unserem Fexer. Ja, Freitag ist neuerdings Susi-Time, das hab ich jetzt endlich hingekriegt. Einfach war das nicht, gar keine Frage. Der Blumenladen im Nachbardorf dürfte sich damit gründlich saniert haben. Geholfen haben die ganzen Sträuße allerdings herzlich wenig. Erst als ich gesagt hab, der Bub, der braucht doch auch einen Vater, erst da ist sie weich geworden und hat zugestimmt. Und jetzt … jetzt kommen die beiden praktisch jeden Freitagabend zu uns heim. Erst wird schön feierlich gegessen, da kocht die Oma auf, das kann man kaum glauben. Und hinterher kann sie und freilich auch der Papa den kleinen Scheißer ein wenig verziehen, was das Zeug hält. Ich mach übrigens das Gleiche mit ihm, später drüben bei mir im Saustall auf meinem Kanapee. Die Susi legt dann leise Musik auf, meistens den Ramazotti oder so was in der Art halt und hockt sich dann völlig entspannt im Schneidersitz drunten auf den Fleckerlteppich. Von dort aus kann sie uns nämlich ganz prima beobachten, und manchmal huscht ihr ein Lächeln übers Gesicht. Wenn er zum Beispiel auf meinem Bauch liegt und mich von oben bis unten vollsabbert. Das macht er gerne. Besonders, seit er sein Köpfchen heben kann. Und dann, wenn ich mit den Lippen so vor mich hin blubbere, dann fängt er meistens zu lachen an, bis er einen Schluckauf kriegt. Das ist schön. Also das mit dem Lachen, mein ich.

»Ihr seht euch so ähnlich«, sagt die Susi dann oft. Das ist noch schöner. Das Ende aber ist jedes Mal gleich. Leider. Da kann ich noch so quengeln. Irgendwann schaut sie plötzlich auf die Uhr und steht auf.

»Bleib halt da«, sag ich Freitag für Freitag.

»Nein«, sagt sie. Ebenfalls Freitag für Freitag. Das wird mir wohl auch heute nicht erspart bleiben. Wie man nur so dermaßen stur sein kann?

Ja, Herrschaftszeiten, das gibt's doch nicht! Jetzt wird's mir auch noch schlecht. Schon wieder. Also Fenster auf und durchatmen.

»Ist alles okay bei dir, Kollege?«, fragt plötzlich der Ohrlöchrige und schaut zu mir rein.

»Ja, ja, alles paletti«, sag ich und quäl mir ein Lächeln ab.

»Ausschauen tust aber scheiße. Du, wir sind dann auch schon weg. Die Haustür ist versiegelt, und den Schlüssel nehm ich mit, okay?«, sagt er noch und klopft mir aufs Autodach.

»Seid ihr schon fertig, oder was?«

»Träumst du? Aber schau mal auf die Uhr, mein Freund.«

Jetzt kommen seine Kollegen dazu, und einer davon legt ihm freundschaftlich den Arm um die Schulter.

»Und? Wie schaut's aus?«, fragt er ihn auffordernd und grinst.

»Gut, packen wir's! Also, servus, Eberhofer, bis Montag dann und schönes Wochenende! Ach, ja, und geh mal zum Arzt!«

Stimmt ja! Freitagmittag. Feierabend natürlich. Was sonst? So bleib ich noch ein Weilchen hier sitzen, atme tief ein und wieder aus und schau dem wegfahrenden Wagen hinterher. Schön irgendwie, so eine Kollegenfreundschaft. Macht die Arbeit deutlich angenehmer, oft auch erfolgreicher und hat so was Entspanntes. Meistens jedenfalls. Und ich weiß, wovon ich rede. Weil ich nämlich seit Jahrzehnten den Birkenberger an meiner Backe hab. Der nervt zwar oft in seiner leicht weibischen und zickigen Art und drängelt sich vor, wo er nur kann. Vermissen möchte ich ihn dennoch nicht. Und irgendwann zieh ich mein Telefon hervor und ruf ihn einfach mal an. Ich glaub, der muss jetzt mit an Bord, es hilft alles nix.

»Privatdetektei Rudolf Birkenberger. IHR professioneller Ansprechpartner für Observierungen jeglicher Art. Diskret, souverän und erfolgsorientiert. Sie sprechen mit Herrn Birkenberger persönlich, was bitte schön kann ich denn für Sie tun?«, tönt es aus der Muschel heraus und schon hat er mir damit trotz meiner Übelkeit ein fettes Grinsen ins Gesicht gezaubert.

»Ja, hier Polizei Niederkaltenkirchen, Sie sprechen mit Hauptkommissar Eberhofer höchstpersönlich. IHR professioneller Ansprechpartner für Morde jeglicher Art …«

»Ja, Mann, ich weiß doch, wer dran ist.«

»Warum meldest du dich dann so seltsam?«

»Einfach weil's lustig ist.«

»Lustig?«, frag ich. Was ist denn mit dem heute los?

»Ja, lustig, Franz. Oder weil's mir einfach Spaß macht. Lebensfreude, Humor, Heiterkeit, Belustigung, so was in der Art halt.«

»Ich kann es allerhöchstens albern finden.«

»Albern ist auch gut, erstklassig sogar!«, kichert er jetzt.

»Hast du was eingeschmissen, Rudi? Ein Ecstasy, oder was?«

Dann kichert er wieder kurz, erzählt mir aber zu seinem Glück gleich den Grund für seinen ungewöhnlichen Frohsinn. Und zwar hat er grad einen dicken Scheck erhalten, weil er einen ganz miesen Heiratsschwindler enttarnt hat. Vier Monate lang war er dem jetzt auf den Fersen und lange Zeit völlig vergebens. Einfach weil der unglaublich vorsichtig und ausgekocht war. Dann aber, erst vor ein paar Tagen, da hat er ihn schließlich gestellt, diesen Bazi. Und heute ist der pfiffige Rudi dafür fürstlich entlohnt worden von der reichen Witwe, die seine Auftraggeberin war.

»Und weißt du, was das Beste an dieser Geschichte ist, Franz?«

»Nein«, sag ich wahrheitsgemäß. Woher auch?

»Das Beste ist, dass sich diese vier reichen alten Mädels, die er allesamt hintergangen und ausgenommen hat, dass sich die jetzt kennengelernt und zusammengetan haben.«

»Und weiter? Haben sie ihn dann geteert und gefedert?«

»Nein, die sind ja nicht blöd. Die haben ihn natürlich an deine Kollegen übergeben. Aber sie machen jetzt gemeinsam eine Kreuzfahrt. Weil sie der Meinung sind, dass dort ihr Geld besser angelegt ist. Wie findest du das?«

»Schön!«, sag ich ein weiteres Mal wahrheitsgemäß.

»Ich auch, Franz! Ich auch. Aber lassen wir das. Was gibt's?«

»Es gibt einen Mordfall.«

»Ausgezeichnet. Und wo?«

»Bei uns daheim in Niederkaltenkirchen.«

»Ha, ich lach mich tot! Lass mich raten, hat irgendjemand den Leopold erwürgt?«

»Nein, leider nicht«, sag ich noch so, und dann informier ich den Rudi über den aktuellen Stand der Dinge.

»Wenn das nicht passt! Hab im Moment eh grad keinen neuen Fall«, freut er sich hörbar darüber. Besonders dürfte er sich darüber freuen, dass sich der Tatort ausgerechnet in Niederkaltenkirchen befindet und somit für ihn das eine oder andere feine Essen bei der Oma rausspringen wird. Und so frohlockt er mir noch in den Hörer, dass er gleich am Montag in aller Herrgottsfrüh frisch gewaschen und rasiert bei uns im Hof aufschlägt und schon jetzt tierisch gespannt ist. Dann legen wir auf.

Kapitel 4

Das heiß ersehnte Wochenende ist dann nicht grad so der Brüller, weil ich gleich zu Anfang einen entscheidenden Fehler mache. Wegen meinem hartnäckigen Schwindel und der daraus resultierenden Übelkeit fahre ich nämlich gleich am Freitagabend tatsächlich noch leichtsinnigerweise beim Brunnermeier vorbei. Und nachdem er mir annähernd hundertmal versichert hat, wie unglaublich schlecht ich wieder mal ausschau, untersucht er mich daraufhin sehr gründlich und nimmt mir literweise Blut ab.

»Cholesterin, Eberhofer«, sagt er dann plötzlich und legt seinen Kopf mal kurz schief. »Ja, ich denke, es handelt sich um Cholesterin. Ich befürchte fast, Sie haben Probleme damit, mein Bester. Und das in Ihrem Alter! Aber gut, Ihre ungesunde Ernährung, gell. Sie sind ja der reinste Leberkäsfriedhof, könnte man sagen. Dann noch Ihr Job dazu, diese unstete Partnerschaft, ja die gesamte Lebensweise stimmt da einfach nicht, wenn Sie mich fragen.«

»Tu ich aber nicht!« Was weiß der schon über meine Lebensweise?

»Dachte ich mir schon. Aber ich rate Ihnen dringend, das einmal gründlich zu überdenken. Gut, für heut sind wir ohnehin auch schon fertig, denn mehr weiß ich freilich erst in ein paar Tagen, wenn halt die Laborwerte da sind, gell. Ich ruf Sie an, sobald ich was hab.«

Dann dreht er sich ab, öffnet die Türe, geht vor mir her durch die Diele hindurch und dem Ausgang entgegen.

Na, jedenfalls soll ich mich bitte schön recht gut schonen, gibt er mir noch mit auf den Weg. Viel Bewegung, jedoch keinerlei Anstrengung, kein Alkohol und unbedingt anständig essen, worunter er freilich jede Menge Obst und Gemüse versteht. An der Haustür verabschieden wir uns schließlich, und er wünscht mir ein schönes Wochenende.

»Ja, wie denn?«, sag ich noch so und zeig ihm einen Vogel. Danach aber hock ich mich auch gleich ins Auto und mach mich auf den Heimweg. Die Susi ist schon da, wie ich ankomm, und auch der kleine Scheißer freilich. Der hockt dort drüben beim Papa am Tisch, genauer auf seinem Schoß, und muss sich grad mit Hoppa, Hoppa, Reiter bespaßen lassen, bis er ganz rot ist im Gesicht. Und die Oma, die steht wie meistens vorne am Herd, doch sonderbarerweise dünstet sie heute der Reihe nach tonnenweise Gemüse, welches die Susi grad in kleine Streifen schneidet. Und spätestens jetzt, da hätte mir eigentlich ein Licht aufgehen müssen. Weil's sonst nämlich bei uns daheim am Freitag immer richtige Nahrung gibt. Also einen Schweinebraten meinetwegen oder panierte Schnitzel mit Kartoffelsalat. Oder dann und wann auch vielleicht ein Rahmgulasch. So was in der Art. Praktisch eine wahnsinnig schmackhafte Mahlzeit, um das angehende Wochenende auch dementsprechend gebührend zu empfangen. Definitiv aber nichts Gesundes nicht. Jedenfalls nicht in dieser Menge.

»Ja, Franz, herzlichen Dank auch«, sagt der Papa irgendwann, nachdem er endlich aufgehört hat, den armen Paul ins Koma zu schütteln.

»Gerne, aber wofür genau?«, will ich daraufhin wissen und nehm ihm dabei einmal meinen Sohnemann aus dem Arm, der mir umgehend ein Lächeln schenkt. Und freilich lächele ich zurück. Und auch wie uns die Susi jetzt anschaut, fängt sie gleich zu lächeln an. Was sind wir nur für ein freundliches Volk!

»Ja, dass wir heut alle miteinander diesen blöden Kompost fressen müssen«, knurrt mein alter Herr zu mir rauf.

»Also, Papa, wirklich«, sagt die Susi darauf und wirkt ziemlich empört. »Das ist doch kein Kompost, Mensch. Da sind Paprika drin, rote und grüne, und feine Zucchini, gelbe Rüben, Lauch und Spinat, und lass mich schnell schauen … Zwiebeln, ein bisserl Ingwer und Knoblauch … und warte …«

»Sag ich doch, Kompost«, knurrt er weiter aus seiner Eckbank heraus.

»Jetzt hab dich nicht so«, startet die Susi erneut den Versuch, die ganz offensichtlich unerfreuliche Wahrheit hier einfach irgendwie schönzureden. »Außerdem gibt's ja auch noch ein paar feine Putenstreifen dazu, weißt. Noch dazu von einer ganz frischen Schlachtung. Schau, diese Henne hier, die ist heut früh noch ganz fröhlich über die Wiesen gerumpelt.«

»Ja, wegen mir hätt sie auch gar nicht erst sterben müssen!«

»Kann mir vielleicht irgendjemand erzählen, was hier eigentlich los ist? Und wieso dieses ganze Grünzeug plötzlich, wenn die Frage gestattet ist?«, will ich jetzt wissen, weil ich die Situation noch immer nicht wirklich durchschau oder durchschauen möchte. Einen Verdacht allerdings hab ich durchaus, der sich auch prompt bestätigen wird. Weil dann nämlich der Papa anfängt, in seinen nicht vorhandenen Bart zu knurren. Und zwar hat unser geschätzter Herr Doktor Brunnermeier in seiner fürsorglichen Art, gleich nachdem ich mich von ihm verabschiedet hatte, postwendend und höchstpersönlich hier angerufen, um seinen ärztlichen Befürchtungen Ausdruck zu verleihen. Und bei dieser Gelegenheit hat er natürlich auch gleich einen sehr ausgewogenen und gesunden Ernährungsplan für mich durchgegeben. Essen könnten es aber durchaus alle anderen ebenfalls, hat er noch gemeint. Ja, ein paar Vitamine mehr hätten doch schließlich sowieso noch niemandem geschadet, gell.

»Was erlaubt sich der eigentlich?«, frag ich, nachdem sich die Informationen langsam, aber sicher in mir abgesetzt haben. »Und überhaupt, was die Sache mit dieser ärztlichen Schweigepflicht betrifft, erlischt die eigentlich automatisch mit der offiziellen Dienstzeit eines Arztes? Ich denke, nicht! Wo ist das verdammte Telefon? Den mach ich jetzt rund!«

»Ja, mach das«, brummt der Papa aus seinen verschränkten Armen heraus.

»Jetzt beruhigt euch doch erst einmal, ihr zwei elendigen Motzer! Und probiert es doch bitte schön einfach mal aus, bevor ihr hier die Pferde scheu macht. Die Oma und ich, wir haben uns wirklich viel Mühe gegeben, und außerdem hab ich echt gut gewürzt. Also hinsetzen und Goschen halten. Und wer weiß, vielleicht schmeckt es den Herrschaften ja sogar«, wirft jetzt die Susi wieder ein und zwinkert mir auffordernd zu. Da bin ich echt machtlos dagegen.

Trotz meines scharfen Tonfalls von gerade ist mir der kleine Paul auf dem Arm eingeschlafen. Und so werd ich ihn besser mal niederlegen. Wenn ich so dran denk, dass ich es die ersten paar Tage lang kaum gewagt hab, ihn überhaupt mal anzufassen, geschweige denn, ihn hochzunehmen. Aber gut, da waren wir zwei auch noch gar nicht im Training, ganz klar. Nun aber gähnt er ausgiebig, und so halte ich sein Köpfchen und mummele ihn ganz vorsichtig dort in seinen Stubenwagen hinein. In dem bin ich selber auch schon gelegen. Und sogar der Papa. Ja, gut der Leopold wohl auch irgendwann. Doch bevor der Paul dort hineinkam, hab ich alles sehr gründlich gereinigt und desinfiziert.

Ein paar Augenblicke später kommt auch schon die Oma

mit ihrer Pfanne an den Tisch gewackelt, aber die Essensvorfreude, die sich bei diesem Anblick sonst in mir breitmacht, die will und will sich heute nicht einstellen. Aus dem Küchenbüfett heraus holt die Susi dann die Teller und das Besteck, und ich zähle kurz durch … zwei, drei, vier.

»Sind wir nur zu viert heut?«, frag ich mit Blick auf die Gedecke. »Was ist denn mit der Liesl los? Warum isst die nicht mit?«

»Warum die Liesl nicht mitisst? Ha! Das kann ich dir schon sagen, Franz«, brummt der Papa nun wieder und schnüffelt an seinem bereits vollen Teller. »Weil die ja nicht blöd ist und deswegen streikt. Die mag nämlich auch keinen Kompost nicht.«

»Kluge Frau!«, sag ich noch so, ernte von den Mädels aber postwendend tödliche Blicke.

»Ja, ja, die ist zum Simmerl rübergegangen, weißt. Weil der heut Fleischpflanzerl im Angebot hat. Und zwar, wennst es genau wissen willst, Fleischpflanzerl mit Nudelsalat«, sagt der Papa weiter, und es klingt beinah verzweifelt.

»Nicht dein Ernst, oder? Fleischpflanzerl mit …«, versuche ich grad noch, aber schon klebt mir die Zunge am Gaumen.

»Franz!«, pulvert jetzt auch noch die Oma, und das, obwohl sie es gar nicht gehört hat.

»Ja, Fleischpflanzerl mit Nudelsalat, exakt. Mit reichlich Mayonnaise drinnen und Essig und sogar einem Spritzer Sahne. Und stellt euch vor, sogar Gemüse ist da drin, in dem Nudelsalat«, sinniert der Papa und stochert so lustlos in seinem Teller umeinander, dass ich schon beinah ein schlechtes Gewissen krieg.

»Ja, Essiggurken sind drin. Und wennst Glück hast, dann ein paar Zwiebel«, zischt jetzt die Susi übern Tisch.

»Gemüse ist Gemüse«, knurrt mein Erzeuger retour und schaut sie dabei auch noch recht unfreundlich an. Das ist ungewöhnlich. Äußerst ungewöhnlich sogar. Weil auf seine Susi, da lässt er nix kommen, der Papa. Die liebt er aus seiner tiefsten Seele heraus. Genauso wie es die Oma tut. Und da sieht man wieder einmal sehr deutlich, was so eine krasse Mangelernährung aus einem völlig friedfertigen Mitmenschen macht. Horror, wirklich.

Und überhaupt, ich muss schon sagen, es ist eine Stimmung hier, man könnte fast meinen, das komplette Dschungelcamp hätte grad Einzug gehalten.

Zu meiner Erleichterung aber kehren anschließend wenigstens einige Schweigeminuten ein. Vermutlich allein schon deshalb, weil jeder von uns vieren einfach schon damit überfordert ist, diese Vitaminbombe einigermaßen hinunterzukriegen. Gut, gewürzt haben sie tatsächlich ganz prima, die Mädels, da gibt's keine Frage. Und der Hunger treibt's rein, das ist schon wahr. Doch obwohl noch einiges in der Pfanne wäre, hat dennoch heut niemand das Bedürfnis, nachzufassen, geschweige denn, sich sogar noch die eine oder andere Brotscheibe zu holen, um den Sud auszutunken. Noch nicht mal die Oma, da hat selbst ihre Sparsamkeit auf einmal Feierabend. So sind wir alle eher ziemlich erleichtert, wie die Teller endlich leer sind, und fangen auch gleich damit an, den Tisch abzuräumen.

Und grad wie die zwei Mädels mit dem Abwasch beginnen, da klopft es kurz an der Tür und der Bürgermeister kommt rein.

»Servus, miteinander, liebe Mitbürger und Mitbürgerinnen«, sagt er und schnauft kurz tief ein. »Meine Güte, was hat's denn bei euch heut gegeben? Habt's ihr etwa euern Komposthaufen gegrillt, oder was?«

Dem Papa huscht ein breites Grinsen übers Gesicht.

»Nein, Bürgermeister«, sag ich, weil ich gleich sehen kann, wie die Augen von der Susi zu funkeln anfangen. »Wir ernähren uns halt gern mal ein bisschen gesünder, wissen S'. Würde Ihnen selber übrigens auch nicht schaden.«

Und prompt tastet er seinen Ranzen ab.

»Meinen S' wirklich? Ja, da kann schon was dran sein.«

»Mei, der Herr Bürgermeister«, schreit jetzt die Oma, trocknet sich kurz die Hände an ihrer Schürze ab und schon saust sie los, um einen Teller zu holen. »Sie kommen ja wie gerufen. Bei uns, da hat's nämlich heut was ganz was Feines gegeben. Setzen Sie sich nieder, Bürgermeister!«

»Machen Sie sich keine Umstände, Frau Eberhofer!«, schreit er ganz panisch in ihre Richtung und fuchtelt dabei mit den Händen, grad so, als ob er ein Fluglotse wär.

»Papperlapapp, hinsetzen, Bürgermeister!«, schreit sie weiter und eilt schon mit dem Essen an. »Bei uns, da muss keiner hungern, wissen S'. Außerdem wird Ihnen das guttun. Ein ganzer Haufen Vitamine ist da drinnen. Hinsetzen!«

Der Bürgermeister schaut zunächst zu mir, dann zum Papa rüber und wieder zurück. Und macht dabei, wie soll ich sagen, vielleicht einen eher hilflosen Eindruck. Wir zucken nur mit den Schultern und grinsen uns einen. Schwer schnaufend hockt er sich schließlich nieder, greift zum Besteck und betrachtet seinen Teller. Ein ganzes Weilchen sogar.

»Auf was warten S', Bürgermeister«, will die Oma nun wissen, die genau neben ihm steht. »Dass es Ihnen von selber in die Gurgel springt, oder was?«

»So vital, wie das ausschaut, wär das gut möglich«, murmelt er noch, doch plötzlich wandert seine Gabel ganz beherzt in den Teller. Ob mehr aus Höflichkeit oder eher mangels Alternativen, kann ich wirklich nicht sagen. »Also, Eberhofer, warum ich eigentlich da bin, wir haben ja am Sonntag dieses Spiel, nicht wahr. Also, unser wichtiges Auftaktspiel. Wissen S' doch noch, oder? Erzfeind Frontenhausen kommt. Die müssen wir weghauen! Koste es, was es wolle!«

»Sie haben's erwähnt, ja. Und was hab ich damit zu tun?«

Jetzt schaut er ein bisserl verunsichert von einem zum anderen, grad so, als würde er eruieren müssen, ob hier ein Spion unter uns weilt.

»Nur zu, Bürgermeister«, sag ich deswegen. »Die hier Anwesenden, die sind allesamt verschwiegen wie ein Grab, das können Sie mir glauben.«

»Verschwiegen wie … Ja, ja, hab ich mir schon gedacht. Und die Oma, die kann ja eh nix mehr hören, gell.«

»So ist es.«

Trotzdem kommt er jetzt ganz dicht an meine Seite und redet auch deutlich leiser.

»Also, Sie müssen uns unbedingt helfen, Eberhofer«, flüstert er mir her. »Wir brauchen den Dings ums Verrecken. Also den Bengo praktisch. Ohne den sind wir quasi total aufgeschmissen, verstehen S' das?«

»Versteh ich durchaus. Aber der sitzt doch in Haft.«

»Ja, eben, verdammt! Das ist es ja. Sagen S' doch mal, können S' denn da gar nix machen, Herrschaftszeiten? Ich wett, Sie haben dort bestimmt Ihre Connections, oder täusch ich mich da?«

Freilich hab ich die. Aber erst mal schnauf ich ein bisschen theatralisch durch. Einfach, damit er einen Eindruck davon bekommt, wie ich mir hier grad das Hirn zermartere und den Arsch aufreiße.

»Bitte, überlegen Sie, Eberhofer. Denken S' nach! Wenn uns die Frontenhausener niedermähen, ja, dann können wir einpacken! Da sind wir doch das Gespött der ganzen Liga.«

»Mein Gott, Sie gehen mir vielleicht auf den Sack. Wann soll dieses Spektakel denn eigentlich losgehen, und um wie viel Uhr muss er da sein?«, frag ich jetzt, und augenblicklich kann ich unserem Bürgermeister die Erleichterung direkt ansehen. Er klopft mir auf die Schulter, gibt mir dann kurz und knapp die genauen Daten und bedankt sich brav fürs Essen, das er auch restlos verputzt hat. Anschließend aber will er sich auch gleich wieder vom Acker machen. Da aber hat er die Rechnung freilich ohne den Wirt gemacht. Also quasi ohne mich. Schließlich will ich auf alle Fälle noch wissen, was es mit dieser Hotelbausache nun auf sich hat oder eben auch nicht. Auf meine Nachfrage hin will er zunächst nicht recht raus mit der Sprache, druckst nur umeinander und meint, man werde halt einfach abwarten müssen, wie sich die Dinge ergeben. Soso.

»Ja«, sag ich und steh auf. »Dann werden wir aber wohl auch am Sonntag auf dem Fußballplatz einfach abwarten müssen, wie sich die Dinge ergeben, Bürgermeister.«

Danach wird er relativ zügig gesprächig. Allerdings nicht hier drinnen im Haus, nein, auf gar keinen Fall. Jetzt will er unbedingt raus ins Freie. Dort angekommen, versucht er anfangs noch immer zu bocken, aber das kann ich schließlich auch. Denn ich hocke eindeutig am längeren Hebel. Weil immerhin will er den Buengo. Und ich kann ihn organisieren. Und drum erfahr ich relativ zeitnah, dass es wohl hier bei uns in Niederkaltenkirchen tatsächlich so eine Art ominöser Vereinigung etlicher Mitbürger gibt. Dabei handelt es sich wohl um diverse Männlein und Weiblein unterschiedlichster Altersstufen, welche sich dann und wann des Nächtens im geheimen Kämmerlein, nämlich dem Büro unseres Ortsvorstehers, versammeln, um irgendwelche ominösen Pläne zu schmieden, was diesen Hotelbau betrifft. Soso, da schau einer an.

»Wer ist da alles dabei?«

»Herrschaft, Eberhofer! So eine geheime Vereinigung ist nur so lang geheim, solange kein Außenstehender was davon weiß!«

»Sie wollen Ihre schwarze Perle, und ich will eine verdammte Liste, wo alle Namen draufstehen von dieser dubiosen Bruderschaft. Haben wir uns da verstanden, Bürgermeister?«

»Sie … Sie Erpresser, Sie …«

»Vorsicht!«

»Ja, verdammt, dann kommen S' halt am Montag bei mir im Büro vorbei, zefix! Ich schreib Ihnen Ihre verdammte Liste. Aber wehe, wenn da was nach draußen kommt! Fühlen Sie sich gewarnt, Eberhofer!«

Und so fühle ich mich halt gewarnt, heb die Hand zum Gruße und will eigentlich grad wieder nach drinnen gehen, wie die Mooshammerin zum Hof reinschlendert.

»Und wie war er denn so, euer Eintopf, Franz?«, will sie auch gleich wissen. Aber ich geb ihr gar keine Antwort, sondern verdreh nur die Augen.

»Also, die Fleischpflanzerl jedenfalls, die waren hervorragend. Wirklich, Franz, echt ein Gedicht, sag ich dir. Und weißt du wahas? Weißt du, was der Simmerl neuerdings auf seiner Speisekarte stehen hat? Ein Leberkäs-Cordon-bleu! Kannst du dir das vorstellen, Franz?«

Ein Leberkäs-Cordon-bleu! Ja, herzlichen Dank auch!

»Aha«, sag ich, weil mir weiter gar nix einfallen will.

»Ja, prima, gell? Das gibt's ab sofort immer am Dienstag und am Donnerstag. Mei, ich bin vielleicht schon gespannt, ob das auch so ein Schmankerl ist.«

Ja, gut, dann hol ich jetzt lieber mal die Susimaus und den kleinen Scheißer aus der Küche ab, einfach um auf andere Gedanken zu kommen, und wir ziehen uns in meinen Saustall zurück. Aber kaum, dass ich dort so gemütlich mit dem Paul auf dem Kanapee hock, da fängt's in meinem Magen an zu rumoren, das kann man gar nicht erzählen. Was aber auch weiter kein Wunder ist, an derlei Speisen ist er einfach nicht gewöhnt. Allerdings muss ich zugeben, schlecht ist es mir heute wenigstens nicht, was mich dann schon wieder ziemlich freut.

»Kommst ein bisserl rüber zu uns?«, frag ich die Susi auf ihrem Teppich nach einer Weile. Aber sie schüttelt den Kopf.

»Warum nicht?«

»Aus verschiedenen Gründen.«

»Die da wären?«

»Erstens seid ihr von hier aus so schön zum Anschauen, ihr beiden.«

Ich muss grinsen.

»Und zweitens?«

»Zweitens blubbert's in deinem Bauch wie verrückt, dass ich's bis hier rüber hör und …«

»Aber ich hab keinerlei Blähungen, ich schwör's!«

Jetzt muss sie grinsen.

»Gibt's noch ein Drittens?«, will ich noch wissen und schau ihr dabei direkt in die Augen.

»Natürlich gibt's noch ein Drittens, das weißt du genau!«

»Und das wäre?«

»Führe mich nicht in Versuchung«, sagt sie noch, blickt auf die Uhr, steht auf und fängt an, ihre Siebensachen zu packen.

»Bleib halt da.«

»Nein.«

Den Buengo aus der JVA rauszukriegen, war der reinste Klacks. Ein kurzer Anruf bei meinem alten Spezl, dem Sechzger-Schorsch, ein kleiner Plausch über Fußball, diese letzte einfach wunderbare WM und der harte Kampf der kleinen Vereine ums nackte Überleben, und schon sind wir uns einig. Ich kann ihn um eins nach dem Mittagessen abholen, sagt er, aber spätestens um sechs muss unser Wahnsinnskicker wieder zurück sein.

Und so sitzt der schwarze Fuß Gottes am Sonntagmittag total relaxed neben mir im Beifahrersitz und strahlt durchs

Fenster hindurch mit der Sonne um die Wette, dass seine schneeweißen Zähne nur so blitzen.

Wie sich hinterher rausstellt, war es schon ziemlich gut, dass ich heute genötigt war, dem Fußballspiel beizuwohnen, was die Voraussetzung war, den Buengo überhaupt freizukriegen. Normalerweise schau ich mir ja diese sechstklassigen Spiele von unserem Rot-Weiß Niederkaltenkirchen generell nicht an. Weil's mich halt so nullkommanull interessiert, wenn sich Not und Elend auf dem Rasen duellieren. Gut, heute ist es nicht anders. Fast könnte man behaupten, alle mit Ausnahme vom Buengo hätten irgendein schweres Gebrechen an den Haxen. Fürchterlich, wirklich. Man kann echt kaum hinschauen. Was aber nur einen kleinen Teil ausmacht, der mich unheimlich nervt. Der deutlich größere ist, dass sich unter den Zuschauern einige Dorfdeppen befinden, die ständig übers Spielfeld brüllen, »warum der Neger, dieser Mörder, hier rumkickt und nicht im Knast hockt, wohin er schließlich gehört«. Und, dass es sowieso die »allerhöchste Zeit ist, diese Scheißkanaken alle miteinander wie sie da bei uns herüben umeinander sandeln und bloß unser Geld kosten, endlich wieder heimzuschicken«. So was in der Art halt. Da kommt aber auch schon der Bürgermeister auf mich zugeeilt.

»Um Himmels willen, tun Sie etwas, Eberhofer!«, sagt er und tupft sich mit einem Taschentuch übers Gesicht.

»Das ist Ihr Volk, Bürgermeister. Darüber sollten Sie sich echt mal Gedanken machen.«

»Ja, Herrschaftszeiten, was kann ich denn dafür, dass denen kein Hirn gewachsen ist? Bin ich denn der Vater aller geistigen Krüppel, oder was?«, schreit er nun in die Tribüne, und: zack, schon fliegt die erste Flasche.

»Hey, Bulle!«, tönt's prompt auch wieder von den Rängen runter. »Bring den Bimbo in den Knast zurück, wo er hingehört. Sonst brennt hier gleich die Hütte, worauf du einen lassen kannst!« Seine Co-Idioten klatschen jetzt Beifall.

Ich schau mal nach oben. Die restlichen Zuschauer reagieren geschlossen, indem sie sich von diesem Pack schon rein räumlich distanzieren. Es sind vier, fünf, nein sechs, die dort in der letzten Reihe mit ihren Bierflaschen stehen und runterpöbeln. Anschließend geht mein Blick aufs Spielfeld hinunter. Der Schiri schaut etwas hilflos in meine Richtung, und auch der Buengo wirkt verunsichert und zuckt mit den Schultern.

»Abpfeifen!«, ruf ich dem Schiri jetzt zu. »Halbzeitpause!«

»Aber es ist noch nicht Halbzeit«, ruft er mit einem Blick auf die Uhr retour.

»Doch, es ist Halbzeit!«

Und dann pfeift er ab. Für einen winzigen Moment könnte man nun eine Stecknadel fallen lassen. Die Spieler machen sich Seite an Seite und ganz still auf den Weg zu ihren Kabinen. Und einer der Gegner legt sogar seinen Arm um den Buengo und redet ganz ruhig auf ihn ein. Der zivilisierte Teil der Zuschauer hier begibt sich nun größtenteils zum Simmerl an die Bratwurstfront. Einige offenbar Unparteiische jedoch bleiben stehen, haben die Arme in die Hüften gestemmt oder vor der Brust verschränkt und schauen mich erwartungsfroh an. Und ich … ich schüttle kurz den Kopf, zücke dann mein Telefon und fordere bei den Kollegen in Landshut kurzerhand einen Sauwagen an. Fünfzehn Minuten in etwa würde es dauern, kann ich vernehmen, dann dürfte er hier eintreffen. Und diese Zeit also gilt es nun mit diesen sechs Proletariern möglichst sinnvoll zu überbrücken. So stell ich mich erst mal vor die Tribüne und schau dort hinauf.

»Was willst du, Eberhofer, hä?«, keift umgehend einer im Kapuzenshirt. »Und überhaupt, es ist noch gar nicht Halbzeit!«

»Genau, Mann!«, unterstützt ihn einer seiner geistigen

Brüder, anschließend nuckelt er kurz an seiner Bierflasche und rülpst ziemlich ausgiebig.

»Ich fürchte fast, für euch Arschlöcher da oben ist es bereits Endzeit«, schrei ich hinauf und zück dabei meine Waffe. »Bier abstellen und runterkommen!«

»Hey, Mann, was soll das?«, kommt es nun noch kurz und wütend aus all ihren Kehlen. Aber erwartungsgemäß stellen sie gleich drauf das Bier ab und kommen ganz artig zu mir runter. Ja, es ist wahr. Mittlerweile hat es sich hier bei uns schon regelrecht herumgesprochen, dass ich meine Waffe nur in den seltensten Fällen einfach so zum Spaß zück.

»Auf geht's«, sag ich, gleich wie sie jetzt so vor mir stehen. »Rüber zu den Kabinen.« Und so latschen sie vor mir her, geben noch den einen oder anderen asozialen Text zum Besten oder spucken gar auf unsern wunderbaren Fußballrasen. Irgendwann aber stehen wir schließlich vor der Umkleide, wo ich kurz anklopf und von innen umgehend geöffnet wird.

»Auf geht's. Reingehen und entschuldigen, und zwar pronto«, sag ich und halte ihnen die Kabinentür auf, ohne auch nur mit der Wimper zu zucken.

»Hey, Mann, spinnst du jetzt, oder was?«, tönt erneut die Kapuze, ich heb nur kurz die Waffe.

Ganz zaghaft kommt nun der Buengo hinten aus seiner Ecke raus, und nachdem ich ihm aufmunternd zunick, grinst er mir zu. Ich grinse zurück. Dann stellt er sich plötzlich ganz breitbeinig vor diese Doofen hier und stemmt dabei sogar seine Hände in die Hüften.

»Also, machst du Entschuldigung«, sagt er auffordernd.

»Machst du Entschuldigung, du Spacko«, kommt's prompt von meinem neuen Busenfreund. »Lernst du erst mal die deutsche Sprache.«

»Würde dir auch nicht schaden«, muss ich aber hier einwerfen.

»Was! Ich bin die deutsche Sprache mächtig«, faucht er noch kurz. Ja, klar. Aber dann, was soll ich sagen, nachdem sie sich alle miteinander recht artig bei unserem Fußballgott entschuldigt haben, einige Male sogar, weil es uns anfangs nicht laut genug war, da rollt auch schon wie auf Kommando der Sauwagen an. Und freilich wollen die beiden Kollegen zunächst einmal wissen, was sie denn Schönes für mich tun können.

»Ja, mei, Leut, ihr seht es ja selber, die sind alle miteinander besoffen und pöbeln hier umeinander. Also nehmt sie einfach mit und nüchtert sie anständig aus. Und morgen früh, da könnt ihr sie wieder laufen lassen.«

Gut, das Spiel haben wir dank unseres göttlichen Fußes dann auch noch gewonnen, und wie ich hinterher unseren Buengo dem Sechzger-Schorsch übergeb, sagt er noch: »Danke, Franz, und halt steife Ohr!«

Kapitel 5

Wie man sich ohnehin unschwer vorstellen kann, ist seit dem
Brand bei der Mooshammerin hier in Niederkaltenkirchen
der Teufel los. Überall wird von jedermann schwer spekuliert, wer das Feuer gelegt haben könnte und weshalb und natürlich auch wann. Seit dem gestrigen Fußballspiel aber hat
sich die Lage noch deutlich verschärft, wahrscheinlich hat das
ganze Aggressionspotenzial dort bei unseren Mitbürgern irgendwie den Schalter umgelegt. Jedenfalls hat bei mir heute
Nacht sage und schreibe sechzehnmal das verdammte Telefon geläutet. Einmal, um mir mitzuteilen, dass ich diesen blöden Bimbo gefälligst nicht mehr zu den Spielen anschleppen
bräuchte, sondern stattdessen dafür sorgen solle, dass er unsere wunderbare Heimat besser heute als morgen verlässt.
Sieben Anrufer waren erschüttert über diese Drecksnazis, die
da auf den Tribünen waren, weil die eine Schande sind fürs
ganze Dorf, und die baten mich eingehend, dieses elendige
Pack gar nicht erst wieder freizulassen. Der Rest der nächtlichen Telefonierer wollte schlicht und ergreifend wissen, ob
es sich bei dieser Brandgeschichte nun tatsächlich um einen
Mord handelt, oder einfach den aktuellen Ermittlungsstand
erfragen. Also: Normalerweise hätte ich ja spätestens beim
zweiten Anruf mein Telefon ausgeschaltet. Nur kurz eine
einzige kleine Taste gedrückt, und schon wäre meine heilige
Nachtruhe wiederhergestellt gewesen und aus. Das geht je-

doch leider nicht, wenn ein Mörder hier bei uns abhängt, der womöglich schon plant, das nächste Haus abzufackeln. Dann geht das freilich nicht.

Dementsprechend müde bin ich dann morgens, wie die Oma bei mir im Saustall aufschlägt.

»Ja, sag einmal, Bub, spinnst du, oder was?«, schreit sie mir schon vom Türrahmen her, dass ich fast mein, den Weckruf meines ehemaligen Ausbilders zu hören. »Was ist denn los, warum stehst denn nicht auf? Das Frühstück steht schon längst am Tisch.«

Ich halt mir mal die Ohren zu.

»Jessas, hab ich dich vielleicht erschreckt?«

Ich nicke.

»Also, jetzt aber raus aus den Federn, Bub. Der Kaffee wird doch kalt.«

»Komm gleich«, sag ich so und dreh mich noch mal auf die Seite, obwohl ich freilich schon weiß, dass das alles nix nützt. Und ja, erwartungsgemäß entreißt mir die Oma nun die Bettdecke und schmeißt mir einen kalten und sehr feuchten Waschlappen mitten ins Gesicht.

»Ja, herzlichen Dank auch«, knurr ich mehr meine eigene Person an als die ihre und setz mich dann auf. Ein Blick auf den Wecker verrät mir, dass es schon gut nach halb neun ist, also durchaus nicht mehr zu zeitig zum Aufstehen, selbst wenn die letzte Nacht noch so kurz war. Es hilft also alles nix, ich muss raus hier. Erst recht, wo sich doch der Rudi für heute angekündigt hat und eigentlich jeden Moment hier reinschneien müsste. Ich streck mich kurz durch, dass alles kracht, und wisch mir den Schlaf aus den Augen. Das scheint die Oma enorm zu beruhigen, jedenfalls dreht sie sich ab und verlässt watschelnd den Raum. So schlapp ich auch bin, mach ich mich auf den Weg ins Bad, muss dringend pieseln, dann Zähne putzen und kurz unter die Dusche. Gleich darauf aber hock ich auch schon am Frühstückstisch, und wieder ist mir die Gnade vergönnt, mit der Oma alleine zu sein.

»Ist der Papa denn schon unterwegs heut?«, frag ich deswegen erst mal und deute Richtung Fenster, hinaus auf den leeren Schuppen, wo normalerweise der Admiral vom Papa steht. Die Oma versteht mich auf Anhieb und nickt.

»Ja, ja«, sagt sie, während sie mir den Kaffee einschenkt. »Der ist mit der Liesl fort. Die müssen sich irgendwie um die Sache mit der Brandversicherung kümmern. Was weiß ich.«

»Aha«, sag ich und schnapp mir den Sportteil aus der Tageszeitung. Und grad, wie ich relativ genüsslich in meine Marmeladensemmel beiße, also quasi eine Vollkornsemmel mit Magermilchbutter drauf, die halt so lala schmeckt, genau da geht die Tür auf und der Rudi kommt rein. Wobei das nicht ganz stimmt. In Wahrheit fliegt die Tür auf und bleibt dann auch offen, und der Rudi erscheint im Türrahmen und trägt T-Shirt und Shorts, was ich bei frühlingshaften Graden durchaus für mutig halte. Er hält die Arme nach oben ausgebreitet, dass sein Bauchnabel uns entgegengrinst, und strahlt übers ganze Gesicht.

»Einen wunderschönen guten Morgen, meine Lieben!«, ruft er so laut, dass es sogar die Oma mitkriegt, und das, obwohl sie mit dem Rücken zu ihm sitzt. Wahrscheinlich wegen der Schallwellen, die er grad so durch den Raum jagt. Jedenfalls dreht sie sich gleich um, rumpelt von ihrem Stuhl auf und eilt in seine Arme.

»Ja, Rudi-Bub, das ist ja vielleicht eine Freude!«, frohlockt sie, streckt sich zu ihm hoch und nimmt dann sein Gesicht in die Hände. »Lass dich anschaun. Gut schaust aus. Hast aber ganz schön zugenommen, gell? Ja, dick bist geworden, Bub!«

»Aber nein!«, sagt er prompt, und die ganze Freude scheint plötzlich wie weggeblasen. Stattdessen schaut er jetzt an sich runter und die nackten Beine entlang wieder hinauf, und seine Gesichtszüge wirken nun beinah verzweifelt.

»Ja, ja, ja«, lacht die Oma, während sie ein weiteres Gedeck auflegt und auch dem Rudi Kaffee einschenkt. »Du bist jetzt auch nicht mehr der Jüngste, gell, da lässt der Stoffwechsel nach. Aber was soll's. Ein paar Kilo mehr oder weniger … Außerdem steht dir das Dicke irgendwie gut. Nein, wirklich!«

Jetzt droht er gleich zu platzen. Sein Kopf ist mittlerweile feuerrot und wird auch nicht wieder blasser, wie er mein Gegrinse entdeckt.

»Aber scheiß dir nix, Bub.« Die Oma lässt ihn nicht aus, zieht einen Stuhl hervor und deutet dem Rudi an, sich niederzusetzen. Das tut er auch artig, wenn auch noch immer deutlich irritiert. »Der Franzl, der muss momentan nämlich auch sakrisch aufpassen, weißt. Cholesterin, hat der Doktor gesagt. Nix mehr mit Schweinebraten und Leberkässemmeln, gell, Bub.«

Nun schlenzt sie mir die Wange, und das wiederum bringt den Rudi zum Grinsen. Anschließend hält sie ihm den Brotkorb vor die Nase, doch er schüttelt gleich heftig den Kopf. »Ja, so weit kommt's noch!«, sagt sie daraufhin, schnappt sich eine der Semmeln, schneidet sie auf und beschmiert sie mit Butter und Marmelade.

»Ich hab kein einziges Gramm zugenommen, ich schwör's«, flüstert er mir derweil über den Tisch, aber ich zuck nur mit den Schultern. »Na, egal. Aber was anderes. Sag mal, Franz, wieso bist denn heut so spät dran? Also ich mein, mit der ganzen Frühstückerei und so. Immerhin ist es ja gleich zehn?«

Und so erzähl ich ihm kurz von diesem elenden Telefonterror heute Nacht.

»Ich bin heilfroh, dass mir mein Schädel nicht hier auf die Tischplatte knallt, das kannst du mir glauben«, sag ich und schenk mir noch mal Kaffee nach. »Und bei dir? Warst du im Stau, oder was? Ich hab dich eigentlich auch deutlich eher erwartet.«

Doch dann erfahr ich, dass er heute schon wahnsinnig erfolgreich und zu einer schier unmenschlichen Zeit unterwegs gewesen ist. Punkt acht, um genau zu sein, ist er nämlich schon bei unserem Leichenfläderer Günter in der Gerichtsmedizin eingetrudelt, um sich dort nach den neuesten Ergebnissen in Sachen Obduktion zu erkundigen. Streber.

»Und?«, fragt er, grad wie er in seine zweite Semmel beißt, welche ihm die Oma voll Inbrunst kredenzt. »Interessiert es dich gar nicht, was dabei rausgekommen ist?«

»Doch«, sag ich und lehn mich zurück, weil ich längst weiß, was jetzt kommt. Wenn ich nämlich eines – neben dem Leopold – nicht ertragen kann, dann sind es Menschen, denen man jedes Wort aus der Nase ziehen muss. Mein Motto ist, entweder reden oder Klappe halten. Dazwischen gibt es nichts. Aber dasitzen mit all seiner Weisheit und den Überlegenen raushängen lassen, das geht einfach nicht. So was pack ich echt nicht. Der Rudi aber, der macht das unglaublich gerne. Und freilich auch heute. Er sitzt da, genießt seine Semmel und grinst mich an. Ab und zu schaut er rüber zur Oma, leckt sich über die Lippen und bekundet ihr damit, wie gut es ihm schmeckt. Und ich hab die Arme verschränkt und schaue ihn an. Doch irgendwann wird's mir zu blöd, und so schnapp ich mir meinen Teller und die Tasse und bring alles rüber zur Spüle.

»Wo willst du jetzt hin?«, will er daraufhin wissen.

»Arbeiten, wenn's recht ist. Ich hab weder Zeit noch Lust, dir weiterhin beim Essen zuzuschauen, ganz einfach.«

»Prima war's, Oma Eberhofer!«, hör ich ihn noch kurz rufen, und schon eilt er hinter mir her und dem Ausgang entgegen. Na also, geht doch!

»Sag mal, Franz«, sagt er, wie er auf meiner Höhe ist. »Hat's deine Oma jetzt auch mit den Augen, oder was?«

»Wieso?«, frag ich, während wir zu meinem Wagen gehen.

»Ja, wegen dem ganzen Zunehmen und so, wovon sie halt grad geredet hat. Ich hab kein Gramm zugenommen, Mann. Kein einziges Gramm, ich …«

»Du schwörst es, ich weiß«, sag ich, öffne die Autotür und steig ein.

»Was bitte schön willst du mir damit sagen, hm? Willst du damit vielleicht sagen, dass sie recht hat, oder was? Hörst du mir eigentlich zu, ich will verdammt noch mal sofort wissen, was du damit gerade sagen wolltest, Franz?«

»Steig ein, sag ich!«

»Also, warte mal, Franz, und jetzt im Ernst, sag mal ganz ehrlich, ob du auch der Meinung bist, dass ich zugenommen hab!«

»Jetzt hör auf zu jammern und steig endlich ein, mein Dickerchen.«

Für einen kurzen Moment fällt er nun in eine Schnappatmung und versucht mich mit seinen Blicken zu erdolchen, schließlich aber setzt er seinen Arsch in Bewegung und auf den Beifahrersitz.

»Pass auf, Rudi, damit du dir ein Bild machen kannst, fahren wir erst mal zum Brandhaus rüber. Vorausgesetzt, meine Stoßdämpfer halten das überhaupt aus«, sag ich grinsend und starte den Wagen.

»Arschloch«, kommt es noch retour. Anschließend aber lässt er mich endlich großzügig an seinem Wissensvorsprung teilhaben. Und so erfahr ich, dass unser Opfer erschlagen wurde, ehe man es mit Brandpaste eingestrichen und angezündet hat. Und zwar mit drei ziemlich gezielten Schlägen auf die Vorderseite des Kopfes. Ein schmaler, länglicher Gegenstand aus Eisen, mit großer Wahrscheinlichkeit eine Art

Schürhaken, muss wohl die Tatwaffe gewesen sein. Andere Verletzungen gab es offenbar keine. Das ist ja schon mehr, als ich erwartet hatte. Und was die Sache mit dem Schürhaken angeht, den musste der Täter noch nicht einmal mitbringen. Im Haus von der Liesl, da gibt's nämlich zwei Kachelöfen, oder vielmehr hat es die gegeben. Und wenn mich mein Hirn jetzt nicht restlos im Stich lässt, dann war jeweils ein solcher Haken direkt daneben an der Wand gehangen.

Wie dann der Sommerfrischler und meine eigene Wenigkeit schließlich am Ziel unserer Reise angelangt sind, kann ich mit Freude feststellen, dass die werten Kollegen von der Spusi erneut bereits fleißig am Werk sind. Jedenfalls steht ihr Kombi vorm Gartentürl und offensichtlich sind auch die Versiegelungen wieder entfernt. Drum entweichen wir zwei Hübschen dem Wageninneren und machen uns voll Tatendrang direkt auf den Weg in die Ruine.

Und während der Rudi jetzt Raum für Raum außerordentlich penibel unter die Lupe und vor seine Linse nimmt, ratsch ich derweil ein bisserl mit dem Ohrloch und seinem Busenfreund. Sie wären schon fast fertig, sagen die beiden, heut Abend, spätestens morgen Mittag, wär alles erledigt.

»Gut, aber zuallererst brauch ich die Auswertung von diesen Schürhaken und so einer Art Brennpaste«, sag ich. »Habt ihr so was gefunden?«

»Keine Ahnung. Aber wart kurz«, sagt das Ohrloch und kramt eine Liste hervor.

»Logo«, meint jetzt aber sein Spezl. »Kann mich genau dran erinnern. Weil ich mir noch gedacht hab, wie lustig, eine Brennpaste! Die Brennpaste, die ist bei uns daheim nämlich immer im Arzneischrank gelegen, und der war doppelt und dreifach versperrt. Weil meine Alten halt einfach eine Wahnsinnspanik hatten, dass eins von uns sieben Kindern irgendwann das Zeug findet und das ganze Haus abfackelt.«

»Ihr seid sieben Kinder gewesen?«, frag ich, weil ich's wirklich kaum glaube.

»Sind wir noch immer«, lacht er mir her. »Ja, ich hab eine Schwester und fünf Brüder. Kannst dir nicht vorstellen, gell?«

»Nein«, sag ich und ich will's auch gar nicht. Allein wenn ich mir vorstelle, dass sechs Leopolds bei uns daheim auf der Eckbank hocken, krieg ich Zuckungen der übelsten Sorte.

»Denk ich mir schon. Aber wir hatten eine echt geile Kindheit, weißt. Und vielleicht mit Ausnahme der Brennpaste auch irrsinnig viel Freiheit bei uns im Dorf. Ja, das war genial und wir haben alle zusammen Fußball gespielt. Sogar meine Schwester.«

»Gut, das war ja dann eh schon die halbe Mannschaft.«

»Das kann man so sagen, ja. Und unser Vater, der war sogar Schiedsrichter.«

»Da habt ihr nicht viele Spiele verloren.«

»Nein, nicht sehr viele.«

»Ja, das war irgendwie klar. Gut, aber wo waren wir stehen geblieben? Ach ja, wie gesagt, am wichtigsten ist erst mal die Brennpaste und …«

»Die Schürhaken zuerst machen. Wir haben dich schon verstanden, Eberhofer«, unterbricht mich jetzt das Ohrloch. Und just in diesem Moment passieren uns die beiden Kollegen, die zuvor noch gefehlt haben, mit Getränkeflaschen und Brotzeitboxen, und ganz offensichtlich sind sie grad auf dem Weg in Richtung Küche.

»Mahlzeit«, sagen sie im Vorbeigehen.

»Mahlzeit«, antworten wir wie auf Kommando, und schon merke ich irgendwie, dass mir der Hunger hochkommt. Ja, so ein kalorienfreies Frühstück hält halt nicht an, gell.

»Rudi, jetzt mach langsam fertig da oben, es ist ja schon Mittag«, ruf ich die Treppe hinauf, und Augenblicke später tänzelt er auch schon die selbige runter.

»Hab alles im Kasten«, trällert er und wedelt mit seiner dämlichen Kamera direkt vor meinen Augen, welche ich auch umgehend verdrehe. Und so verabschieden wir uns hier und gehen zurück zum Wagen.

»Ich hab vielleicht einen Hunger«, sag ich, grad wie ich den Motor starte.

»Fein! Ich auch«, stimmt der Rudi zu und reibt sich die Hände.

Doch wie wir dann ein paar Minuten später beim Simmerl aufschlagen, da ist seine Vorfreude auch ruckzuck verpufft. Der Rudi, der steht nämlich jetzt vor dieser Vitrine, aus der die herrlichsten Düfte strömen, und starrt nur orientierungslos zwischen knusprigen Schweinshaxen, panierter Milzwurst und reschen Wammerln hin und her. Und je länger er dort hineingafft, desto mehr scheinen seine beiden Mundwinkel grad am Boden anzuwurzeln.

»Also, bitte schön die Herrschaften?«, schaut uns der Simmerl aufmunternd an.

»Du, Simmerl«, sag ich und merke schon, wie mir die Zunge am Gaumen anpappt. »Ich glaub, ich probier heute mal dieses Leberkäs-Cordon-bleu. Das ist neu, gell? Die Liesl hat mir davon erzählt. Hört sich gut an. Machst mir dann erst einmal zwei davon.«

»Bist du dir sicher, Franz? Ich mein ja nur wegen deinen Cholesterinwerten. Nicht, dass du mir hier noch ins Schaufenster kippst«, sagt der blöde Metzger jetzt, und das find ich ja wirklich unglaublich! Dass selbst diese Information, die ja schon einen eher, mei, wie soll ich sagen, einen ziemlich privaten, ja sogar intimen Charakter aufweist, dass sogar die prompt quer durchs Dorf grassiert!

»Ha, das ist doch bloß ein Gerücht, ein lächerliches«, versuch ich die Sache runterzuspielen.

»Ja, herzlich gern, mir soll's recht sein. Schließlich bin ich nur der Metzger und nicht der Arzt deines Vertrauens, gell. Mit oder ohne Semmel?«

»Mit. Machst zwei schöne Cordon bleu in zwei schöne Semmerl, gell.«

»Freilich«, entgegnet er, indem er die Semmeln aufschneidet, und wendet sich dann an den Rudi. »Und was bitte schön kann ich unserem Beachboy hier Gutes tun?«

Der Rudi antwortet nicht, stattdessen starrt er noch immer in diese Vitrine.

»Birkenberger, was du essen willst, Mann?«, bohr ich deswegen nach, was ihn offensichtlich ins Diesseits zurückbringt. Jedenfalls hört er nun endlich auf, die blöde Vitrine zu fixieren.

»Der Birkenberger, der hätte gern einen Salat«, schnauft er nach einer kleinen Gedenkminute, in der er sich einige Male prüfend übers Bauchfett tastet, was erneut seinen Nabel zum Vorschein bringt. »Oder ein bisschen was Leichtes vielleicht mit Gemüse. Einen Grünkernbratling meinetwegen. Oder wenigstens eine gefüllte Paprika. Einfach was Gesundes mit einer überschaubaren Kalorienzufuhr halt!«

»Kann der nicht lesen, oder was?«, fragt der Simmerl jetzt in meine Richtung, grad wie ich das erste Mal zubeiß. »Da draußen, Birkenberger, da hängt ein Schild. Und da steht dick und fett ›Metzgerei‹ drauf. ›Metzgerei‹, verstanden? Nicht Bioladen oder Gemüsehändler, nein, Metzgerei steht da drauf. Und ob du's glaubst oder nicht, in einer Metzgerei, da gibt's nix Gesundes nicht. Jedenfalls nicht in der meinigen, verstehst! Und wenn ich dir einen Rat geben darf, dann gehst jetzt recht schön heim nach München auf euren geschissenen Viktualienmarkt, und da kannst dann meinetwegen gerne eine Birnen-Kohlrabi-Holunder-Quiche fressen. Aber nicht hier bei mir, zefix!«

Huihuihui!

Der Rudi fängt jetzt an zu zittern, und erst weiß ich gar nicht recht, ob es wegen dem Simmerl ist oder mehr wegen der Kälte hier drinnen. Was aber auch wurst ist. Jedenfalls weiß ich gleich, wir müssen unbedingt raus hier. Drum schnapp ich mir nur noch meine restliche Brotzeit, ruf dem Simmerl zu, dass er's aufschreiben soll, und schon sind wir wieder draußen. Und einige Wimpernschläge später hocken wir zwei dann Arschbacke an Arschbacke im Streifenwagen und starren durchs Auto- und Schaufenster hindurch in die ziemlich erzürnte Visage eines echt grimmigen Metzgers. Wobei ich ja beinah befürchte, dass er es heut ein bisserl übertrieben hat, der Simmerl. Ja, doch, ich glaube schon. Jedenfalls wenn ich mir den armen Rudi hier so anschau. Der sitzt nämlich neben mir im Beifahrersitz, hat die Hautfarbe von einem Winterkartoffelknödel und versprüht beinah den Eindruck, als könnte er nie mehr zu einer regulären Atmung zurückfinden. Es ist eher eine Art Hecheln, wo er grad so von sich gibt und das ich sehr gut vom Ludwig her kenne. Wenn der zum Beispiel mal wieder zu lange durch unsere heimatlichen Wälder gefetzt ist, dann macht er genau so. Oder wenn er an einem lauen Grillabend zehn oder zwölf Knochen gleichzeitig abkriegt. Dann hechelt er hinterher exakt, wie es der Rudi jetzt tut, meine Güte. Und obwohl das Leberkäs-Cordon-bleu echt ein einziger Traum ist, kann ich es gar nicht wirklich genießen, weil ich ständig nur zu ihm rüberschau und mir langsam, aber sicher Sorgen mache. Nein, es ist schon wahr, der Simmerl, der hat heut den Bogen eindeutig überspannt. Doch andererseits kann man ihn dann schon wieder irgendwie verstehen, gell. Weil, grad so als Metzger ist es schon übel, wenn ausgerechnet der einzige Sohn zum militanten Vegetarier mutiert und sich nur noch von Säften, Rohkost und Körnern ernährt. Ja, und ganz nebenbei auch noch seinen eigenen Vater schon dann und wann mal als einen miesen Mörder betitelt. Ja, da kann dir wohl schon mal der Gaul durchgehen, gar keine Frage!

Erst kurz bevor mir schlecht wird, ist der Rudi endlich wieder ansprechbar.

»Bring mich weg von hier«, ist das Erste, was ganz leise über seine blutleeren Lippen kommt. Und so wink ich dem Simmerl noch kurz zu, leg den Rückwärtsgang ein, und schon fahren wir los. Eine ganze Weile schweigen wir beide. Der Rudi wahrscheinlich, weil er noch immer irgendwie unter Schock steht. Und ich selber eher, weil es mir wieder mal kotzhundeschlecht ist, dass man es gar nicht erzählen mag. So fahren wir also praktisch wortlos nur ein bisschen durch die Gegend und leiden still vor uns hin. Durch das geöffnete Fenster hindurch versuch ich möglichst viel Sauerstoff aufzutanken, damit endlich diese verdammte Übelkeit verschwindet, was zum Glück auch allmählich geschieht. Und der Rudi sitzt daneben und zittert.

»Mich friert's«, kommt es plötzlich über die nachtblauen Lippen. Also schließ ich das Fenster. »Kannst du die Heizung anmachen?«

»Nein.«

»Warum nicht?«

»Kaputt.«

Er nickt kaum merklich, und so schweigen wir weiter.

»Ich … ich wollte doch bloß ein bisschen was Nahrhaftes haben«, murmelt er irgendwann aus seinem Polster heraus. »Ist denn das zu viel verlangt.«

»Mei, Rudi, du bist schon gut, gell. Du gehst ja auch nicht in einen Schuhladen und verlangst nach einer Salatschleuder.«

»Das kann man nicht vergleichen!«

»Kann man schon!«

»Nein, weil bei uns in München …«

»Du hast doch gehört, was der Simmerl gesagt hat. Hier bei

uns in Niederkaltenkirchen gibt's in einer Metzgerei Wurst und Fleisch. Und aus. Und vielleicht noch einen Senf, Semmeln und Brezen. Ja, und im besten Fall noch Essiggurken, wenn du viel Glück hast. Du, apropos Essiggurken, die sind übrigens auch Gemüse, hast du das gewusst? Meinst du, ich soll umdrehen?«

Kapitel 6

Nachdem der Rudi, unsere kleine Frostbeule, endlich das lächerliche Sommeroutfit gegen Jeans und Pulli aus seiner Reisetasche ausgetauscht hat, versorgt ihn die Oma mit einer ordentlichen Gemüsepfanne.

»Das rettet mein Leben, Oma Eberhofer«, sagt er mit einem Blick auf seinen Teller, fast so, als hätte sie ihm grad ein paar Goldbarren vermacht. Und freilich stellt sie auch mir eine Portion vor die Nase, doch leider bin ich durch meinen kleinen Stopp beim Simmerl schon unglaublich satt. Ganz abgesehen davon, dass meine Übelkeit zwar auf dem Rückzug, aber noch nicht ganz ausgestanden ist.

»Jetzt stell dich nicht so an, Franz«, sagt sie, gleich wie sie meinen Blick entschlüsselt. »Immerhin ist das gesund und nahrhaft. Und außerdem schaust eh ganz marod aus. Und überhaupt, jetzt schau dir bloß einmal an, wie der Rudi reinhaut! Gell, Rudi-Bub, dir schmeckt's?«

Ja, dem Rudi-Bub, dem schmeckt's. Das ist kaum zu übersehen. Im Zuge seiner aktuellen Schaufelaktion hält er nur ein winziges Sekündchen lang inne, um ihr über den Tisch hinweg seinen Daumen hochzustrecken, ehe er sich voll Inbrunst wieder dem Teller widmet. Links und rechts an seinen Mundwinkeln hängen Reste vom Lauch herunter, obendrein ist die ganze Gosche voller Tomatensoße. Das schaut echt ekelhaft aus und steigert meinen Appetit in keinster Weise.

»Wieso erzählst ihr denn nix von deiner Leberkäs-Orgie beim Simmerl?«, fragt der Rudi kauenderweise und grinst zu mir rüber.

»Was sollst mir erzählen, Franz?«, hakt die Oma gleich nach und rammt mir dabei meinen Teller exakt vor die Brust.

»Nix«, knurr ich und schüttle nur kurz den Kopf. Gut, da hilft wohl alles nichts, irgendwie muss das Zeug in mich rein. Sonst nörgelt sie mir nur wieder ewig lang rum. Also Luft anhalten, kaum kauen, runterschlucken, nachtrinken, durchatmen, Tränen zurückhalten. Wie mein Teller schließlich leer ist, da will der Rudi tatsächlich noch einen vierten, und dabei fällt die Oma beinah in Ekstase.

»Mei«, sagt sie ganz versonnen beim erneuten Auffüllen. »Das ist ja vielleicht eine Freud, Bub, dass es dir gar so gut schmeckt. Und so arg fett werden tust davon auch nicht, weißt!«

Dann geht die Tür auf, der Papa kommt rein, und er hat die Liesl im Schlepptau. Und kaum hat die ihren Arsch auf der Eckbank platziert, da fängt sie auch gleich an zu erzählen. Recht erfolgreich waren sie dort heute, da bei dieser komischen Versicherungsgesellschaft, sagt sie. Und froh und dankbar ist sie, dass der Papa mit dabei gewesen ist. Weil mit so einem Kerl an der Seite, da gehen diese Ganoven doch gleich ganz anders um, als wenn da so ein hilfloses Weibsbild daherkommt, gell. Also wenn die Liesl ernsthaft annimmt, dass sie ein hilfloses Weibsbild ist, dann bin ich der Karl Lagerfeld, und zwar höchstpersönlich. Aber wurst. Jedenfalls hält sich ihre Begeisterung über eine erneute Gemüsemahlzeit genauso deutlich in Grenzen wie die ihres tollen Begleiters. Und da sind sie jetzt direkt erleichtert, dass die Liesl aus reiner Dankbarkeit heraus den Papa unterwegs schon zum Essen eingeladen hat und somit beide bereits satt sind. Gut, allzu viel wär jetzt sowieso nicht mehr übrig gewesen. Und das bisserl, das haut sich der Birkenberger am Ende auch noch hinter die Kiemen, und zwar direkt aus der Pfanne heraus. Ich kann es kaum glauben.

Dann klopft es kurz und der Flötzinger erscheint im Türrahmen. Er wirft nur einen hastigen Blick sowie einen Gruß in die Runde und wedelt dann auch schon in Richtung Eckbank, wo ja die Mooshammerin bereits thront.

»Servus, liebe Liesl«, sagt er ausgesprochen überschwänglich und überreicht ihr eine Schachtel Pralinen. »Schau, ich hab dir eine Kleinigkeit mitgebracht. Eine klitzekleine Aufmerksamkeit für dich. Weil du doch jetzt so leiden musst wegen diesem furchtbaren Feuer, gell.«

»Mei, für mich?«, ruft sie aufs Höchste erfreut und kriegt auch gleich ganz rote Wangen. »Das sind ja sogar meine Lieblingspralinen. Nuss-Nougat. Also wirklich. Woher weißt du denn das eigentlich?«

»Weil ich ein aufmerksamer Zeitgenosse bin, hähä.«

»Aber das hätt's doch gar nicht gebraucht, Flötzinger. Sehr nett, sehr nett, wirklich. Aber … sag schon, wie komm ich zu der Ehre?«

»Mei, Nuss-Nougat«, ruft jetzt auch noch die Oma, gleich wie sie zum Tisch rüberkommt und sich die Hände abtrocknet. »Komm, mach halt auf, Liesl!«

»Nein, das sind doch die meinigen!«, knurrt die gleich retour.

»Genau!«, unterstützt sie der Flötzinger prompt und schaut dabei die Oma ganz vorwurfsvoll an. Nicht auszuhalten ist das: die Mooshammerin, die wo jetzt schon tagelang ihre Haxen unter unserem Tisch hat, ja praktisch rund um die Uhr und die Gastfreundschaft von der Oma strapaziert! Und dann geht sie her und will ihr noch nicht mal so ein paar popelige Schokokugerl abrücken. Das ist ja wohl die höchste aller Höhen! Doch offensichtlich bin ich nicht der Einzige, dem dies grad ganz sakrisch aufstößt. Nein, auch der Papa zieht eine seiner Augenbrauen hoch, was wie immer wenig Gutes prophezeit.

»Aufmachen, Mooshammerin, aber plötzlich!«, schür ich deswegen nach, was sie ein paar Mal ganz theatralisch durchschnaufen lässt.

»So, Liesl, ich rate dir gut, mach lieber Schluss mit diesem Schmarrn hier«, sagt jetzt der Papa sehr ruhig. »Sonst schlag ich dir nämlich vor, du gehst jetzt schön hinauf, packst dort deine Siebensachen inklusive dieser Scheißpralinenschachtel und verbringst die nächsten Nächte beim Flötzinger daheim. Und? Wie schaut's aus: Haben wir uns verstanden?«

Ja, freilich versteht das die Liesl auf Anhieb. Sie ist ja nicht blöd. Zunächst schnauft sie zwar noch einmal dramatisch tief durch, doch anschließend öffnet sie auch schon brav ihr wertvolles Päckchen, womit sie endlich diese kulinarischen Schätze freigibt. Wie man sich unschwer vorstellen kann, ist die Packung keine zwei Minuten später leer und wir schlecken uns noch ein ganzes Weilchen lang genüsslich die Mäuler. Wie der Flötzinger nun relativ zügig die Sprache auf das Haus von der Liesl und die damit verbundenen und zweifellos notwendigen Renovierungsmaßnahmen lenken will, da ist sie urplötzlich zum Umfallen müde. Sie will jetzt nur noch ins Bett, sagt sie, verabschiedet sich hastig und macht sich umgehend vom Acker. Jetzt versteht er freilich die Welt nicht mehr, unser Gas-Wasser-Heizungspfuscher.

»Undank ist der Welten Lohn«, knurrt er hinter ihr her, doch die Tür ist längst ins Schloss gefallen.

»Sag mal, Flötzinger, hast du ernsthaft geglaubt, dass du mit einer Fünf-Euro-Pralinenschachtel tatsächlich einen Fuchzigtausend-Euro-Auftrag an Land ziehen kannst, oder was?«, muss ich jetzt fragen und grins ziemlich breit.

»Sechs-achtzig hat diese Scheißschachtel gekostet, nur dass du das weißt, Franz. Sechs-achtzig, verdammter Mist. Und was soll das überhaupt heißen? Ich mein, diese Renovierungen, die müssen doch sowieso alle gemacht werden. Immerhin kann die Liesl ja nicht bis zum Jüngsten Tag bei euch wohnen, oder vielleicht doch?«

Grundgütiger! Nein, das kann sie selbstverständlich nicht! Daran ist gar nicht zu denken! Und womöglich ist es ja wirklich langsam an der Zeit, mit dem armen Flötzinger das eine oder andere ernste Wörtlein zu reden, wer weiß. Darüber zum Beispiel, dass er seine Preisphilosophie einmal gründlich überdenken soll. Weil in einem Punkt, da hat er natürlich vollkommen recht: Diese Renovierungsarbeiten, die müssen so oder so gemacht werden. Also, worauf warten, bitte schön?

Nach dieser Erkenntnis, und weil's mir immer noch oder vielleicht schon wieder ziemlich schlecht und der Tag noch jung ist, schlag ich vor, noch kurz beim Wolfi reinzuschauen. Denn der hat Schnaps, das kann ja nicht schaden.

So sitz ich also ein kleines bisschen später auch relativ entspannt zwischen dem Flötzinger und dem Rudi beim Wolfi am Tresen und bestell mir ein Schnäpschen und zwei Bier für mein Geschwader. Der eifrige Wirt legt dann auch gleich sein Poliertuch zur Seite und wendet sich stattdessen dem Zapfhahn zu.

»Zum Wohl«, sagt er, wie er uns die Getränke serviert, und wir prosten uns zu. Und nachdem dann der Schnaps meine Gurgel runter ist, da red ich auch gar nicht lang um den heißen Brei rum, sondern bring's ohne Umschweife, also quasi direkt auf den Punkt.

»Du, Flötzinger«, sag ich, während ich dem Wolfi andeut, mir Nachschub zu bringen, weil ich schon merk, wie das Zeug recht gut hilft. »Also, wenn ich dir bei dieser Sache mit der Liesl irgendwie behilflich sein soll, dann musst mir aber schon versprechen, auch anständige Preise zu machen.«

»Was, bitte schön, soll das heißen, wenn ich fragen darf, hä? Meine Preise, die sind immer völlig in Ordnung. Ob jetzt für die Liesl oder sonst irgendjemanden.«

»Ja, für dich sind sie in Ordnung, Flötzinger, das ist mir schon klar. Aber viele sehen das ganz anders. Denk doch meinetwegen bloß mal an das Bad in meinem Saustall, gell. Da haben wir dir deine Rechnung ja einigermaßen dezimiert damals, kannst du dich erinnern? Und ich möchte fast wetten, dass es am Ende immer noch viel zu teuer war, trotz deinem sogenannten Freundschaftspreis.«

»Ha, das ist ja wohl lächerlich! Und außerdem war das doch alles nur wegen deiner knickrigen Oma, Franz, das weißt du genau! Einfach, weil die ein Geizkragen ist, ein elendiger!«

»Vorsicht, mein Freund«, knurr ich noch kurz, aber ich sehe schon, so kommen wir hier nicht weiter. Drum kipp ich mir lieber meinen Schnaps in die Kehle und sag nix mehr dazu. Weil's eh nichts bringt. Der Flötzinger ist nämlich der Meinung, er ist der beste Installateur auf diesem Planeten, und seine Rechnungen, die sind völlig korrekt, so wie sie sind. Der Rest der Menschheit denkt jedoch, dass er der größte Halsabschneider auf diesem Planeten ist, was ja auch zutrifft. Ja, und im Laufe der Zeit hat das nun freilich seine Auswirkungen. Weil er mittlerweile einfach kaum noch Aufträge kriegt, ganz klar. Jedenfalls nicht von den Hiesigen bei uns im Dorf. Und im Radius fuchzig Kilometer minimum eben auch nicht, weil sich so was halt rumspricht.

»Du, Franz, ich bin so gespannt«, sagt jetzt der Rudi und reißt mich damit aus meinen Gedanken. »Also, wenn wir morgen von der Spusi tatsächlich schon die Auswertung von der Brennpaste und diesen Schürhaken haben, dann sind wir einen ganz entscheidenden Schritt weiter.«

Ich nicke.

Unser Gas-Wasser-Heizungspfuscher sitzt mir bockig gegenüber, schaut in sein Bierglas und hat die Arme verschränkt.

»Also noch mal kurz wegen der Liesl«, versucht er es erneut.

»Ja, ich bin mir ziemlich sicher, dass die morgen schon was haben, Rudi. Und bin auch echt gespannt«, sag ich, ohne dem Flötzinger eine weitere Audienz zu erteilen.

»Aber die Liesl …«, hakt er doch tatsächlich noch einmal nach.

»Schnauze!«, rufen der Rudi und ich prompt wie aus einem einzigen Mund.

»Also echt!«, sagt der Flötzinger jetzt nur noch und schaut uns nacheinander kurz an. Dann lässt er einfach sein Bier stehen, knallt dem Wolfi seine Zeche auf den Tresen und verlässt grußlos den Raum.

»Mein Gott, ist der empfindlich!«, brummt der Rudi. »Du, aber apropos Liesl. Was hat die Liesl denn eigentlich erzählt über diese Frau? Also unser Opfer?«

»Wieso, was soll die Liesl dazu gesagt haben?«

»Ja, die wird doch was gesagt haben, oder? Irgendetwas muss sie doch schließlich wissen. Zumindest ihre Personalien, oder nicht? Immerhin ist die Frau ja bei ihr zur Untermiete gewesen.«

Stimmt, verdammte Scheiße! Wieso bin ich da nicht selber draufgekommen? Das wird ja immer schlimmer mit mir! Zuerst die Sache mit der nicht vorhandenen Absperrung, und jetzt das! Was kommt als Nächstes? Verhafte ich den Rudi und spring dann selbst aus einem Hochhaus, oder was?

»Franz? Sag einmal, hörst du mir eigentlich zu?«

»Wolfi«, ruf ich kurz rüber zum Tresen, allein schon um etwas Zeit zu ergaunern. »Geh, sei so gut und bring mir jetzt auch eine Halbe.«

Der Wirt tippt sich kurz an die Stirn wie ein Soldat.

»Sag einmal, Franz, kann es vielleicht sein, dass du sie noch gar nicht vernommen hast, die Liesl?«

Ich zuck mit den Schultern.

»Mei, ich weiß auch nicht so recht, Rudi«, versuch ich es mal äußerst vorsichtig. »Es ist momentan wie verhext, ehrlich. Es ist einfach alles ein bisserl viel auf einmal für mich. Zum einen ist da die Sache mit der Susi, weißt. Dann der kleine Paul. Ich bin plötzlich Papa, verstehst. Dann ausgerechnet dieser Brand und ein Mord. Und obendrein die Mooshammerin, die ständig bei uns im Haus rumhockt. Herzlichen Glückwunsch, kann ich da nur sagen!«

»Ich kann es nicht fassen, Franz Eberhofer«, sagt jetzt der Rudi, und für meine Verhältnisse ein bisschen zu arg dramatisch. Dabei hält er sich auch noch die Hand an den Kopf, als würde er sich selber Fieber messen. Also theatralischer geht's wirklich nicht.

»Dein Bier«, sagt der Wolfi und stellt das Glas vor mir ab.

»Merci!«, sag ich und schenk ihm ein ganz kurzes Lächeln.

»Das findest du wohl auch noch lustig, oder was? Franz, ich bin ernsthaft erschüttert. Wie lange bist du jetzt bei der Polizei? Lichtjahre, würde ich meinen. Und dann machst du Fehler, wie sie kein Anfänger machen würde! Also wirklich, ich bin entsetzt!«

»Das hast du bereits gesagt.«

»Was ist denn nur in dich gefahren?«

»Jetzt komm mal wieder runter, Rudi. Es ist doch gar nix passiert.«

»Nix passiert! Du hast womöglich eine mordswichtige Kronzeugin auf eurer blöden Eckbank hocken und kommst nicht eine Sekunde lang auf die Idee, sie einfach mal zu verhören? Und das, obwohl du täglich sogar mehrmals auf sie triffst?«, wütet er noch, dann steht er auf.

»Wo willst du jetzt hin, Birkenberger?«

»Ja, wohin wohl? Zur Mooshammer Liesl freilich, um endlich herauszufinden, was du längst hättest rausfinden müssen, du verdammter Hobbygendarm!«

»Ja, dann recht viel Spaß«, sag ich noch so, doch er winkt nur ab, zahlt sein Bier und ist draußen.

»Du, Wolfi, magst ein bisserl AC machen?«, frag ich den Wirt nach einer kurzen Gedenkminute, einfach weil wir mittlerweile ganz alleine im Lokal sind und mir ›TNT‹ jetzt die Stimmung gleich ungemein aufheitern würde. Und freilich mag der Wolfi.

So hocke ich noch zwei Bier und drei Schnäpse lang hier am Tresen, lass mich von der Musik volldröhnen und kann dabei wunderbar den Wolfi beobachten, wie er mit einer Ausdauer und Inbrunst, wie ich es selten gesehen hab, seine Gläser poliert. Eigentlich poliert er ständig Gläser. Selbst wenn den ganzen lieben langen Abend lang nicht ein einziger Gast da ist, was durchaus mal vorkommt, trotzdem poliert er seine Gläser. Ich könnte ja fast schwören, wenn er mit dem letzten Glas hinten fertig ist, fängt er vorn mit dem ersten wieder an. Für ihn scheint das wohl einfach eine Art Beschäftigungstherapie zu sein. Indem er Gläser poliert, hat er praktisch immer den Eindruck, er hätte viel Arbeit und wär ein sehr fleißiger und erfolgreicher Mann. Vielleicht sollte sich da der Flötzinger mal eine Scheibe davon abschneiden. Ja, im Ernst, den Rat werd ich ihm geben, wenn ich ihn das nächste Mal seh. Flötzinger, werde ich sagen, was hältst du davon, wenn du bei dir zu Hause einfach den Wasserhahn abschraubst und dann wieder an. Oder beispielsweise den Duschhahn. Die Waschmaschine abmontierst und dann wieder an. Und ganz am Ende, wenn du alles komplett durch hast, da schreibst dir dann eine schöne Rechnung, die du anschließend auch gleich selber bezahlst. Du wirst sehen, das wird dir guttun. Ja, das werd ich ihm sagen.

Plötzlich fliegt die Tür auf und der Birkenberger kommt rein. Stemmt seine Hände in die Hüfte und starrt mich nur an.

»Ist was?«, frag ich deswegen erst mal, doch freilich kann er mich nicht hören, weil die Musik viel zu laut ist.

»Wie lange hast du vor, hier noch rumzugammeln?«, brüllt er mir zu.

Aber ich tu so, als hätte ich gar nix gehört, und halte mir nur die Hand an die Ohren.

»Mann, jetzt setz endlich deinen Arsch in Bewegung und komm. Bei euch im Wohnhaus, da sind schon alle im Bett und für deinen depperten Saustall hab ich keinen Schlüssel. Und mittlerweile ist mir echt scheißkalt«, tönt es erneut relativ lautstark durchs Lokal. Ich schau in mein Bierglas, es ist noch halb voll.

»Verdammt noch mal, wie lange hast du vor, hier noch rumzugammeln?«, schreit er wieder. Doch genau da, wo er anfängt zu schreien, genau in diesem Moment, da dreht der Wolfi seine Anlage ab. Und jetzt ist es freilich schon ziemlich albern, wie der Rudi so breitbeinig dasteht und mich durch diese Stille hindurch anbrüllt. Wahrscheinlich merkt er es selber gleich, jedenfalls schaut er zu Boden und räuspert sich ausgiebig.

»Wo ich so rumgammle, Birkenberger, und wie lange, das geht dich echt einen verdammten Scheißdreck an, verstanden?«

»Franz!«, brummt jetzt der Wolfi, und mein Kopf wackelt in seine Richtung. »Geh heim, es ist spät und außerdem bist du besoffen!«

»Echt?«, frag ich noch so.

»Echt!«, sagt der Wolfi gläserpolierenderweise.

»Gut, dann komm, mein kleines Dickerchen, gehen wir heim«, sag ich, hüpf von meinem Barhocker runter, hake mich beim Rudi unter, und wir beide wackeln nach Hause.

Kapitel 7

Am nächsten Tag in der Früh geht's mir gar nicht gut, und der Obstsalat, den die Oma neuerdings für ein anständiges Frühstück hält, macht die Sache nicht wesentlich besser. Zwei Aspirin hingegen sorgen zumindest dafür, dass mein Schädel, der zuvor noch fest die Absicht hatte zu explodieren, wieder einigermaßen runterdröhnt. Reden kann ich trotzdem nix, weil erstens noch immer ein leises Pochen im Hinterkopf rumort und zweitens der Rudi ganz offenkundig grad das Bedürfnis verspürt, ohne Punkt und Komma draufloszuquatschen. Zuerst freut er sich riesig über das vitaminreiche Mahl und bedankt sich sehr wortreich. Anschließend warnt er mich mindestens hundertmal, ihn kein einziges Mal mehr Dickerchen zu nennen. Und im Anschluss findet er es wahnsinnig schade, dass ich mich gestern so dermaßen weggekippt habe. Dabei war es gar nicht so viel. Zumindest nicht von der Menge her. Aber gut, Schnaps trinke ich für gewöhnlich auch nicht. Eher mal Bier. Deswegen wahrscheinlich.

»Gibt's eigentlich nix Gescheites zum Essen?«, frag ich die Oma, nachdem ich meine Vitaminbombe irgendwie hinuntergezwungen habe. »Also Eier mit Speck meinetwegen oder einen Pfannkuchen?« Aber freilich hört sie mich nicht. Und weil ich heut einfach sehr kraftlos bin, geb ich hier auf und will mir dafür noch mal ein Haferl Kaffee einschenken. Doch die Kanne ist leer.

»Einen Kaffee gibt's keinen mehr, Bub«, sagt die Oma und steht auf. »Eine Tasse, hat der Brunnermeier gesagt, dann ist Schluss. Aber ich hab dir einen feinen Kamillentee gemacht. Der ist gut für den Magen und entwässert auch noch.«

Der Rudi schenkt mir sein breitestes Grinsen.

Ja, sag einmal: Geht's noch? Ich bin doch hier kein Pflegefall mit künstlichem Ausgang, Herrschaftszeiten!

So bring ich jetzt noch nicht mal mein Geschirr rüber zur Spüle, sondern schnapp mir meine Jacke, und schon bin ich draußen und auf dem Weg zum Streifenwagen. Der Rudi folgt mir auf dem Fuße.

»Gut, dann erzähl mal, Rudi, was hat dir die Liesl gestern Abend noch Schönes berichtet, wie du bei ihr aufgekreuzt bist?«, frag ich, gleich wie wir aus dem Hof rausfahren.

»Ja, nix halt!«, schnauft er durch. »Die waren doch alle miteinander freilich schon im Bett, wie ich dort angekommen bin. Deine Oma, dein Vater und die Liesl eben. Ich bin vor der Tür gestanden wie ein Depp und keiner hat aufgemacht. Dann bin ich zu deinem blöden Saustall rüber, und da bin ich dann auch wieder vor der Tür gestanden wie ein Depp.«

Dazu muss ich sagen, das ist natürlich äußerst ungewöhnlich bei uns. Weil's bei uns einfach keine verschlossenen Haustüren gibt. Alles offen. Schon immer. Aber seit Neuestem, um genau zu sein, seit diesem Mord, da werden bei uns daheim sämtliche Türen verriegelt. Wenigstens wenn man halt nicht zu Hause ist oder eben im Bett.

»Ja, lieber Rudi, das tut mir aufrichtig leid.«

»Das sollte es auch, lieber Franz. Weil ich mir bei dieser Warterei nämlich zunächst mal so richtig den Arsch abgefroren habe. Ich war ja in der Annahme, dass du selbstverständlich jeden Moment heimkommen musst. Aber nein, der Herr Eberhofer, der hat es ja vorgezogen, am Tresen rumzulungern und sich die Kante zu geben, gell.«

Jetzt park ich den Wagen exakt vor der Metzgerei Simmerl, schalt den Motor aus und öffne die Tür. Der Rudi öffnet ebenfalls, die seinige freilich.

»Sitzen bleiben!«, sag ich und steig aus.

»Aber warum denn?«

»Weil ich es sage!«

Also Metzgertür auf und rein.

»Morgen«, sagt der Simmerl.

»Morgen. Gibst mir vier Paar Weiße und vier Brezen«, sag ich, und schon beginnt unser Metzger, die Würste abzuschneiden.

»Kluge Entscheidung, dass du den da nicht mit reingenommen hast«, sagt der Simmerl und deutet mit dem Kinn in Richtung vom Wagen. Ein Blick nach draußen verrät mir, dass sich der Birkenberger grade voll Inbrunst am Rückspiegel ein Wimmerl am Kinn ausdrückt.

»Ja, ja«, sag ich ein bisschen geistesabwesend und kann gar nicht recht damit aufhören, den Rudi bei seiner Morgentoilette zu fixieren.

»Offensichtlich ist er ja eh grad beschäftigt. Ist die Hälfte von dieser göttlichen Brotzeit vielleicht für ihn, oder was?«

»Nein«, sag ich und schüttle den Kopf. »Die ist für den Papa. Was kriegst?«

»Acht-vierzig«, murmelt er noch und reicht mir die Tüte über den Tresen.

Der Papa freut sich, wie ich mit den Würsten antanze, und setzt gleich einmal einen Topf Wasser auf. Der Rudi und die Oma nörgeln ein bisschen von wegen Gesundheit und Cholesterin, aber das hör ich gleich gar nicht. Ich mach den Tisch zurecht und freu mich einfach des Lebens und auf die kulinarische Wonne, die mich gleich heimsuchen wird. Und während wir darauf warten, dass die Weißen heiß werden, frag ich nach der Mooshammerin. Muss jedoch erfahren, dass sie wohl noch in den Federn liegt, weil sie wegen Vollmond eine sehr unruhige Nacht gehabt hätte. Ja, das war eigentlich klar, dass irgendwo tief in ihr drinnen ein Werwolf schlummert.

Die Weißen sind der Wahnsinn und die Brezen noch resch, was bei Brezen, die aus einer Metzgerei rauskommen, nur in den frühen Morgenstunden der Fall ist. Weil sie dann nämlich im Laufe der Zeit so viel Feuchtigkeit ziehen, dass sie lätschert werden wie Gummi. Der Papa hat die Augen geschlossen und genießt jeden einzelnen Bissen. Der Rudi dagegen fokussiert meinen Teller, und ich merk haargenau, dass er selber zu gern auch etwas davon abhätte. Doch im Zuge seiner momentanen Ernährungsphilosophie dürfte ihm das grad schlicht und ergreifend verwehrt sein. Und die Oma, die wirft mir so dermaßen besorgte Blicke über den Tisch, als würde ich grade scharfe Rasierklingen und Rattengift meine Kehle runterjagen. Doch das alles tangiert mich nur peripher, ich hocke einfach nur da und genieße.

»Sodala, das war aber fein«, sag ich nach dem letzten Bissen und leck mir noch den Senf von meinen Fingern. »Und jetzt holt bitte schön einmal irgendjemand die Mooshammerin aus dem Bett, damit die ihre Aussage machen kann. Schließlich ist die ja eine Art Kronzeugin und muss deshalb freilich verhört werden.«

»Soll das heißen, dass du das noch gar nicht gemacht hast, Franz?«, will der Papa gleich wissen.

»Nein, das hat er tatsächlich noch nicht gemacht. Das hat er vergessen, weil nämlich sein Leben grad so wahnsinnig turbulent ist und er nichts mehr auf die Reihe kriegt. Unglaublich, nicht wahr?«, mischt sich der Rudi gleich ein und war doch noch nicht mal gefragt.

»Unglaublich«, sagt der Papa und schüttelt den Kopf.

»Ja, es ist gut jetzt«, knurr ich den beiden über den Tisch. Und keine fünf Minuten später schiebt die Liesl auch schon zur Tür rein und klemmt sich dabei grad noch ihr Gebiss in den Mund. Ihr getupftes Nachtgewand und die Lockenwickler, die unter einem Kopftuch rausblitzen, machen die Situation auch nicht grad besser. Doch nachdem sie sich recht rüde über den Weckvorgang beschwert hat, wird sie auch schon gesprächig, was ja ganz in der Natur einer Dorfratschn liegt. Während sie sich einen Kaffee aufsetzt, hakt sie aber noch schnell nach, ob ich weiß, wann der arme Buengo zurückkommt. Was ich leider verneinen muss, weil ich es wirklich nicht weiß. Anschließend fragt sie auch noch wegen dem depperten Landgasthof nach. Ob ich denn da schon draußen war und diese Gratler verhört hab und so. Weil immerhin handelt es sich hier um einen ganz gruseligen Mord, sagt sie, und der Wirt, der könnte prima als Mörder durchgehen, da ist sie sich vollkommen sicher. Das aber muss ich nun ebenso verneinen und krieg schon beinah ein schlechtes Gewissen dabei.

Und dann zieht sie sich jetzt erst mal einen Stuhl hervor und hockt somit neben dem Rudi – und mir gegenüber. Und so kann ich nun endlich das Thema wechseln und nach ihrer Mieterin fragen. Ja, ja, sagt sie, eine nette Person wär das gewesen, Gott hab sie selig. Sehr nett sogar. Und hübsch obendrein. So um die dreißig vielleicht, höchstens fünfunddreißig. Lange lockige Haare und ganz dichte Wimpern. Also wirklich ein sehr fesches Mädel. Einen Pass? Ja, freilich, der war bei ihr im Büro, aber der ist doch sicherlich auch den Flammen zum Opfer gefallen.

»Name?«, frag ich dann.

»Geh, das weißt doch, Franz: Mooshammer. Elisabeth Mooshammer«, sagt sie ein kleines bisschen unwirsch, steht auf und holt sich ein weiteres Haferl Kaffee. Der Rudi und ich, wir schauen uns an.

»Ja, Liesl, das weiß ich schon. Ich hab auch eher den Namen von dieser Frau gemeint.«

»Ach so, haha, da bin ich jetzt aber auf der Leitung gestanden. Also, warte kurz, Grimm, genau Grimm hat sie geheißen, das arme Kind. Saskia Grimm. Und in Frankfurt hat sie gewohnt. Da am Main.«

»Aha. Und was hat sie dann hier bei uns gemacht?«

»Mei, das weiß ich doch nicht. So was interessiert mich auch nicht. Ich bin ja schließlich von Haus aus kein neugieriger Mensch, gell. Viel spazieren ist sie gegangen, die Frau Grimm. Vielleicht war sie ja bloß zur Erholung hier, wer weiß. Ob sie verheiratet ist, hab ich nur wissen wollen. Und ob sie denn schon Kinder hat.«

»Und?«, hakt der Rudi nun nach, weil die Liesl plötzlich eine schöpferische Pause einlegt.

»Nein, nix, kein Mann, keine Kinder. Mehr weiß ich eigentlich nicht. Sie war ja auch nur ganz kurz hier, da kriegt man ja nicht allzu viel mit.«

»Allzu viel vielleicht nicht, aber ein bisserl was schon, oder, Liesl?«, bohr ich noch nach, weil ich sie einfach viel zu gut kenn.

»Mei, telefoniert hat sie halt ständig, gell. Mit so einem mobilen Telefonapparat, weißt schon, Franz, so wie du auch einen hast.«

Ich nick kurz, und weil dieser Kaffee hier einfach so saugut riecht, steh ich jetzt auf und hol mir ebenfalls ein Haferl voll.

»Genau«, fährt die Liesl derweil fort. »Ja, und weißt, sie hat ja auch immer sehr leise gesprochen, oft hat man kaum was verstanden. Und manchmal, da hat sie auch so gekichert, weißt. Und ein paar Mal hab ich sie sogar ›Schatz‹ sagen hören.«

»Aha«, sagt der Rudi nun und erhebt sich. Stemmt die Arme in die Hüfte und fängt an durch die Küche zu latschen. »Also muss es wohl doch irgendeinen Typen gegeben haben.«

»Kann sein. Oder aber ein Kind. Weil zu seinen Kindern sagt man ja auch gerne mal ›Schatz‹«, muss ich hier einwenden, denn ich kann durchaus aus Erfahrung sprechen.

»Nein, Franz, da liegst du verkehrt«, widerspricht mir die Liesl aber gleich. »So redet man nicht mit einem Kind. Niemals. Nein, das waren ganz bestimmt keine Gespräche mit einem Kind! Und dann dieses neckische Kichern andauernd. Nein, nein, da muss schon ein Kerl dahinterstecken.«

Soso, die Mooshammer Liesl also, unsere Eckbankpsychologin.

»Und dann überhaupt die Sache mit dieser Wäsche!«, fährt sie fort und glotzt dabei ganz versonnen auf ihre Hände hinunter, die dort auf der Tischplatte liegen.

»Welche Wäsche?«, fragen der Rudi und ich jetzt direkt im Duett.

»Ja, ihre Unterwäsche halt. So was trägt keine Mutter nicht. Jedenfalls keine anständige. So was trägt man nur, wenn man … na, ihr wisst schon.«

»Nein, Liesl, das musst du uns schon mal ein bisschen genauer erklären«, sag ich, weil ich nun echt mal gespannt bin.

Sie schaut mich an, zuckt mit den Schultern, und ein kleines Grinsen huscht ihr über den Mund.

»Geh weiter, Franz! Freilich weißt es. So mannstolle Weiber halt. Die tragen doch solche Fetzen, da wo kaum was dran ist. Ein Hauch von nichts, sagt man ja auch, oder?«

»Das mannstolle Weib hast aber grad vor wenigen Minuten noch als durchaus sympathisch und hübsch beschrieben«, muss ich hier loswerden.

»Na ja, das eine muss ja das andere nicht notgedrungen ausschließen, gell. Ganz im Gegenteil. Wenn man nämlich unsympathisch und hässlich ist, dann kann man noch so mannstoll sein, da bleibt dir das Maul aber sauber trocken.«

Ja, da ist wohl was dran.

»Aber um noch mal auf die Unterwäsche zu kommen, Liesl, wie hast denn die eigentlich sehen können? Also, ich geh mal davon aus, dass die Frau Grimm nicht allein in der Unterwäsche durch dein Haus geflitzt ist.«

»Ha, das hätte mir grad noch gefehlt! Nein, nein, das freilich nicht. Aber ich mach doch meinen Gästen selbstverständlich die Betten jeden Tag. Mei und da …«

»Da schaut man halt schon einmal so in den Schubladen nach oder im Koffer, was die dort so alles bunkern, verstehe.«

»Also wie du das wieder sagst, Eberhofer! Aber was anderes, kann mir einer mal sagen, wann ich eigentlich wieder in mein Haus darf? Ich muss mir unbedingt noch ein paar Sachen holen, und überhaupt will ich ja mal nachschauen, was so alles hinüber ist.«

»Sobald die Spusi weg ist, Liesl«, sag ich und steh jetzt ebenfalls auf. »Ja, sobald die Spurensicherung draußen ist, kannst du da rein. Aber soweit ich weiß, sind die eh schon bald fertig.«

»Ja, Zeit wird's.«

»Fällt dir noch irgendwas ein, das wir wissen müssten?«

»Nein, ich glaub nicht«, murmelt sie noch und zuckt mit ihren Schultern. »Kann ich mich dann wieder niederlegen?«

»Von mir aus«, nicke ich, und sie verlässt gähnend den Raum.

Wie wir eine halbe Stunde später zum Brandhaus hinkommen, ist das Ohrloch dort mitsamt seinem Spezl, die anderen zwei Kollegen fehlen bereits, weil's hier im Grund nix mehr zu tun gibt. Erfreulicherweise gibt's auch schon die Auswertungen von diesen Schürhaken und der Brennpaste, jedoch stellt sich unerfreulicherweise heraus, dass es von Spuren geradezu wimmelt. Fingerabdrücke in allen Größen und Formaten, so weit das Auge reicht. Der Kollege im Labor hat die halbe Nacht lang durchgearbeitet, sagt das Ohrloch, und er lässt mir ausrichten, dass er mir die Krätze an den Hals wünscht. Ja, herzlichen Dank auch. Die Ergebnisse jedoch hätte er mir bereits im frühen Morgengrauen geschickt, ich soll einfach nur mal meinen Computer hochfahren.

»Wunderbar«, sag ich und will mich grad zum Gehen abwenden. »Ach, übrigens, habt ihr zufällig noch einen Pass gefunden? Einen Pass von einer gewissen Saskia Grimm?«

»Zufällig haben wir hier gar nichts gefunden, Eberhofer. Alles absichtlich«, lacht das Ohrloch. »Und Pässe waren auch darunter. Genau genommen drei, soweit ich weiß. Können auch vier gewesen sein, keine Ahnung. Und ob du's glaubst oder nicht, die sind sogar noch ziemlich in Ordnung. Weil die nämlich in der Schreibtischschublade ganz hinten im Büro drüben waren. Und der Brand, der wurde ja da oben gelegt. Hier herunten, da hat's erst viel später angefangen zu brennen. Und da sind ja eh schon gleich die Feuerwehrler angedüst, weißt.«

»Ja, prima. Und die Pässe sind jetzt wo genau?«, will der Rudi daraufhin wissen.

»Ja, bei uns halt, bei der Spusi. Also in Landshut drinnen. Ihr könnt da gern einmal reinfahren, wenn ihr das wollt. Dann ruf ich nur kurz bei den Kollegen an und geb denen Bescheid.«

Und so machen wir es. Genau genommen machen wir es so, dass der Rudi nach Landshut reinfährt, und weil ihn unser Ohrloch, das Schlitzohr, dort auch ordnungsgemäß ankündigt, muss ich gar nicht erst mitkommen. So kann ich mich derweil prima an meinen Computer hocken, um meine nächtliche Post zu durchforsten. Weil, freilich hab ich da im Rathaus drüben als ehemaliger Dorfgendarm ja seit Jahren mein eigenes Büro, ganz klar. Wobei das nicht mehr ganz stimmt. Seit einiger Zeit ist es eigentlich gar nicht mehr meines, sondern vielmehr das vom Simmerl Max. Der hat nämlich seinerzeit, als unser Polizeirat beschlossen hat, seinen erfolgreichsten Polizeibeamten dies- und jenseits des Weißwurstäquators, also mich, in unsere wunderbare Landeshauptstadt zwangszuversetzen, also da hat der Max quasi meinen Sessel übernommen. Und seither ist er so was in der Art wie der Dorfwächter hier, also auf Englisch vielleicht Village-Watcher meinetwegen. Er passt halt auf, dass die Kinder heil über die Straße kommen, keiner verkehrswidrig parkt oder auf den Gehsteig pieselt. Und wenn dann wirklich mal was passiert, also was Kriminelles sozusagen, ja, dann ruft er einfach die Kollegen aus Landshut an und fertig. Und in extremen Härtefällen bin ich ja immerhin auch noch da. So wie jetzt praktisch.

Wie ich also heut so ins Büro reinkomme, da ist der Max erwartungsgemäß drin, doch er ist nicht allein.

»Sag einmal, Eberhofer, kannst du nicht anklopfen, oder was?«, schreit er prompt mit ziemlich geröteten Wangen, und dabei schubst er ein Mädel vom Schoß runter, mit dem er grad noch aufs Innigste hin geschmust hat.

»Holla, Max, für einen Vegetarier bist du aber ganz schön scharf auf Frischfleisch, muss ich schon sagen«, grins ich ihm über den Schreibtisch hin. »Und wer, bitte, bist du, meine Schöne?«

»Erstens mal bin ich Veganer, wenn du's genau wissen willst«, sagt er, steht auf und zupft kurz seine Klamotten zurecht. Dann legt er den Arm um seine Süße. »Und zweitens ist das hier die Mia, wenn's recht ist. Und die macht grad die Elternzeitvertretung für die Susi, verstanden?«

»Soso, die Vertretung für die Susi! Ja, das macht sie offensichtlich ziemlich gut, oder?«

»Was willst du, Franz?«, will er nun wissen und wirkt dabei ziemlich genervt. Komisch, irgendwie wirkt er plötzlich auch vergleichsweise erwachsen, war er doch grad noch ein einziger kleiner Pickel, hm. Wie auch immer. Jedenfalls ist sein

Respekt mir gegenüber grad deutlich am Schrumpfen. Und das geht freilich nicht.

»Was ich will, du Hosenscheißer?«, sag ich und merke gleich, dass er kurz zuckt. »Einen Mordfall aufklären, wenn du erlaubst. Schon irgendwas mitbekommen davon? Klingelingeling. Also sei so gut und halt die Leut hier nicht von ihrer Arbeit ab. Ich wette, die Mia, die hat sicherlich auch das eine oder andere abzutippen und drum gar keine Zeit, um mit dir hier umeinanderzuknutschen. Und ich … ich brauch mein Büro, und zwar ab sofort. Also raus jetzt und geh Hundehaufen zählen.«

Für einen kurzen Moment kneift er noch seine Augen zusammen und sendet mir tödliche Blicke. Dann aber macht er auf dem Absatz kehrt und verschwindet durch die Tür.

»Das war grad voll gemein«, zischt mir die Mia nun her.

»Danke für den Hinweis«, sag ich und schenk ihr ein Lächeln.

»Es stimmt also tatsächlich?«, fragt sie, legt dabei den Kopf schief und kneift ihre Augen zusammen, was ihre buschigen Brauen fast aus diesem kleinen Gesicht springen lässt.

»Was genau stimmt also tatsächlich?«

»Dass du ein Arschloch bist!«

»Ja, ja«, sag ich weiter, und jetzt muss ich grinsen. »Die einen sagen so, die anderen so, gell.«

Wie die Tür endlich und ziemlich lautstark ins Schloss fällt, kehrt tatsächlich für einen Moment Ruhe ein.

Die Mia. Elternzeitvertretung für die Susi! Und der Max, der alte Pickel, als Bürgerwehrler. Hocken hier in meinem Büro rum und sind heftig am Knutschen! Mein Gott, wie lang das wohl her ist, dass die Susimaus und ich hier drin das erste Mal rumgeknutscht haben? Lichtjahre wahrscheinlich. Haben wir ständig gemacht. Und ziemlich gerne. Im Grunde hatten wir hier an meinem Schreibtisch wohl die allermeisten

Knutschaktionen überhaupt. Viel öfter als bei mir im Saustall zum Beispiel. Oder bei der Susi daheim. Und es war auch immer viel prickelnder und aufregender hier. Weiß der Geier, weswegen. Aber vielleicht war es ja echt dieser Kick, dass plötzlich jemand die Tür aufreißt und reinkommen könnte. Der Bürgermeister meinetwegen, oder die Jessie vielleicht.

Und wie auf Kommando kommt prompt der Bürgermeister zur Tür rein.

»Eberhofer!«, sagt er und eilt an meinen Schreibtisch heran. »Grundgütiger, was haben Sie denn mit diesen beiden gemacht? Also mit dem Dings, äh, dem Max und der kleinen Mia. Die sind ja völlig aufgelöst, die zwei. Und dabei soll sie ihm doch unbedingt eine professionelle Einweisung geben in Sachen Dings, wie heißt das noch gleich?«

»Wie auch immer das heißen mag, Bürgermeister, ich bin mir sicher, sie macht die Einweisung ganz hervorragend, die kleine Mia. Aber leider, leider hab ich hier einen Mordfall aufzuklären, wissen S'. Und da müssen Einweisungen jeglicher Art einfach hinten anstehen.«

»Ja, das ist doch wohl ganz selbstverständlich, Eberhofer, gar keine Frage. Ich lass Sie auch schon wieder in Ruhe, gell. Vielleicht können die zwei diese Einweisung auch vorn bei der Dings, also bei der Jessica machen, mal sehen.«

»Noch was?«, frag ich, weil er noch immer wie angewurzelt in meinem Büro rumsteht.

»Nur ganz kurz noch, lieber Herr Eberhofer. Also wegen dem Wochenende, also praktisch wegen dem Sonntag, gell. Da hätten wir ja praktisch ein Auswärtsspiel, gell. Also gegen Moosburg diesmal. Wissen S' schon. Wäre es Ihnen da, sagen wir einmal, rein theoretisch vielleicht möglich, eventuell, also nur wenn's keine Umstände macht, unseren Bengo ...«
Er tupft sich den Schweiß von der Stirn.

Ich warte.

»Eberhofer?«

»Ja?«

»Also?«

»Was?«

»Sie wissen genau, was ich meine!«

»Bin ich ein Gedankenleser, oder was?«

»Herrschaftszeiten! Können Sie uns den Bengo wieder zum Spiel mitbringen, oder nicht? Sie wissen genau, wie wichtig das ist.«

»Setzen Sie sich einmal nieder, Bürgermeister«, sag ich, und zunächst stutzt er für einen Augenblick, zieht dann aber einen Stuhl hervor und setzt sich brav mir gegenüber.

»Saskia Grimm. Sagt Ihnen der Name etwas?«

»Mei, ich weiß auch nicht. Wie soll ich sagen?«

»Einfach ja oder nein.«

»Jaha.«

»Woher?«

»Meine Güte, diese Frau Grimm, wissen S', die war für eine Gesellschaft tätig, die … meine Güte, die halt solche Hotelketten baut und so Zeug. Und weil ja immer noch ein größerer Teil unserer Mitbürger hier gern dieses Hotel hätte, drum hab ich halt einmal mit ihr Kontakt aufgenommen.«

»Ein kleinerer Teil, Bürgermeister. Es ist ein deutlich kleinerer Teil. Aber wurst. Also weiter!«

»Na ja, zunächst einmal, da haben wir nur ein paar Mal telefoniert, die Frau Grimm und ich, oder eben diese Briefe geschrieben, da am Computer. Dann aber hat sie plötzlich gesagt, sie muss sich selber ein Bild davon machen. Also von der Lage und unserem Ort und so weiter. Und weil ich freilich ums Verrecken nicht wollte, dass irgendwer im Dorf mitkriegt, warum sie eigentlich hier ist, da hab ich sie einfach bei der Liesl einquartiert und Schluss. Und die Frau Grimm, die hat behauptet, sie braucht nur mal ein paar Tage lang ihre

Ruhe und will viel spazieren gehen. Das war eigentlich alles. Und jetzt ist sie tot. Mein Gott, wie furchtbar. Haben Sie denn schon einen Verdacht, Eberhofer?«

»Nein«, sag ich und schüttle den Kopf. »Aber Sie stehen auf meiner Liste ganz oben.«

»Witzbold!«

»Wann haben Sie sie denn getroffen, diese Frau Grimm?«

»Ja, noch gar nicht, verdammt noch mal! Das war ja das Fatale an der Sache. Sie hat gesagt, sie will sich die Angelegenheit hier erst einmal völlig unbeeinflusst anschauen und wird sich danach wieder melden. Aber dazu, ja, dazu ist es dann eben erst gar nicht mehr gekommen. Gott hab sie selig!«

Jetzt steht er auf, verschränkt seine Arme im Rücken und geht rüber zum Fenster. Dort bleibt er stehen und blickt in unseren wunderbaren Hof hinaus.

»Also, wie schaut's jetzt aus mit dem Bengo?«, fragt er nun wieder, und zwar relativ fordernd.

»Der Buengo, der sitzt im Knast, Bürgermeister. Und wenn er da nun schnell wieder raus soll, dann muss ich diesen Fall aufklären, verstehen S'. Weil immerhin gibt es ja durchaus den einen oder anderen Zeitgenossen, der ihn noch immer sehr wohl für den Mörder hält, gell.«

»Lächerlich!«, sagt er und dreht sich zu mir um.

»Ich weiß das, Sie wissen das, aber leider wissen es nicht alle, Bürgermeister. Und drum schlag ich vor, Sie lassen mich jetzt einfach in Ruhe meine Arbeit machen, dann ist er schneller wieder am Ball, als wie Sie sich überhaupt vorstellen können.«

»Und am Sonntag?«

»Raus jetzt!«

Kapitel 8

Kaum sitz ich an meinem Computer, kann ich auch ganz fix erkennen, dass die Auswertungen der beiden Schürhaken mehrere Jahre in Anspruch nehmen dürfte, so viele Spuren, wie da drauf sind. Ja, die Spusi war gründlich, könnte man sagen. An beiden Griffen Fingerabdrücke in unüberschaubaren Mengen, und an einem der Haken konnten tatsächlich Haut-, Haar- und Blutproben entnommen und der Pathologie bereits überstellt werden. Respekt. Wenn man aber einfach mal eins und eins zusammenzählt, dann dürfte wohl eh klar sein, dass die eindeutig unserem Opfer zuzuschreiben sind. Dank erstklassiger Software kann ich jetzt also gleich mal ganz entspannt all diese Fingerabdrücke durch unser System jagen, mich bequem zurücklehnen und auf das Ergebnis warten. Prima. So hol ich mir erst mal ein Haferl Kaffee vorn bei den Verwaltungsschnepfen. Und kaum, dass ich dort aufgeschlagen bin, blickt die Mia vom Schreibtisch meiner Susi auf und zieht eine ihrer buschigen Augenbrauen leicht überheblich in die Höhe. Ob sie möglicherweise eine Tochter vom Waigel sein könnte?

»Ist kein Zucker mehr da, oder was?«, frag ich, wie ich einen Blick in die leere Dose werfe.

»Nein«, sagt die Jessie daraufhin, nimmt ihre Brille ab und schaut zu mir rüber. »Du musst jetzt sehr tapfer sein, lieber Franz. Weil du nämlich der Einzige bist, der hier im Rathaus einen Zucker braucht, verstehst. Doch ab sofort gibt's für dich leider auch keinen mehr.«

Ich ahne bereits, worauf das jetzt rausläuft.

»War die Oma zufällig hier?«

»So isses, Süßer«, sagt sie weiter, setzt die Brille wieder auf und widmet sich erneut ihrem Bildschirm.

Also schüttle ich nur kurz den Kopf, schnapp mir mein Haferl, mein bitteres, und geh in mein Büro zurück. Der Kaffee schmeckt scheiße. Trinken tu ich ihn trotzdem. Doch wenigstens kann ich mich bereits wenige Minuten später auch schon an die Auswertung unserer Spuren machen. Und das ist jetzt lustig. Weil es im Grunde nur einen einzigen Fingerabdruck gibt, der auf unserer Datenbank registriert ist. Und der … der ist ausgerechnet von der Mooshammerin selber. Alle anderen Abdrücke sind polizeitechnisch nicht aktiv und somit eben auch nicht in unserem System gespeichert. Die Liesl jedoch, die ist bei uns spurensicherungstechnisch erfasst, ob man's glaubt oder nicht. Und zwar weil sie vor ein paar Jahren auf dem Wochenmarkt in Landshut drinnen einmal eine von diesen Marktweibern dort verdroschen hat. Eine unangenehme Sache war das damals, ich kann mich gut erinnern. Für mich selber mindestens genauso wie für die Liesl. Weil ausgerechnet ich nämlich zu diesem Zeitpunkt und akkurat auch noch dienstlich dort unterwegs war. Und als ob das nicht schon genügt hätte, nein, die Liesl, die hatte obendrein auch noch die Oma im Schlepptau. Ja, und ganz am Ende ihres dämlichen Bummels, da sind diese zwei Weibsbilder plötzlich auf eines dieser Schilder gestoßen: »Halber Preis auf alles« ist da draufgestanden. Einfach weil halt grad die letzte halbe Stunde angelaufen war und die Marktleute freilich lieber etwas weniger Kohle verdienen, als ihren ganzen Plunder wieder mit nach Haus zu schleppen. Korrekterweise aber hätte auf dem Schild stehen müssen: Halber Preis auf Obst, Gemüse und

Blumen! War es aber nicht. »Auf alles« ist da draufgestanden. Und das war leider nicht völlig korrekt. Und weil diese eine Marktfrau ganz nebenbei auch noch wunderbaren handgemachten Holzschmuck verkauft hat, da wollte ihr die bauernschlaue Liesl nun freilich gleich das komplette Sortiment abkaufen. Nur um hinterher auf unserem eigenen Markt, also praktisch dem in Niederkaltenkirchen, den ganzen Klimbim für das Doppelte oder Dreifache wieder zu verscherbeln, versteht sich. Gut, den Rest kann man sich dann ja wohl denken. Weil sich diese Marktfrau freilich die Watschn nicht gefallen lassen und prompt zurückgedroschen hat. So hab ich sie halt einkassieren müssen, die zwei Xanthippen. Das nur zum besseren Verständnis, warum ausgerechnet die Fingerabdrücke von der Mooshammerin bei uns registriert sind.

Ein bisschen später, genau wie ich durch unsere Rathaustür trete, da treffe ich prompt auf den Max. Der lehnt dort relativ entspannt drüben an meinem Streifenwagen und zieht genüsslich an seiner Kippe.

»Und?«, frag ich, grad wie ich bei ihm eintreff.

»Siebenundvierzig«, sagt er, wirft seinen Stummel zu Boden und tritt auf die Glut, während ich keinen blassen Schimmer hab, wovon er grad spricht. »Um genau zu sein, drei auf der Hauptstraße, einer an der Bushaltestelle, elf im Neubaugebiet drüben, achtzehn bei uns hier im Dorf und vierzehn auf dem Weg zum Wald rauf. Die Straße nach Landshut rein hab ich nicht mehr geschafft, sorry.«

»Sag mal, du Spinner, kannst du mir eigentlich einmal sagen, von was du da faselst?«

»Von den Hundehaufen, du Superbulle«, sagt er, und just in diesem Moment kommt die Mia aus dem Rathaus heraus und zu uns rübergehüpft. »Siebenundvierzig sind es in ganz Niederkaltenkirchen, aber eingesammelt hab ich sie nicht.«

Dann legt er den Arm um die Mia, küsst sie kurz auf den

Mund, und die beiden zischen ab. Nach ein paar Schritten lehnt sie ganz vertraut ihren Kopf an seine Schulter, und langsam schlendern sie jetzt aus meinem Sichtfeld heraus. Irgendwie schön, diese zwei.

Auf dem Heimweg mach ich noch einen kurzen Zwischenstopp beim Simmerl, um mir eine feine Fleischpflanzerlsemmel zu gönnen, weil ich die kulinarischen Ergüsse, die mich mittlerweile daheim erwarten, natürlich längst schon durchschaut hab. Vorsichtshalber ess ich sie auch gleich vor Ort, um nur ja nicht durch etwaige Brösel irgendwelche Rückschlüsse auf meine klitzekleine Exkursion zuzulassen.

»Fleischpflanzerl hab ich keine mehr«, sagt der Metzger aber gleich, wie er von meinen Wünschen erfährt. Und so schau ich mal in die heiße Vitrine, die heute jedoch offensichtlich schon kalt und ausgeschaltet ist. Auch die restliche Auslage ist relativ übersichtlich, im Grunde kaum noch was da. Kutteln hätte er noch, sagt der Simmerl, und ein paar Blut- und Leberwürste. Wobei ich das eine nicht ausstehen und das andere nicht kaufen kann, weil ich es ja dann mitnehmen und warm machen müsste.

»Was zum Teufel ist denn heut überhaupt los?«, frag ich wegen diesem radikalen Räumungsverkauf. »Wieso ist alles schon weg heut?«

Und dann erfahr ich, dass es in den letzten Tagen wohl mehr oder weniger immer so war. Ja, sagt der Simmerl, halb Niederkaltenkirchen schlägt nun täglich hier auf. Und zunächst einmal weniger wegen seinem delikaten Fleisch- und Wurstsortiment, sondern eher, um sich über den Mordfall auszutauschen. Die andere Hälfte vom Dorf, die trifft sich lieber abends auf ein Bier beim Wolfi, doch freilich aus demselben Grund. Und der Simmerl, der reibt sich jetzt seine dicken Wurstfinger und freut sich über die klingelnde Kasse, weil halt neben dem ganzen Getratsche dann doch auch kräftig eingekauft wird, ganz klar. Ein Irrsinn, sagt er, ja, der absolute Irrsinn ist das, was da grad so abgeht. Die heißesten Spekulationen spuken da grad umeinander, und ja, es gibt durchaus auch schon die ersten Stimmen, die einen Zusammenhang mit dem Hotelbau erkennen. Woher die kommen, das wissen die Geier, er weiß es jedenfalls nicht.

»Was ist jetzt mit den Kutteln?«, will er abschließend wissen, doch ich schüttle den Kopf.

»Blut- und Leberwürste?«

»Nein, aber sag mal, du hast nicht zufällig Zucker da?«

»Bin ich ein Bäcker, Scherzkeks?«

So heb ich nur noch die Hand zum Gruße, dreh ab, und schon bin ich draußen. Ich zieh dann mal mein Telefon hervor und will den Rudi anrufen, muss aber gleich feststellen, dass mein Akku leer ist. Also gut, es hilft alles nix, so muss ich wohl heimfahren und mich dem Gemüsewahn stellen.

Wie ich in die Küche reinkomm, hockt die Oma am Esstisch, und wider Erwarten putzt sie heut ausnahmsweise mal kein Grünzeug, sondern überprüft grad ganz aufmerksam die aktuellen Angebote sämtlicher Prospekte aus der Tageszeitung.

»Ja, gut, dass du schon da bist, Bub«, sagt sie, gleich wie sie mich entdeckt hat, und blickt von ihren Schnäppchen auf. »Du, stell dir vor, der Teusruss, der hat heute Prozente. Alles reduziert, weil jetzt die neuen Sommerartikel erscheinen. Und unser Pauli, der braucht doch dringend einen neuen Kinderwagen, gell. So ein bisserl was Sportlicheres, weißt. Außerdem sprengt er den alten sowieso gleich. Also, auf geht's, auf was wartest? Da müssen wir unbedingt hin.«

»Der Teusruss?«, frag ich und nehm ihr mal das Blatt aus der Hand. Ah, sie meint den Toys»R«Us! Hätte ich mir auch denken können. Aber tatsächlich, sie hat recht. Alles reduziert.

»Die Susi, die weiß auch schon Bescheid«, sagt die Oma weiter, steht auf und kramt einen Kamm aus ihrer Schürzentasche. Damit wandert sie hinaus in den Flur. »Die müssten eigentlich gleich da sein, die zwei«, ruft sie dann von dort aus, nur um Augenblicke später zurückzuwackeln, mittlerweile in eine Strickjacke gehüllt, mit frisch gekämmten Haaren und ihrer Handtasche quer um die Brust.

»Halloho«, tönt es jetzt auch schon von draußen. So begeb ich mich freilich prompt in den Hof raus, wo sich zu meiner Freude, den Paul und die Susi einmal außerplanmäßig zu sehen, gleich ein wohlbekanntes Unbehagen einstellt. Weil die Susimaus erwartungsgemäß in ihrem Elefantenrollschuh unterwegs ist. Also ihrem Fiat 500 praktisch und mich grade aus ihrem Fahrersitzchen heraus und durch das geöffnete Fensterchen hindurch äußerst fröhlich anstrahlt. Der kleine Paul hockt schräg hinter ihr in seinem Kindersitz und fast könnt ich wetten, in seinen schönen blauen Augen so was wie Klaustrophobie zu erkennen.

»Servus, Susi«, sag ich, bücke mich tief und schau ins Wageninnere »Du, wär es vielleicht nicht besser, wenn wir meinen Wagen nehmen? So rein platzmäßig, weißt.«

Nein, wär es nicht! Weil sie sich seit jeher schlicht und ergreifend weigert, in diesen blöden alten Streifenwagen zu steigen. Und schon gar nicht mit einem kleinen Kind. Ja, wie würde das denn auch ausschauen! Als wäre sie verhaftet worden oder so. Womöglich mitsamt dem Sohnemann und der Oma obendrein! Nein, nein, herzlichen Dank auch, dann doch lieber ein bisschen zusammenrücken, gell. Das ist immer noch besser, als seinen Ruf zu verlieren.

Komisch. Da sieht man mal wieder, wie unterschiedlich die Frauen sind. Bei der Oma, da ist das nämlich vollkommen anders. Die ist völlig schmerzfrei, was den Streifenwagen betrifft. Ganz im Gegenteil. Die ist da sogar schon dringehockt wie eine brütende Henne, selbst, wenn ich einsatztechnisch unterwegs war und ich sie gar nicht hab brauchen können. Aber wurst.

So quetscht sich also die Oma hinter auf die Rückbank neben den Paul, der sie freilich gleich anlacht. Und ich … ich versuch irgendwie ohne schwerere Verletzungen auf dem Beifahrersitz eine Position zu beziehen, wo ich mir nicht mit den Kniescheiben meine Nase zertrümmere und in sicherer Erwartung der furchtbarsten Kilometer meines ganzen Lebens. Und weil dieses Auto mit seinen knapp zehn Jahren erstens freilich nicht mehr das allerneueste ist und zweitens vermutlich sowieso komplett überladen, versagen die Stoßdämpfer natürlich prompt ihren Dienst. Ich schwitze wie ein Schwein, wie wir endlich da sind. Und der Einwurf von der Susi, ich soll nicht so ein Gestell machen, hebt meine Stimmung nicht wirklich. Allerdings hebt etwas anderes meine Stimmung gleich ganz radikal. Es liegt nämlich so was wie Würstchenduft in der Luft, und der lässt meine Augen sofort auf Wanderschaft gehen. Und tatsächlich dort, gleich da vorne, direkt neben dem Eingang zum Kinderparadies, da muss wohl auch mein eigenes liegen. Dort steht nämlich ein knallroter Würstlwagen mit der fetten Aufschrift »Seppis berühmte Currywurst«. Und plötzlich scheint mein Leben endlich wieder einen Sinn zu haben.

»Ja, was ist jetzt, Franz«, knurrt die Oma voller Tatendrang und schaut zu mir rauf. »Was starrst denn da Löcher in die Luft? Mach die Klappe nach vorne und hol den Pauli heraus. Und schlag hier keine Wurzeln.«

Und so mach ich die Klappe nach vorne, und eigentlich komm ich noch relativ gut nach hinten zur Rückbank. Mit dem kleinen Scheißer auf dem Arm allerdings wieder nach vorne zu kommen, das ist schier ein Ding der Unmöglichkeit. Irgendwo zwischen Klappsitzen, Maxi-Cosi und Sicherheitsgurten bleib ich mit ihm stecken, was dann leider aber ganz offensichtlich bei der Susi Aggressionen auslöst.

»Oh, Mann, Franz! Du nervst«, zischt sie jedenfalls, und es klingt durchaus verärgert. »Ich mach das jeden Tag, manchmal sogar mehrere Male, und bin dabei noch nie stecken geblieben. Vielleicht solltest du langsam echt mal weniger Leberkässemmeln verdrücken.«

»Mei, Bub, du bist wirklich ein Depp, ein ungeschickter«, setzt die Oma noch eins drauf. Ja, herzlichen Dank auch. Doch dann, nachdem irgendwann ein Einkaufswagen gefunden und der Paul hineinplatziert wurde, schweben die beiden Mädels auch schon dem Eingang entgegen. Und jetzt … jetzt kommt endlich mein eigener Einsatz. Obwohl ich wegen diesem Spruch von soeben, also rein leberkästechnisch, schon ein bisserl ein schlechtes Gewissen hab, kann ich nicht widerstehen. Außerdem war von Currywurst sowieso keine Rede.

»Mädels, geht ruhig schon mal voraus, ich muss nur noch schnell aufs Klo«, ruf ich deswegen hinter ihnen her und lass mich dabei schon mal zurückfallen. Doch die zwei sind schon so dermaßen im Shoppingwahn, dass sie mich eh nicht mehr wahrnehmen. Im Grunde genommen hätten sie mich heut sowieso nicht gebraucht. Wozu auch? Die kommen ganz prima alleine zurecht.

Wie sich hinterher allerdings rausstellt, war es schon ziemlich gut, dass ich dabei war. Weil, wo ich nach wunderbaren dreidreiviertel von vier Currywürsten in der Kinderwagenabteilung zu den aufgeregten Weibern stoße, waren sie schon sehr erfolgreich, was ihre Rabattaktion so betrifft. Jedenfalls musste der arme kleine Paul mittlerweile den Sitz des Einkaufswagens räumen und wurde stattdessen am Boden auf einer Krabbeldecke zwischengeparkt. So nehm ich ihn erst mal auf meinen Arm, und anschließend verfolgen wir zwei gespannt jegliches Für und Wider und irgendwann sogar das Ergebnis der Kinderwagenentscheidung. Die Wahl fällt auf das Designmodell Dreirad-Jogger, weil die Susi unbedingt ihre Babypfunde loswerden will, was ich gar nicht so nachvollziehen kann. Einfach weil sie so schön weich und weiblich ausschaut, seitdem sie nicht mehr so dürr ist.

Wie man sich jetzt vielleicht unschwer vorstellen kann, ist der Kofferraum von so einem Fiat 500 ohnehin allein schon mit einem lächerlichen Bierkasten komplett überfordert Bei unserem aktuellen Großeinkauf aber kann man jeglichen Gedanken an einen möglichen Transport sofort verwerfen, ganz klar. Für solche Fälle jedoch gibt's hier vom Haus aus einen äußerst kundenfreundlichen Lieferservice. Allerdings, wie sich gleich darauf rausstellt, leider nicht für reduzierte Ware, und bis zu uns nach Niederkaltenkirchen hinaus schon überhaupt nicht, gell. Zumindest nicht für umsonst. Gegen einen kleinen Aufpreis allerdings wär das überhaupt kein Problem nicht. Einfach fünfzehn Euro zahlen und alles ist gut. Wenigstens bei normalen Menschen. Die Oma aber, die ist halt nicht normal, zumindest nicht bei derlei Geschäften. Und wie wir ja bereits wissen, sind ihre Ohren leider auch nicht mehr die besten. Was dann die Sache dort an der Kasse schließlich nicht wesentlich einfacher macht.

»Fuchzehn Euro nur fürs Liefern? Das ist ja wohl ein Witz!«, knurrt sie die Kassiererin an. »Das zahl ich auf gar keinen Fall, nur dass Sie das wissen. Ich hab doch keinen Geldscheißer nicht. Nein, nein, dann können Sie sich das ganze Glump hier recht schön behalten.«

»Das geht aber nicht, weil Sie ja alles schon ausgepackt haben«, entgegnet ihr die Kassiererin immer noch freundlich und auch wahrheitsgemäß. Denn immerhin kann man ja nicht die Katze im Sack kaufen, gell. Nein, da muss man selbstverständlich schon vorher ausprobieren, ob beispielsweise der Silverlit RC Giro Polizeihelikopter auch anständig fliegt, oder? Und ob der Geländewagen von diesem Ice Ryder exakt so fährt, wie er beschrieben ist. Oder etwa der Frozen Schneemann Olaf Plüsch beispielsweise, ob der denn nun auch tatsächlich so plüschig ist, wie er ausschaut. Und ja, meinetwegen auch, ob dieses Tut Tut Parkhaus felsenfest steht und nicht etwa wackelt wie ein Kuhschwanz. Ja, so was ist wichtig, das kann man kaum glauben. Sonst hat man zu Hause bloß wieder nix wie Ärger und miese Laune. Drum eben vorher immer schön auspacken und testen.

»Hallo!«, brüllt die Kassiererin jetzt hinter der Oma her. »Wo wollen Sie denn hin, Herrschaftszeiten? Bleiben Sie gefälligst da! Was wird denn jetzt aus der ganzen Ware? Sie können doch nicht alles hier lassen und einfach so gehen!«

»Kann sie schon«, muss ich mich nun einmischen. Allerhöchste Zeit dazu. »Schauen Sie, wir brauchen die ganzen Sachen ja eigentlich gar nicht, wissen S'. Und Sie … Sie wollen es doch loswerden, oder? Sonst gäb's ja wohl kaum diese Prozente, gell. Also, was meinen S', wie machen wir jetzt weiter, was schlagen Sie vor?«

Die Susi neben mir verdreht plötzlich die Augen, holt ihren Geldbeutel aus der Handtasche und zückt ein paar Scheine.

»Wehe, du zahlst diese depperte Lieferung, Susi!«, schreit die Oma durch die Eingangsscheibe hindurch, die sich in einem fort öffnet und schließt, weil die Oma halt ständig kurz reinrennt und dann wieder raus.

Nun runzelt die Kassiererin leicht genervt ihre Stirn, greift zum Telefonhörer, und einige Sekunden später bittet sie inständig um Verstärkung. Welche auch pronto hier aufschlägt, und zwar in Form eines blassen, dicken Geschäftsführers mit wulstigen Lippen.

»Haben wir ein Problem, Angelika?«, fragt er auch gleich, sein Blick aber ist dabei direkt auf mich gerichtet. Irgendwie scheint er mich grad auszuloten.

»Ja, haben wir«, sag ich deswegen gleich und erklär ihm erst mal kurz und relativ freundlich den aktuellen Sachverhalt.

»Und das soll wohl heißen, Sie wollen diesen ganzen Krempel jetzt nicht mehr kaufen, oder was, und stattdessen hier lassen? Und das, obwohl ja alles schon aus der Verpackung raus ist?«, will er abschließend wissen.

»Grundgütiger, nein! *Ich* würde Ihnen die Sachen hier liebend gern abkaufen, das können Sie mir glauben. Und diese dämliche Lieferung, die würd ich selbstverständlich auch bezahlen, wo denken Sie denn hin, guter Mann. Aber Sie sehen's ja selber«, sag ich und leg ihm dabei meine Hand auf den Oberarm, was seine Wirkung nicht verfehlt. Dann deut ich mit dem Kinn in Richtung Oma, welche immer noch wie ein wilder Tiger im Käfig rein- und wieder rausrennt. Die Susi unterstützt meine Worte, indem sie nickt, und obendrein beginnt der kleine Paul prompt noch zu weinen.

»Großer Gott, geben Sie uns Ihre verdammte Lieferadresse«, sagt der Blasse, und fast könnte ich schwören, seine aufrechte Anteilnahme direkt spüren zu können. Erleichtert schnauf ich mal durch und geb ihm die Daten.

»Ach, und warten S' noch schnell«, sagt er abschließend, dreht sich ab und geht zu einem der Regale, das direkt hinter ihm steht. Von dort holt er eine kleine bunte Schachtel mit Aufdruck, klopft mir kurz auf die Schulter und drückt sie mir dann in die Hand. »Drachen zähmen leicht gemacht« steht da drauf.

Und ich muss grinsen.

»Einen Mordshunger hab ich jetzt«, sagt die Oma, wie wir endlich zur Tür draußen sind, steuert direkt auf den Würstlwagen zu, und gemeinsam mit der Susi starrt sie jetzt nach oben, wo die Angebote stehen. Ich selbst hab den Paul auf dem Arm und darauf zu achten, dass mir keiner der drei leeren Einkaufswägen davonrollt.

»Na, wie schaut's aus, noch einen kleinen Nachschlag, Meister?«, fragt der Seppi jetzt und lacht zu mir rüber.

»Ach«, sagt die Susi, und gleich zuck ich zusammen. »Du hast schon eine Wurst gegessen?«

»Eine?«, lacht der Seppi weiter, noch ehe ich eingreifen kann. »Vier hat er verdrückt, dieser Bengel. Hab ich auch selten gesehen.«

»Dreieinhalb«, versuch ich noch runterzudimmen. »Und außerdem waren gar keine Pommes mit dabei. Also praktisch ohne Kohlehydrate und so.«

Und wie auf Kommando läutet mein Telefon und der Doktor Brunnermeier ist dran. Er hätte meine Ergebnisse, sagt er und dass ich kommen soll. Und zwar so bald wie nur möglich. Dann leg ich auf. Und irgendwie wird's mir jetzt schlecht.

»Wer war das?«, fragt die Susimaus, grad wie sie sich ein Stückerl Wurst einverleibt.

»Verwählt«, sag ich noch so und schunkle den kleinen Paul auf meinem Arm. »Gell, Pauli-Mann. Ein dummer, dummer Verwähler war das!«

Und er lächelt mich an.

Kapitel 9

Später, wie ich endlich die Autotür öffnen und aus dieser Fischdose steigen kann, da ist mir zwar immer noch schlecht, allerdings weiß ich jetzt nicht genau, ob ich's eher den Würsten oder dieser Autofahrt zuschreiben muss. Ich streck mich kurz durch, und dabei kann ich den Papa entdecken. Der hockt nämlich auf dem Rasenmäherbulldog, seinem Rambo, wie er ihn liebevoll nennt. Hat einen Joint zwischen den Zähnen, und durch all die alten Obstbäume hindurch mäht er unsere Wiesen. Das ist auch der Grund, warum es jetzt hier grad so wahnsinnig durftet. Nix riecht nämlich besser als frisch gemähtes Gras. Ich schnauf mal tief ein und dann wieder aus und streck mich noch mal durch, bis die Wirbelsäule kracht. Derweil kraxelt auch die Oma aus dem Wagen, verabschiedet sich ziemlich hastig und watschelt zielstrebig dem Wohnhaus entgegen. Kaum dass sie weg ist, da beug ich mich ganz weit hinunter und werf noch einen Blick zur Susi in den Wagen.

»Und, wie schaut's aus, Schneckerl«, frag ich sie und versuch ihr dabei mein unwiderstehlichstes Lächeln zu schenken, welches mir in Anbetracht meiner Übelkeit und dieser gebückten Haltung überhaupt möglich ist. »Kommst noch mit rein auf einen kleinen Sprung, liebe Susi?«

»Nein, lieber Franz«, grinst sie zurück.

Ich versuch's mal mit meinem Dackelblick. Manchmal funktioniert's.

»Du bist fei ganz schön blass um dein zartes Näschen herum«, fährt sie fort und klingt dabei durchaus leicht besorgt.

»Ja, das kann schon sein. Kommt wahrscheinlich von diesen zahllosen Kilometern in dieser seltsamen Kiste da.«

»Ich fürchte, es kommt viel eher von diesen zahllosen Würsten.«

»Könntest mich ja ein bisserl pflegen, was meinst?«

»Nein, nein, pflegen soll dich mal schön die Oma, gell.«

»Geh, komm. Bleib halt noch da. Bitte!«

»Nein, Franz.«

»Warum nicht?«, frag ich und muss mich wohl grad anhören wie ein wimmerndes Kind.

»Weil heute erstens kein Freitag ist und ich gar nix dabeihab für den kleinen Paul. Der zweitens gleich Hunger kriegt und obendrein auch ziemlich k. o. sein dürfte und allein deshalb schon dringend heim und ab in die Heia muss.«

Ich schau mal nach hinten und verstehe auf Anhieb. Der kleine Scheißer hockt in seinem Maxi-Cosi, nuckelt verzweifelt am Ohr von seinem ramponierten Stoffhasen, hat die längste Rotzglocke der Welt und reibt sich die müden Äuglein.

»Er hat die längste Rotzglocke der Welt«, sag ich noch so und prompt holt die Susi ein Tempo hervor, dreht sich um und beseitigt geübt das grün-gelbe Malheur.

»Also dann«, sagt sie noch und startet den Motor.

»Also dann«, antworte ich, was bleibt mir auch übrig. Und schon tritt sie aufs Gaspedal, lenkt ihre Seifenkiste die Einfahrt heraus und ich schau ihr noch ein ganzes Weilchen hinterher. Der Ludwig kommt durch den Garten her auf mich zu, wedelt kurz mit dem Schwanz und drückt mir dann den Kopf gegen den Schenkel. Treuer Kamerad.

»Bist angewachsen, Franz, oder warum stehst da so deppert?«, kann ich plötzlich hinter mir hören. Es ist die Mooshammer Liesl, die grad mit ihrem Radl vor mir bremst, absteigt und es an der Hauswand anlehnt. Ich zuck mit den Schultern. Augenblicke später stößt auch der Papa zu uns.

»Geh, hast einmal ein Feuer, Franz«, will er jetzt wissen und hebt mir den Stummel seines Joints vor die Nase, der ihm im Laufe der wilden Mäherei wohl ausgegangen sein muss.

»Apropos Feuer«, fällt mir da ein, und ich muss mich damit an die Mooshammerin wenden, die gerade in einem Jutebeutel rumkramt. »Du, Liesl, Frage: Wieso hast du eigentlich eine Brennpaste bei dir zu Haus? Ist das nicht eher ungewöhnlich? Ich mein, so was benutzt man doch eigentlich mehr in der Gastronomie, oder nicht?«

»Ich weiß nicht, ob man die in der Gastronomie benutzt. Ich jedenfalls finde sie praktisch«, nuschelt sie in ihren Beutel.

»Ich kann dir das schon sagen, Franz, warum die Liesl so was daheim hat«, mischt sich der Papa jetzt ein und bläst dabei ganz genüsslich ein paar Ringe in die Welt. »Weil sie nämlich ein ganz und gar knickriges Weib ist, verstehst. Bloß kein Geld für ein gut abgelagertes Holz ausgeben! Nein, viel zu teuer. Da nimmt man lieber das billige, wo halt leider noch tropfnass ist und drum eben ums Verrecken nicht anfackelt. Zumindest nicht ohne Brennpaste. Und somit stinkt das ganze Dorf, und wir können diesen Scheißdreck auch noch einschnaufen, gell, Liesl.«

»Ein so ein Schmarrn«, knurrt die Mooshammerin, die mittlerweile eine Schachtel Erdbeeren aus ihrem Beutel gezerrt hat, den sie uns nun unter die Nase hält. »Da, riechts einmal, Herrschaften. Die sind ganz frisch vom Acker. Ein Genuss, sag ich euch. Langts nur zu!«

Mein Telefon läutet. Ich gehe kurz ran, und weil der Papa und die Liesl unvermindert weiterratschen, trete ich einige Schritte zur Seite. Wie sich ziemlich schnell rausstellt, ist dieser Anruf durchaus nicht uninteressant und zaubert mir umgehend ein fettes Grinsen ins Gesicht.

»Sei so gut und lass mich einmal schauen, Liesl«, sag ich, gleich nachdem ich mein Telefonat beendet hab, und versuch dabei einen Blick in ihren ominösen Beutel zu erhaschen. Tatsächlich, er ist von oben bis unten randvoll mit Erdbeerschachteln.

»He, was soll das?«, keift sie mich an.

»Dieser Anrufer, also quasi der von gerade, der hat gesagt, dass er eventuell von einer Anzeige absehen würde, vorausgesetzt, du zahlst ihm einfach die Erdbeeren, wo du grad von seinem Acker geklaut hast. Er möchte zehn Euro pro Pfund«, sag ich und merke sofort, wie jetzt auch dem Papa ein fettes Grinsen übers Gesicht huscht.

»Habens dem ins Hirn geschissen, oder was? Zehn Euro fürs Pfund! Für Erdbeeren, die man noch dazu selber pflücken muss! Mein ganzer Buckel tut mir weh. Das ist ja … das ist ja eine regelrechte Wucherei, Franz. Da musst du was unternehmen!«, regt sie sich jetzt auf.

»Er hat dich ja nicht genötigt, sie zu pflücken, oder?«, frag ich hier nach.

»Wieso hat mich dieser Grattler überhaupt sehen können? Ich hab doch extra aufgepasst wie ein Haftlmacher!«

»Offensichtlich nicht gut genug, Liesl. Und jetzt zisch ab in die Küche und wieg das Zeug endlich ab. Und dann gehst brav los zum Bezahlen, verstanden? Aber vorher sagst mir noch schnell, diese Brennpaste, die hast du also tatsächlich zum Einschüren verwendet, und deswegen ist sie jeweils neben deinen Öfen gelegen, ist das richtig so?«

Sie nickt noch kurz wie ein bockiges Kind, dreht sich ab und wackelt dann los in Richtung Wohnhaus.

»Ha, sag ich dir doch, Franz«, sagt der Papa und hat noch immer dieses hämische Grinsen in der Visage. »Ich wette, die verbrennt sogar ihren ganzen Kompost in ihren depperten Öfen.«

So schnapp ich mir schließlich den Ludwig, und wir drehen unsere Runde. Und weil wir unterwegs ausgerechnet noch auf den Flötzinger stoßen und der mir ein weiteres Mal von seinem Renovierungsnotstand im Mooshammerischen Anwesen vorpredigt, brauchen wir sage und schreibe eins-dreiunddreißig dafür. Was glaubt der eigentlich? Dass ich tatsächlich nix Besseres zu tun hab, als die Liesl von seinen handwerklichen Fähigkeiten und seiner seriösen Abrechnungsmethode zu überzeugen? Das würd mir noch fehlen! Und das ausgerechnet jetzt, wo bei mir beruflich grad der Baum brennt – und privat eben eher nicht. Von meinen gesundheitlichen Problemen einmal ganz abgesehen. Und überhaupt, dass die Susi so dermaßen hartherzig sein kann, und das, wo sie doch glasklar erkannt hat, wie blass ich bin und demzufolge wohl krank. Doch was macht sie? Anstatt dazubleiben, wo sie hingehört, da drückt sie aufs Gas und düst auf und davon. Und überlässt den armen, kranken und blassen Franz einfach seinem elenden Schicksal. Frauen können ja so grausam sein.

Es dämmert bereits, wie ich endlich in meinem heiligen Saustall eintreffe. Und kurz darauf klopft es kurz an der Türe und der Rudi kommt rein. Wobei das nicht ganz stimmt, er betritt den Raum, als wär's eine Bühne, und fast könnte man meinen, er strahle von innen nach außen und würde somit Licht in meine Düsternis bringen.

»Was ist denn mit dir los? Und außerdem, wo warst denn so lange?«, frag ich deswegen erst mal, gehe zum Kühlschrank und schnapp mir zwei Bier. Eins davon werf ich dem Rudi entgegen, der es freilich routinemäßig fängt, und das andere, das wandert mit mir zum Kanapee rüber, wo ich mich dann gleich mal niederknall. Auch die Lichtgestalt macht's sich gemütlich, und nachdem er einen ausgiebigen Schluck weggezischt hat, fängt er auch schon an zu erzählen. Und so erfahr ich, dass er äußerst erfolgreich war heute. Also quasi im Zuge seiner Ermittlungen könnte man sagen. Ja, meint er, die Pässe bei der Spusi, die wären tatsächlich von dieser Frau Grimm, von unserm Buengo und freilich auch von der Mooshammerin höchstselbst. Das Beste aber, sagt er weiter, das Allerallerbeste, das wär allerdings, dass die werten Kollegen auch den Schlüsselbund von der Frau Grimm sichergestellt hätten. Und zusammen mit ihrem Pass konnte er dann praktisch gleich ihre Wohnung aus- und aufmachen, berichtet er weiter. Und genau an dieser Stelle fehlt mir nun der direkte Zusammenhang. Also Wohnung ausmachen, heißt wohl, dass er sie gefunden hat. Klar. Aber aufmachen?

»Was, lieber Rudi, meinst du jetzt genau mit ›aufmachen‹?«, will ich deswegen wissen.

»Na, aufmachen halt. Zack, Schlüssel rein, umdrehen, Klinke drücken und Türe öffnen. So was in der Art halt.«

»Du willst damit aber nicht sagen, dass du dort schon drin warst. Also in dieser Wohnung?«

»Logo!«

»Und die Spusi? Was ist mit der Spusi? Sind die etwa schon fertig dort mit ihrer Arbeit, oder was?«

»Nein, geh, was glaubst denn du. Die haben ja noch nicht einmal die Sachen alle auswerten können, die aus dem Brandhaus stammen. Und das wird wohl auch noch eine ganze Weile dauern. Noch dazu ist diese Wohnung in Kaufbeuren, und da wären ohnehin wieder komplett andere Kollegen zuständig dafür, gell. Und bis sich die dann erst wieder mit dem Fall befasst und eingearbeitet ha…«

»Rudi! Du bist verdammt noch mal kein Bulle mehr, hast du das schon wieder vergessen? Das ist strafbar, was du da tust, verdammt, verdammt!«

»Du kannst mich ja verhaften.«

»Und du kannst mich mal am Arsch lecken!«, sag ich noch so, und dann muss ich unbedingt raus hier.

Das ist ja wieder mal typisch! Der Birkenberger, der muss sich immer und überall vordrängeln und einmischen. Es ist wirklich zum Kotzen!

Ich renn in unserem Hof herum wie ein Stier durch seine Arena und hätte jetzt zu gerne einen Torero, um ihn auf meine Hörner zu rammen und über die Schulter zu schleudern.

»Rudi!«, schrei ich nach drinnen, und schon fliegt die Tür auf und er erscheint auf der Schwelle.

»Ich find es echt blöd, wie du dich jetzt wieder aufregst, Franz«, sagt er mit verschränkten Armen und in seinem beleidigten Tonfall. »Ich arbeite mich hier praktisch zum Krüppel und du würdigst es nicht nur nicht, sondern machst ganz im Gegenteil noch einen auf Freddy Krüger. Das ist wirklich das Allerallerletzte, Mensch.«

»Rudi! Sag mal, kapierst du das eigentlich echt nicht, oder tust du bloß so blöd? Das ist alles illegal, was du da machst, ob du's glaubst oder nicht. Und das kann mich zumindest den Fall hier kosten, wenn da was auffliegt«, schrei ich ihn an.

»Seid ihr bald fertig da drüben, ihr zwei Tunten?«, brüllt jetzt der Papa aus einem der Fenster heraus. Ja, der fehlt noch. Und so pack ich den blöden Birkenberger am Ärmel und zerr ihn zurück in den Saustall. Und nachdem ich mein Bier geext, mich wieder einigermaßen beruhigt hab und der Rudi sein Bier geext und den Eingeschnappten wieder eingepackt hat, wird er aber irgendwann wieder gesprächig. Und sagen wir einmal so, abgesehen davon, dass er weder verantwortlich noch befugt war, diese Wohnung zu öffnen geschweige denn zu durchsuchen: Seine Resultate jedenfalls, die sind durchaus beachtlich. So ist er beispielsweise auf den Auftraggeber von unserem Opfer gestoßen. Und dabei handelt es sich um eine gewisse Venus-Bau GmbH & Co. KG, was eine Baufirma ist, die ursprünglich aus Berlin stammt, sich aber mittlerweile auch bundesweit ihre freiberuflichen Mitarbeiter zugelegt hat. Und offensichtlich hat sich diese Venus-Bau auf die Er-richtung kleinerer bis mittelgroßer Hotels spezialisiert, die in noch eher jungfräulichen Gegenden gebaut werden, wie mir der Rudi erzählt. Weiter wär ihm noch aufgefallen, dass die-se Wohnung zwar aufgeräumt, aber doch auch sehr staubig war, und er hatte im Grunde eher den Eindruck, dass die Frau Grimm dort gar nicht sehr häufig zugange war. Was er je-doch besonders seltsam findet, ist die Tatsache, dass vermut-lich erst vor Kurzem etliche Bilder von den Wänden abge-nommen wurden, was er glasklar an den Rahmenabdrücken ausmachen konnte. Und weil er freilich als erfolgreicher Pri-vatdetektiv selbstverständlich jedes noch so kleine Detail vor die Linse gebracht hat, drückt er mir nun relativ überheblich seine dämliche Kamera in die Hand.

»Alles festgehalten, rechts geht's weiter«, sagt er, und ich verdreh mal die Augen. Aber doch, jetzt bin ich zugegebener-maßen ehrlich beeindruckt statt genervt, das muss ich schon sagen. Versuch aber freilich zu verhindern, dass er das auch merkt. So gähn ich lieber ein paar Mal ausgiebig, während ich die Fotos anschau.

»Bist du müde, Franz, oder langweile ich dich?«, will er da-raufhin wissen, und irgendwie klingt es fast schrill.

»Beides«, sag ich und geb ihm seine Samsung zurück.

»Arschloch, undankbares!«

»Aber was anderes, Rudi. Sag mal, hast du eigentlich ir-gendwo ein Handy in dieser Bude finden können?«, muss ich jetzt noch wissen und begeb mich zum Kühlschrank. Nein, ein Handy war leider keines vor Ort, ebenso wenig wie ein PC, von einem Tagebuch ganz zu schweigen. In der kleinen Küche allerdings, da hing ein Wandkalender, und den hat er freilich noch mitgenommen. Wozu er selbstverständlich ein weiteres Mal gar nicht befugt war, aber das ist jetzt auch schon wurst.

»Den müssen wir uns unbedingt einmal genauer anschaun, Franz«, sagt er und zerrt das Corpus Delicti auch schon aus seiner Umhängetasche. »Da sind nämlich lauter so seltsame Buchstaben drauf. Schau mal, VT und CS, und hier steht MT und so weiter und so fort. Immer an verschiedenen Tagen und meistens nur zwei Buchstaben. Nur in ganz seltenen Fällen, da sind es vier.«

Dabei blättert er die diversen Kalenderblätter durch und schüttelt verständnislos seinen Kopf.

»Ja, einfacher geht's wohl wirklich nicht«, sag ich und schnapp mir diesen Kalender aus seiner Hand. »Zwei Buchstaben stehen für Vor- und Nachname, du Klugscheißer. Dafür muss man nicht sehr clever sein. Jetzt musst du nur noch rausfinden, wer im Umfeld von der Frau Grimm diese Initialen hatte. Also, hier zum Beispiel bei MT, da suchst du meinetwegen einfach nach einem Meier Theodor.«

»Oder einem Martin Tübinger«, grinst er mir rüber. Ich sehe schon, er weiß Bescheid. »Oder, nein, warte mal, am besten, wir fahren gleich mal in die Allianzarena rein und verhaften den Thomas Müller, was meinst?«

Dann aber läutet mein Telefon. Herrschaftszeiten, es ist doch gleich schon zehn! Hat man hier denn nie seine Ruhe?

»Eberhofer!«, kann ich unseren werten Herrn Bürgermeister glasklar erkennen. Und das, obwohl er zum einen ziemlich nuschelt und die Hintergrundgeräusche, die aus der Leitung kommen, obendrein durchaus beachtlich sind. »Sie müssen unbedingt herkommen, und zwar sofort. Hier ist nämlich grad der Teufel los!«

»Können Sie ein bisserl lauter sprechen, Bürgermeister, ich verstehe Sie ja kaum.«

»Nein, das geht nicht!«

»Ja, wo sind Sie denn?«

»Ja, im Dings halt, im Rathaus. Ich hab mich verschanzt.

Da draußen auf dem Gehweg, da rumort grad der Pöbel. Bitte helfen Sie mir, in Gottes Namen!«

Dann klackt es in der Leitung.

»Draußen auf dem Gehweg rumort der Pöbel«, murmele ich eher so zu mir selber und schau dabei leicht verwirrt auf mein Telefon.

»Ach, demzufolge neigt wohl der gemeine Niederkaltenkirchner zu nächtlichen Wanderungen«, mutmaßt der Rudi jetzt und versucht dabei gar nicht erst, seinen zynischen Unterton unter Kontrolle zu bringen.

»Das ist nicht komisch, Rudi«, knurr ich, während ich in meine Jacke reinschlüpf.

»Nein, mal im Ernst, Franz. Hast du dir eigentlich noch nie darüber Gedanken gemacht? Also, was mir echt schon aufgefallen ist, es sind doch die seltsamsten Menschen hier unterwegs, oder? Also, wenn du ehrlich bist, trifft man hier in Niederkaltenkirchen schon auf die sonderbarsten Gestalten. Liegt aber wahrscheinlich alles an dieser ganzen Inzucht, weißt. Da kannst du schon echt froh und dankbar sein, dass dein Opa nicht von hier war. Echt froh, Franz. Er war doch nicht von hier, oder?«

»Was meinst du da jetzt genau mit ›dieser ganzen Inzucht‹, Birkenberger?«, muss ich darauf gleich einmal fragen, weil ich kaum glaube, was ich da grad hör.

»Ja, Inzucht halt. Was verstehst denn da nicht. Aber weißt, ihr hier in Niederkaltenkirchen, ihr seids da keine Ausnahmefälle, Franz. Nein, so was findest du überall auf dem einsamen Land. Mei und andererseits auch wieder irgendwie verständlich, oder nicht? Ja, was bitte schön hätten denn die Leut auch früher so gemacht nach Feierabend? Kein Fernseher, kein Computer und keine Kneipe weit und breit. Und dann meinetwegen auch noch monatelang eingeschneit im Winter und somit komplett abgeschnitten von der Außenwelt, gell.

Ja, da hat man dann halt schon mal mit der Schwester gepimpert oder mit seinem …«

»Rudi! Ja, sag einmal, geht's noch«, brüll ich, und gleichzeitig muss ich direkt in eine Art Schnappatmung fallen. »Was bildest du dir eigentlich ein, so über unsere Bevölkerung zu reden, verdammt! Wer glaubst du überhaupt, wer du bist, du verdammter Arsch!«

»Nein, im Ernst, Franz, da brauchst jetzt gar nicht so schreien. Schau dir doch bitte mal den Flötzinger an. Oder den Simmerl zum Beispiel. Die sind doch alle nicht ganz dicht dort im Stübchen. Und bei der Mooshammer Liesl, da bin ich mir ehrlich gesagt auch nicht ganz sicher, ob die nicht aus so gschlamperten Verhältnissen raus ist. Die brauchst dir doch bloß alle miteinander einmal anzuschaun, oder? Die sind doch wirklich total plemplem, wenn du mich fragst.«

»Tu ich aber nicht! Und jetzt pass bloß sakrisch auf, Bürscherl, dass ich dir nicht gleich noch eine saftige Anzeige wegen Rufmord um die Ohren hau!«

»Wobei er mit dem Flötzinger schon irgendwie recht hat«, brummt plötzlich der Papa vom Türrahmen her, und passenderweise trägt er im Moment nur Schlappen und Schlüpfer.

»Ja, sag einmal, wohn ich am Stachus, oder was? Was zum Teufel willst du denn jetzt auch noch hier um diese Uhrzeit? Und außerdem könntest dir gefälligst wenigstens was anziehen, wennst schon durch die Gegend wanderst. Weil deine Adonis-Zeiten, die sind schon Lichtjahre rum«, plärr ich und merk deutlich, wie mir jetzt langsam der Kamm anschwillt. Der Rudi hebt seine Braue allwissend.

»Habts ihr zwei wieder Ärger miteinander?«, grinst der Papa blöd zwischen dem Rudi und mir hin und her. Und ich bin mir fast sicher, allmählich dem Wahnsinn zu verfallen.

»Was du hier willst, möcht ich nun wissen, zefix?«, frag ich noch einmal nach.

»Ach, ja, fast hätt ich's vergessen, der Herr Bürgermeister, der lässt bitte schön nachfragen, wo du denn so lang abbleibst«, sagt er und dreht sich wieder zum Gehen ab. Und auch von hinten ist er nicht schöner wie von vorn. »Der hat grad drüben bei uns angerufen und war ziemlich hysterisch. Also, servus, wünsche eine gesegnete Nachtruhe zusammen!«

Herrschaftszeiten, der Bürgermeister! Den hab ich ja vor lauter Inzucht gleich komplett verschusselt. Also schnapp ich mir gleich meinen Autoschlüssel und bin quasi schon unterwegs. Und wie ich ein paar Augenblicke später an unserem Rathaus ankomme, kann ich es auch schon sehen. Eine kleinere Ansammlung von – sagen wir: zehn oder zwölf – Hanseln steht vor der Rathauspforte und ist offensichtlich grad ganz eifrig damit beschäftigt, unser Dorfoberhaupt ziemlich renitent zum Rauskommen aufzufordern, wobei die Meute abwechselnd gegen das Holz der Türe trommelt oder vorzugsweise tritt. Zwei jüngere Frauen stehen ein wenig abseits und halten zwischen sich ein Spruchband gespannt. »NKK braucht KEIN doofes Hotel!!!« steht da drauf. Ich muss grinsen und schau mal in die Runde und auch die umliegenden Häuser entlang. Oben an ihren Fenstern kann ich einige Mitbürger erkennen, die einen an geöffneten, weit hinaus gelehnt und bis aufs Äußerste interessiert. Andere dagegen hinter vorgezogenen Gardinen, dennoch nicht weniger gut sichtbar. Soso, eine kleine Revolution und ihre Spanner.

Ich hol die Flüstertüte aus meinem Wagen. »Wer sich bei drei nicht vom Acker gemacht hat, der wird postwendend verhaftet«, sag ich, und wie man sich vorstellen kann, ziemlich laut, wodurch der Schreck tief sitzt. Eines von den Banner-Mädchen schmeißt sich direkt auf den Boden. »Eins … zwei …«

»Sagen Sie mal, Eberhofer«, unterbricht mich ein älterer Herr mit Nickelbrille. »Sind Sie des Wahnsinns, oder was? Sie haben uns ja beinah zu Tode erschreckt!«

»Drei!«, sag ich noch so, zieh dann meine Handschellen hervor, trete exakt vor ihn, und schon macht es klick.

Was seine Wirkung freilich keineswegs verfehlt. Ganz im Gegenteil. Denn obwohl mein brandneuer Häftling inständig um Unterstützung winselt und fleht, lösen sich seine Komplizen umgehend in Luft auf und ziehen von dannen, so schnell kann man gar nicht erst schauen. Und so stehen wir beide keine fünf Atemzüge später gänzlich einsam hier auf diesem Kopfsteinpflaster. Ich mach ihm die Achter wieder vom Arm.

»Unsäglich, Eberhofer«, murmelt er und reibt sich seine Handgelenke übertrieben ausgiebig. »Sie sind wahrhaftig unsäglich. Das sind ja Manieren wie in der dunkelsten Nazizeit. Das wird ein Nachspiel haben! Darauf dürfen Sie Gift nehmen.«

»Bürgermeister!«, ruf ich nach oben und klopf kurz ans Fenster. »Sie können rauskommen, die Luft ist rein!«

»Und Sie schleichen sich jetzt«, sag ich zur Nickelbrille und deute mit dem Kinn rüber zur Wand, wo ein Radl dranlehnt, das niemandem sonst noch gehören könnte.

»Aber ich will mit dem Bürgermeister reden«, entgegnet er bockig.

»Ja, und ich will dreckigen Sex mit der Lady Gaga. Und zwar auf meiner Kühlerhaube. Also Abflug jetzt!«

Ein paar Mal schnauft er noch relativ entrüstet durch. Dann aber zerrt er seinen alten Drahtesel an sich und quietscht damit schließlich von dannen.

»Ist die Luft endlich rein?«, kann ich anschließend ein ganz tapferes Schneiderlein durch unsere Rathaustür hecheln hören.

»Porentief«, sag ich und geh zu meinem Streifenwagen zurück.

»Können Sie mich noch schnell heimfahren, Eberhofer?«

»Nein!«, knurr ich, weil mir jetzt allmählich wirklich der Gaul durchgeht.

»Warum nicht?«

»Einfach, weil ich keine verdammte Taxilizenz hab.«

»Bitte!«

»Nix!«

»Ich hab aber Angst!«

»Dann brauchen Sie kein Taxi, sondern einen Psychologen. Gute Nacht, Bürgermeister.«

»Gute Nacht, Sie Arsch, Sie hartherziger!«

»Das hab ich gehö-hört!«

»Dann ist es ja gu-hut!«

Kapitel 10

Wie ich am nächsten Tag vom Saustall aus und durch unseren Hof hindurch Kurs auf den Frühstückstisch nehme, muss ich mich erst einmal wundern. Weil ich den Birkenberger direkt aus dem Wohnhaus heraus so laut rumbrüllen höre, dass der arme Ludwig neben mir direkt das Winseln kriegt. Was zum Teufel ist denn da wieder los? Kaum in der Küche eingetroffen, wird's mir schon klar, heute ist offensichtlich rein gar nix wie sonst. Gut, die Hoffnung auf Eier mit Speck und ein ordentliches Haferl Kaffee mit Milch und Zucker, die hatte ich ja längst schon begraben. Aber wenigstens eine lächerliche Tasse Tee und von mir aus auch eine Vollkorn-Kürbiskern-Dinkel-oder-schlag-mich-tot-Semmel mit Marmelade, das dürfte doch wirklich nicht zu viel verlangt sein als Frühstück für einen hart arbeitenden Mann, oder? Aber anstatt ihrem lieben Franz ein einigermaßen genießbares Mahl zu kredenzen, da hockt die Oma lieber am Küchentisch drüben und lässt sich vom Rudi anschreien, wobei beide Augenpaare äußerst konzentriert Richtung Tischplatte starren.

»Ist es jetzt so richtig, Rudi-Bub?«, kann ich sie dann auch schon vernehmen, und bloß aus purer Neugierde heraus muss ich mich nun dazugesellen und schau ihnen über die Schulter.

»Ganz genau, das klappt doch schon prima«, brüllt der Rudi dann wieder, ohne überhaupt die geringste Notiz von meiner Anwesenheit zu nehmen.«»Und wenn man dort draufdrückt, Oma Eberhofer, ja, genau da, und wir beide dort vorne hineinschauen, dann können wir sogar noch ein Selfie von uns machen.«

»Ein was?«, brüllt sie zurück.

»Ein Selfie. Das ist so was, wo man sich selber fotografieren kann, gell. Also aufpassen! Jetzt geht's los. Lächeln! Und zack!«

Und schon zaubern die zwei ihre freundlichsten Visagen aus dem Repertoire, und der Rudi drückt auf den Auslöser einer Handykamera. Kontrolliert kurz das Ergebnis, das ihn ganz tierisch entzückt, wie man nur schwer übersehen kann, und danach präsentiert er das Foto seiner betagten Schülerin.

»Ja, mei, Rudi-Bub, das ist ja wunderbar! Da sind ja wir zwei drauf, gell? Schau, wie wir lachen«, frohlockt die Oma gleich ziemlich frenetisch, während auch sie das Bild bewundert.

»Schönen guten Morgen«, muss ich mich aber an dieser Stelle hier einklinken. »Was wird das, wenn's fertig ist?«

»Guten Morgen, Franz«, sagt der Rudi, während die Oma mit wachsender Begeisterung damit beschäftigt ist, dieses alberne Bild zu betrachten. »Du, stell dir vor, Franz, deine Oma, die hat gestern von ihren Aerobic-Weibern ein Handy geschenkt bekommen, was sagst du dazu? Die haben alle miteinander zusammengelegt und es ihr einfach geschenkt.«

»Ein Handy! Dass ich nicht lache! Und was soll sie damit? Telefonieren, oder was?«

»Nein, nein, aber die haben sich schon was gedacht dabei. Weil sie es nämlich satthaben, dass die Oma eben genau wegen ihren Lauscherchen telefonisch nie richtig erreichbar ist und die Mädels deshalb immer alles deinem Vater oder dir ausrichten müssen.«

»Ja, und wo bitte schön ist da ein Problem?«, frag ich hier, weil ich's wirklich nicht weiß. »Gibt's da etwa delikate Geheimnisse unter diesen alten Schachteln, die wo wir nicht wissen dürfen?«

»Das kann schon gut sein, lieber Franz. Aber deine Oma hat wohl eher gemeint, es ist deshalb, weil du das Ausrichten *meistens* vergisst. Und dein alter Herr vergisst es *immer*.«

Gut, da könnte was dran sein.

»Siehst du. Und ab sofort, da ist sie auf eure unzuverlässige Hilfe nämlich nicht mehr angewiesen und kann praktisch jederzeit per SMS über alle anstehenden Events informiert werden, verstehst. Hammer, oder, Franz? Ich hab sie freilich schon eingewiesen in die Kunst der Technik, klarer Fall.«

Er hat sie eingewiesen in die Kunst der Technik. Ja, ganz klarer Fall. Irgendwie würgt's mich jetzt direkt.

Doch just in diesem Moment erwacht die Oma aus ihrem Delirium und hört endlich auf, dieses dämliche Bild anzuhimmeln.

»Ja, Bub, da bist ja!«, sagt sie und dreht sich gleich zu mir um. »Schau, was ich gekriegt hab. Ein Handy hab ich gekriegt! Kannst du dir das vorstellen, Franz? Komm, setz dich her zu mir.«

Und so setz ich mich halt her zu ihr.

»Von meinen Aerobic-Weibern hab ich das, weißt. Weil das mit der blöden Telefoniererei bei mir ja nicht mehr richtig klappt. Ja, und drum haben die Mädels halt gemeint, sie legen einfach alle zusammen und schenken mir dieses Trumm da. Jetzt können sie mir immer schreiben, was so los ist, das ist doch lustig, oder? Aber das Beste ist, es hat mich keinen Pfennig gekostet. Und wird es auch nicht, weil ich natürlich nicht zurückschreib, bin ja ned deppert. Und schau, was mir der Rudi schon alles Schönes beigebracht hat.«

»Ja, was hat er dir denn alles Schönes beigebracht, Oma, unser göttlicher Rudi?«, frag ich und werf kurz einen Blick auf den Birkenberger, der mir gegenübersitzt, mit verschränkten Armen, seinem Heiligenschein und einem ganz breiten Grinsen in der Visage.

»Ja, ja, schau nur gut hin, Franz«, sagt er mit stolzgeschwängerter Stimme. »Wir zwei, wir waren nämlich heute schon fleißig und haben recht viel gelernt. Zum Beispiel, wie man eine SMS lesen kann, gell, Oma Eberhofer? Und fotografieren kann sie jetzt auch, das alte Mädchen. Sogar Selfies. Gell, da schaust.«

»Ja, da schau ich. Und was gibt's zum Frühstück?«

»Bitte, lächeln!«, ruft die Oma und hält mir dabei den Auslöser vor die Nase. »Lächeln, Franz! Geh, was schaust denn wie ein Zwiderwurz?«

Und so ring ich mir halt ein Lächeln ab.

»Also kein Frühstück heut?«, frag ich fuchzehn Minuten und ungefähr hundert Fotos später. Mir persönlich ist das Lächeln mittlerweile schon aus dem Antlitz geplumpst, und der arme Ludwig hat sich sogar schon das dritte Mal abgedreht und präsentiert der Oma grad erneut sein Heck. Nur der Rudi, der schmeißt sich unermüdlich und verzückt in jede nur erdenkliche Position, wild entschlossen, sie bei der Auslotung ihrer fotografischen Künste bis aufs Äußerste zu unterstützen. Ich verdreh mal die Augen und steh auf.

»Ja, wo willst denn jetzt hin, Bub?«, will die Oma dann wissen, ohne jedoch das blöde Geknipse bleiben zu lassen.

»Zum Simmerl«, sag ich, und sie versteht mich sofort.

»Jessas, Frühstück«, sagt sie gleich und schiebt endlich dieses Scheißteil in ihre Schürzentasche. »Gehts zu, Buben, machts schon einmal den Tisch zurecht, ich bin gleich so weit.«

Dann läutet mein Telefon und der Brunnermeier ist dran. Er will wissen, ob ich denn noch daheim bin, dann würde er kurz mal auf einen winzigen Sprung vorbeischauen und mir die Laborwerte mitsamt meiner Lebenserwartung mitteilen. Nein, sag ich, ich bin schon unterwegs und quasi mitten in der Arbeit. Ich komme zu ihm, sobald es mein straffer Dienstplan erlaubt, sag ich noch so, dann häng ich ein.

»Aber das stimmt doch gar nicht, Franz, ich mein, du bist doch ...«, murmelt der Rudi empört, während er seinen Erdbeerquark sowohl in sich reinmampft als auch als Oberlippenbart trägt.

»Rudi«, unterbrech ich ihn hier aber gleich, weil er mir für heute ohnehin schon zu viel geklugscheißert hat.

Nach dem Frühstück, welches dank der Liesl heute relativ erdbeerlastig ausfällt, muss ich allein deswegen schon noch einen kurzen Zwischenstopp beim Simmerl einlegen. Und da der Rudi und ich unsere Aufgabengebiete, was unseren Tagesablauf heut betrifft, bereits glasklar aufgeteilt haben, kann ich diese heiligen Hallen hier nun glücklicherweise auch ganz prima ohne seine werte Begleitung aufsuchen. Weil es noch dazu relativ früh ist, finde ich die Vitrine exakt so vor, wie sie mir am allerallerliebsten ist. Nämlich heiß und voll. Prima.

Mir läuft direkt das Wasser im Mund zusammen, und diese riesige Auswahl macht die Entscheidung keinesfalls leichter. Erschwerend kommt noch dazu, dass ein älteres Ehepaar anwesend ist, welches mir grad schamlos ein Loch in den Bauch fragt, was den aktuellen Ermittlungsstand betrifft. Ein käsiger Jüngling mit Rucksack und Rastazöpfen ist wohl ebenso wissbegierig, jedenfalls starrt er mich mit gezückten Lauschlappen ganz gespannt an. Und mittendrin ein Kinderwagen mit einem nörgelnden Buben in Latzhosen und mit einer Augenklappe. Wie soll man sich denn da auf seine Brotzeit konzentrieren?

»Hat er was am Auge?«, muss ich jetzt wissen. Weil mich das erstens wirklich interessiert, ich zweitens einfach das

Thema wechseln möchte und drittens gern wüsste, zu wem der kleine Quengler denn eigentlich gehört.

»Er schielt«, sagt der Rastaman, und jetzt bin ich ehrlich überrascht. Wie alt ist dieser Typ hier? Achtzehn, allerhöchstens zwanzig.

»Ist das deiner, oder was?«, frag ich deswegen noch mal nach.

»Schau ich so aus, als wär ich unzurechnungsfähig?«

»Ehrlich gesagt, ein bisschen schon«, antworte ich wahrheitsgemäß und er lacht.

»Neenee, alles easy. Der kleine Oktavius hier, der gehört meiner Schwester«, sagt er und wie auf Kommando fängt der kleine Oktavius jetzt das Plärren an, das kann man gar nicht erzählen.

»Gib ihm ein Raderl Gelbwurst, Simmerl, dann hält er die Waffel«, sag ich, und der brave Metzger gehorcht mir aufs Wort. Und im Handumdrehen zutzelt die Nervensäge an seiner Wurst, und es kehrt sofort wieder Ruhe ein, sodass ich meine ganze Aufmerksamkeit endlich der Vitrine widmen kann. Aber nur ganz kurz. Weil, dann will der ältere Herr neben mir nämlich wissen, was denn gestern Abend beim Rathaus so los war, was mich schon ziemlich nervt. Immerhin wollte ich jetzt keine gemeindeinternen Aufklärungsarbeiten leisten, sondern nur schlicht und ergreifend eine Brotzeit holen, zefix.

»Entschuldigen Sie bitte, Herr Kommissar«, sagt er jetzt weiter. Wahrscheinlich ist mir mein Gemütszustand sehr deutlich anzusehen. »Aber wissen S', mein Bruder und ich, ja, wie soll ich sagen …?«

»Mein Mann will sagen, er und sein blöder Bruder, die können sich nicht ausstehen. Und zwar schon immer, verstehen Sie?«, fährt nun seine Gattin hier fort und macht somit die ganze Sache plötzlich gleich viel interessanter.

»Ja, so was soll vorkommen, selbst in den besten Familien. War das schon alles, oder kommt da noch was?«, frag ich deswegen nach.

Die beiden schauen sich kurz an, und dann nickt sie ihm auffordernd zu.

»Na ja«, fährt er schließlich fort. »Leider wohnen wir aber im selben Haus, wissen Sie. Er oben, wir unten. Ein Zweifamilienhaus, von den Eltern geerbt. Ja, da kann man nix machen. Aber worauf ich eigentlich hinauswollte, gestern Abend, da ist er mit seinem Fahrrad nach Hause gekommen und war vollkommen aufgelöst.«

»Inwiefern?«, muss ich hier nachhaken.

»Ja, er ist durchs Treppenhaus nach oben gestampft. Ziemlich lautstark, was sonst nie seine Art ist. Und er hat auch noch so vor sich hin geflucht.«

»Und zwar?«

Der ältere Herr schaut jetzt ein bisschen unsicher in die Runde, und fast hab ich den Eindruck, er will nicht recht raus mit der Sprache.

»Auf geht's«, sagt der Simmerl, der mit verschränkten Armen und hellwachem Blick hinter seiner Wurstfront steht, und die Neugierde scheint ihm direkt aus den Pupillen zu springen.

»Gib doch noch mal so 'ne Wurst rüber«, sagt der Rasta jetzt über den Tresen hinweg, weil der kleiner Scheißer grad schon wieder das Nörgeln kriegt. Möge Gott verhindern, dass sich unser fröhliches Paulchen auch zu einem solchen Jammerlappen entwickelt!

»Also, mein Schwager«, nimmt nun die werte Gattin das Zepter wieder fest in die Hand. »Der ist ja in solch einer Art Vereinigung, müssen Sie wissen. Das ist sozusagen so eine Gruppe Weltverbesserer, die gegen Gott und die Welt und natürlich auch diesen Hotelbau hier sind. Was ja total lächerlich ist, Herr Kommissar. Niederkaltenkirchen kann doch vor dem Fortschritt nicht ewig davonlaufen, oder? Es ist doch so schön hier. Die Leute wollen hier Urlaub machen.«

»Meine Worte«, triumphiert unser Metzger über die Theke und nötigt mich dazu, tödliche Blicke in seine Richtung zu senden. »Nein, im Ernst, Franz, überleg doch mal, wie viele es da draußen gibt, die gern mal eine gescheite Leberkässemmel hier essen würden. Oder meinetwegen bloß ein Bier beim Wolfi zischen. Oder vielleicht einfach durch unsere wunderbaren Wälder streifen …«, muss er jetzt hier einwerfen.

»Schnauze. Und jetzt will ich endlich mal wissen, was Ihr Bruder beziehungsweise Ihr Schwager gestern Abend denn so geflucht hat, meine Herrschaften«, sag ich, weil ich zum einen diesen Duft hier herinnen ums Verrecken nicht mehr aushalt, ohne in die Vitrine zu fallen. Zum anderen hab ich ja schließlich und endlich auch noch was anderes zu tun, als hier den Dorfratsch zu forcieren.

»Ja, ehrlich gesagt, Herr Kommissar, hat er am meisten über Sie geschimpft«, nuschelt nun der alte Herr in seinen Seidenschal und schaut hilfesuchend auf sein Schuhwerk runter.

»Cool«, sagt darauf Bob Marley und reicht seinem Neffen die dritte Wurstscheibe.

»Ein bisschen genauer, wenn's keine Umstände macht«, muss ich noch nachbohren.

»Ja, mei, er hat Sie halt einen Dorfsheriff, einen ganz ignoranten, genannt, der dringend mal eine Dienstaufsichtsbeschwerde braucht. Aber unseren Herrn Bürgermeister, den hat er auch noch beschimpft. Sogar noch ärger. Der sollte lieber beim Rot-Weiß-Niederkaltenkirchen den Fußballplatz mähen, anstatt, nur um sich ein Denkmal zu setzen, von seinem Rathaussessel aus die Idylle dieses Dorfes zu zerstören. Genau das waren seine Worte.«

Da schau einer an! Wenn dieser Bruder nur nicht mein radelnder Freund von gestern Abend ist. Andererseits muss ich jetzt direkt grinsen. Weil besser hätte man unser Dorfoberhaupt gar nicht beschreiben können.

»Ist noch was?«, frag ich, weil ich genau merke, dass sich das Ehepaar grad wieder anblickt.

»Jetzt sag schon«, fordert die Gattin.

»Aber er ist doch mein Bruder.«

»Er ist ein naiver Spinner, das weißt du genau.«

»Aber er ist doch kein Mörder!«

»Das wird der Herr Kommissar dann schon rausfinden, gell.«

»Holla, die Waldfee«, muss ich an dieser Stelle trotz kulinarischer Qualen kurz unterbrechen. »Jetzt wird's ja wohl dienstlich. Wenn ich also bitten dürfte.«

»Also gut«, sagt er noch und schnauft ganz tief ein und wieder aus. Und langsam, aber sicher kommt selbst mir allmählich die Neugierde hoch. Vorher allerdings besteht er darauf, mich unter vier Augen sprechen zu dürfen, was ich durchaus verstehen kann. Einfach, weil die Herren Simmerl und Rasta mittlerweile dermaßene Lauschlappen haben, dass jeder Elefant die schlimmsten Minderwertigkeitskomplexe bekäme. So gehen wir also ein paar Schritte nach draußen, und erwartungsgemäß freilich nicht unter vier, sondern sechs Augen, weil sich das eineiige Ehepaar keinesfalls trennen will. Und da sich meine kleine Brotzeit nun mittlerweile eher zu einer Ermittlungsaktion entwickelt hat, muss ich nun leider erst mal die Personalien aufnehmen, was bei uns allen auf wenig Begeisterung stößt. Bei mir eher wegen Hunger. Und diese zwei Alten hier, die wollen exakt dasselbe, was alle anderen auch immer wollen, nämlich keine Scherereien haben. Aber es hilft alles nix. Nach diesem unliebsamen Zwischenstopp jedoch werden die beiden gesprächig. Und so erfahr ich, dass dieser Bruder des hier anwesenden Herrn Fürstenberger eben, also quasi der nervige Radler von gestern Abend, dass der sich tatsächlich erst neulich mit unserem Opfer getroffen haben muss. Also mit der Frau Grimm sozusagen. Da sind sie sich absolut sicher, weil wie die Frau Fürstenberger nämlich des Nächtens ihren kleinen Köter zum Schiffen in den Garten rausgelassen hat, wie sie sagt, genau da hat sie mitgekriegt, wie der ungeliebte Schwager aus dem Wagen von eben dieser Frau Grimm gestiegen ist. Und daran gibt's auch keinen Zweifel, nicht den geringsten. Nein, ganz im Gegenteil, sie hat sich sogar noch das Kennzeichen gemerkt, weil's halt von auswärts war und das nicht so arg oft hier vorkommt. Und obwohl mir mittlerweile der Magen schon echt sakrisch knurrt, schreib ich alles ganz eifrig mit und frag sogar noch nach Datum und Uhrzeit.

»Gut«, sag ich abschließend. »Ist Ihnen sonst noch irgendwas aufgefallen?«

Ein kurzes Nachdenkerchen noch, doch dann schütteln die beiden den Kopf.

»Und was werden Sie jetzt unternehmen?«, will die Frau Fürstenberger noch wissen, während ich Block und Stift zurück in die Jackentasche schiebe.

»Ja, hinfahren halt«, sag ich und bin quasi schon auf dem Rückweg zum Simmerl.

»Aber von uns haben S' das nicht, gell, Herr Kommissar«, kann ich ihn grad noch vernehmen, dann aber fällt die Tür ins Schloss.

Und wieder steh ich vor dieser duftenden Theke und kann mich nicht wirklich entscheiden. Wie ich mich schließlich und endlich für Schweinshaxnsemmeln entscheide, klebt mir die Zunge schon so dermaßen am Gaumen fest, dass ich total unfähig bin, die Bestellung kundzutun. So deute ich nur kurz auf meine Auswahl, doch der Simmerl, der versteht mich freilich auf Anhieb und nickt.

»Drei oder vier?«, will er dann noch wissen, und so halt ich ihm drei Finger vor die Nase.

»Senf?«

Aber ich schüttle den Kopf. Nein, Senf muss jetzt wirklich nicht sein. Weil irgendwo muss man ja schließlich auch mal einen Punkt machen, gell.

Kapitel 11

Bevor ich ins Büro reinfahre, hol ich mir beim Edeka vorn noch schnell ein Packerl Zucker und zwei Flaschen Limo, weil mir jetzt irgendwie der Durst hochkommt. Kurz darauf aber hock ich auch schon ziemlich entspannt mit meinem dampfenden Kaffeehaferl am Schreibtisch und lasse genüsslich eins und zwei, ach komm, scheiß drauf!, drei Löffelchen Zucker hineinrieseln. Ganz langsam und voller Genuss.

»Ach, da schau an, wieder mal mächtig im Stress, der Herr Eberhofer«, tönt der Bürgermeister plötzlich vom Türrahmen her. Doch ich riesele unbeirrt weiter.

»Gibt's irgendwas, Bürgermeister?«, frag ich rieselnderweise.

»Nein, nix. Nur vielleicht, dass ich seit heute mit dem Auto zur Arbeit fahren muss. Zu Fuß ist man ja hier seines Lebens nicht mehr sicher, gell.«

»Ihr Volk, Bürgermeister.«

»Was machen Sie da eigentlich?«

»Ich mach Zucker in meinen Kaffee.«

»Machen Sie das immer so, Eberhofer? Dann ist es ja wirklich kein Wunder, dass Sie beinah vierhundert Überstunden haben. Gibt's eigentlich was Neues von unserem Bengo?«

»Nein.«

»Ja, und wieso machen S' da nix?«

So, fertig gerieselt. Ein Spritzer Milch drauf und umrühren.

»Bürgermeister, wissen S' was, machen S' einfach Ihren Job, und ich mach den meinen, okay?«

»Ja, aber so wie's ausschaut, tun Sie ja gar nix.«

»Der Eindruck täuscht.«

»Was genau tun Sie dann jetzt, wenn ich fragen darf?«

»Ich tu mich konzentrieren, Bürgermeister. Oder besser gesagt, würd ich das gern, wenn Sie mich nur lassen würden. So jedenfalls werden wir den Fall nie aufklären, wenn Sie ständig hier in meinem Büro rumhängen und mich von der Arbeit abhalten.«

»Sie neigen zum Phlegmatismus, Eberhofer. Da müssen Sie aufpassen, so was kann ganz schnell chronisch werden. Ganz schnell, glauben Sie mir!«

Jetzt wird's aber hinten höher wie vorn. Das ausgerechnet von einem Menschen zu hören, der sich seine Arbeit mit der Wünschelrute suchen muss. Weil sagen wir einmal so, selbst wenn Niederkaltenkirchen die zehnfache Bevölkerungsstärke hätte, selbst dann käm unser Bürgermeister über eine Fünfstundenwoche kaum hinaus. Aber wie auch, gell? Alles Organisatorische nämlich machen sowieso unsere Verwaltungsschnepfen. Und so arg viele goldene Hochzeiten, hundertjährige Geburtstage oder Verleihungen irgendwelcher Verdienstkreuze gibt es bei uns jetzt auch wieder nicht.

»Da spricht wohl der Fachmann«, sag ich deswegen erst mal und nippe an meinem Kaffee, der einfach nur großartig schmeckt. »Warten Sie, Bürgermeister, das letzte Mal, wie ich an Ihrem Büro vorbeigekommen bin, da haben Sie sich grade die Nägel geschnitten.«

»Na und? Das mach ich manchmal. Schließlich muss man ja auch gepflegt sein, wenn man so wie ich in der Öffentlichkeit steht.«

»Ich weiß, dass Sie das manchmal machen. Aber was das letzte Mal angeht, Bürgermeister, da sprech ich definitiv nicht von Ihren Fingernägeln.«

Jetzt schüttelt er verständnislos seinen Kopf, setzt noch einmal kurz an, winkt schließlich ab und will grade gehen, wie die Oma hereinkommt.

»Ach, wunderbar, Bürgermeister, dass Sie auch da sind«, ruft sie schon vom Eingang her und wedelt mit ihrem Handy herum. »Schaun S', was ich Schönes gekriegt hab.«

Der Bürgermeister grüßt kurz recht freundlich, schaut, was die Oma Schönes gekriegt hat und ist dann relativ überrumpelt, weil sie prompt anfängt, ihn zu fotografieren. Einige Knipser später aber täuscht er Arbeitsstress vor und verlässt eiligst den Raum. Und während nun auch ich selber ein Weilchen als Modell herhalten muss, läutet mein Telefon, und die Kollegen aus Landshut sind am Rohr.

»Eberhofer«, kann ich vernehmen. »Wir haben da grad eine Frau Grimm sitzen, die heute Morgen von ihrem Wohnsitz aus Spanien hierher angereist ist und die ihre Tochter vermisst. Jetzt meine Frage: Hast du die Familie etwa gar nicht über die Vorfälle informiert, oder wie soll ich das sonst verstehen?«

Sacklzement, noch einmal. Schon wieder ein Vergesserchen!

»Ähm«, stopsle ich umeinander. »Ja, wie soll ich sagen, wär das nicht eure Aufgabe gewesen?«

»Nein.«

»Ach so, nicht?«

»Nein, ist ja schließlich dein Fall.«

»Hm.«

»Also, ist ja jetzt auch schon wurst, gell. Was meinst, wie sollen wir's machen? Kommst zu uns rein oder schicken wir die Frau Grimm zu dir raus?«

»Weiß sie es denn mittlerweile schon?«, muss ich dann erst einmal fragen.

»Nein, wie gesagt, ist ja schließlich dein Fall.«

»Ja, ja, mein Fall, gell.«

Gut, sag ich noch kurz, ich bin quasi schon unterwegs. Schnapp mir noch schnell den Autoschlüssel, und anschließend pack ich die Oma sanft, doch vehement an ihrem Ärmel und schick sie nach Hause. Wie soll man denn hier nur zum Arbeiten kommen?

Wie ein Häufchen Elend sitzt die Frau Grimm in einem der Zimmer auf der PI Landshut und starrt auf den Boden. Ich bleib kurz im Türrahmen stehen und schau sie mir an. Eine schöne Frau ist sie. Was aber weiter kein Wunder, weil hier der Apfel wohl wieder mal nicht weit vom Stamm gefallen sein dürfte. Denn wenn man das Ausweisbild und die Aussage von der Liesl addiert, muss ihre Tochter sicherlich auch ein richtiger Feger gewesen sein. Gott hab sie selig. Ich räuspere mich. Nun blickt sie auf, die Frau Grimm, und schaut mich auffordernd an.

»Eberhofer«, kratzt es mir aus der Kehle. »Kommissar Eberhofer. Und Sie sind die Frau Grimm, nehm ich mal an?«

Sie nickt und steht auf. Mein Gott ist die hübsch. Trotz ihres Alters die Attraktivität in Person. Und irgendwie erinnert sie mich auch an jemanden. Doch ich komm nicht recht drauf, wer es sein könnte.

»Sie ist tot, meine kleine Saskia, nicht wahr?«, fragt sie jetzt ganz leise.

Ich nicke.

»Und wie … wie ist es passiert?«

»Sie ist bei einem Brand ums Leben gekommen. Mein aufrichtiges Beileid, Frau Grimm«, sag ich noch so, dann klappt sie mir vor die Füße. Herrjemine, das arme Mädchen!

Gemeinsam mit einem Kollegen hieven wir sie auf eine der

Bänke draußen im Wartebereich, legen ihr die Beine hoch und einen nassen Lappen in den Nacken. Ein paar Augenblicke später geht's ihr dann auch schon wieder besser. Zumindest, was das Körperliche betrifft. Gleich darauf wird mir klar, hier können wir keinesfalls bleiben. Dieses düstere Gemäuer, das schreit ja geradezu nach Suizid, erst recht in solch einer schlechten Verfassung. Und so stimmt sie meinem Vorschlag, von hier wegzugehen, erwartungsgemäß sofort und auch ziemlich erleichtert zu. Ordnet sich nur noch rasch ihre Kleidung und die Haare, und schon verlassen wir diesen Bunker. Schweigsam und blass sitzt sie kurz darauf neben mir im Beifahrersitz, und während ich durch diese wunderbare Neustadt fahre, überleg ich krampfhaft, wo ich mit ihr nur hin soll.

»Herr Kommissar, wenn es Ihnen keine Umstände macht, dann würde ich gern sehen, wo … na ja, wo es passiert ist«, sagt sie dann und löst damit prompt mein aktuelles Problem in Luft auf. Ich schau zu ihr rüber, nicke und trete aufs Gas.

»Gibt's denn hier zufällig irgendwo einen Laden, wo man …«, schluchzt sie nur ein paar Meter weiter.

»Kerzen?«

Sie nickt. Und so halte ich zwei Straßen weiter vor einem Geschenkartikelladen, und sie bedankt sich kurz und steigt aus. Auf dem Weg von Landshut nach Niederkaltenkirchen raus versuch ich ihr dann so viel wie nötig und so schonend wie möglich von den Geschehnissen im Haus von der Mooshammer Liesl zu erzählen. Einige Male schau ich dabei zu ihr rüber. Doch sie hat den Kopf abgewendet und blickt nur regungslos durchs Seitenfenster. Wie wir jedoch schließlich an der Ruine von der Mooshammer Liesl ankommen, da ist sie offensichtlich plötzlich ziemlich gerührt, die Frau Grimm. Darüber nämlich, dass schon etliche Kerzen vor dem Haus brennen. Ja, da lassen sich die Niederkaltenkirchner doch nicht lumpen. Wenn irgendwo jemand stirbt, noch dazu durch einen Mord, dann werden da Kerzen angezündet, so weit das Auge reicht. Ganz egal, ob man den Verstorbenen gekannt hat oder auch nicht. So reich ich ihr nun mein Feuerzeug rüber, sie zündet ihr Kerzlein an, hält es noch kurz in den Händen, und am Ende gesellt sie es zu den anderen. Ein ganzes Weilchen bleiben wir zwei mit gefalteten Händen vor dieser verkohlten Haustüre stehen und betrachten das Flackern dieser vielen kleinen Flammen. Irgendwie schön.

»Haben Sie einen Schlüssel?«, will sie dann irgendwann wissen, doch ich schüttle den Kopf, was freilich eine Lüge ist. Doch in diesem Fall, da ist es viel eher eine Notlüge.

»Würden Sie mich dann hier noch für einen kurzen Moment alleine lassen, Herr Kommissar?«

Und so geh ich zu meinem Streifenwagen zurück, was auch ziemlich gut ist, weil just in diesem Moment der Rudi anruft. Ja, sagt er, wie vereinbart hätte er nun diesen Landgasthof, wo die Mooshammerin einst die günstige Bügelfee war, einige Stunden lang observiert, aber bis jetzt scheint dort alles recht unauffällig zu sein. Er war drinnen beim Essen, Kartoffel-Gemüse-Gratin, war so lala, aber die Rhabarberschorle war toll. Ja, und jetzt will er sich die ganze Sache auch noch von draußen anschauen. So lass ich ihn noch kurz an meinem eigenen Wissensstand teilhaben, und dann legen wir auf. Keine zwei Minuten später läutet erneut das Telefon, und jetzt ist es eine Frau, die dran ist. Genauer, eine Frau aus dem Landgasthof, die steif und fest behauptet, dass sich dort grade ein Spanner herumtreiben soll. So ein perverses Stück Mensch, wo man sonst immer nur aus den Nachrichten hört. Im Hintergrund kann ich ganz aufgeregte Stimmen vernehmen. Und jetzt, sagt sie dann weiter, soll ich gefälligst sofort hier andüsen und dieser Sau das Handwerk legen. Sonst werden sie es nämlich selber machen. Jetzt muss ich grinsen. Ja, sag ich, so was soll vorkommen. Sie möge bitte schön einfach dort bleiben, wo sie grad ist, mitsamt ihren aufgebrachten Komplizen, ich werd mich beeilen.

Nun ist das aber so eine Sache mit dem Beeilen, gell. Weil, wie soll man einer Trauernden sagen, dass es pressiert? So nach dem Motto: Könnten Sie sich mal ein bisschen schicken mit Ihrer ganzen Heulerei, weil bei uns hier grad ein paar Deppen vermuten, dass ein Perverser unter ihnen weilt. Hm.

Doch genauso feinfühlig, wie ich die Frau Grimm hier ohnehin eingeschätzt hätte, kommt sie auch grad auf mich zu. Öffnet die Beifahrertür und bedankt sich fürs Warten.

»Kein Problem«, sag ich und quetsch mir ein Lächeln ab, das sie flüchtig erwidert. »Frau Grimm, wie soll ich sagen? Also, ich wohne hier ganz in der Nähe und würde vielleicht vorschlagen, dass ich Sie kurz dort absetze. Ich hab dienstlich noch eine Kleinigkeit zu erledigen, und Sie könnten sich doch derweil ein bisschen ausruhen, was meinen Sie?«

»Ich weiß nicht so recht«, erwidert sie zögerlich.

»Also, meine Oma, die würde sich freuen. Und die macht ihnen sicherlich gern ein Haferl Kaffee.«

Und so machen wir's dann auch. Nachdem ich die beiden Mädchen miteinander bekannt gemacht und die Frau Grimm über das akustische Defizit von der Oma aufgeklärt hab, setzt diese auch prompt Kaffeewasser auf und macht dann erst mal ein Foto von unserm Besuch.

Kurz bevor ich am Landgasthof eintreff, kann ich ihn schon sehen. Der Rudi steht dort ganz konzentriert mit seinem Fernglas in den Händen auf einer kleinen Lichtung zwischen riesigen Bäumen und hat dieses Anwesen ganz exakt im Visier. So steig ich mal aus und geselle mich zu ihm.

»Sie sind entdeckt worden, Sherlock«, sag ich gleich ganz ohne Begrüßung.

»Wie: entdeckt?«

»Ja, entdeckt halt. Aufgeflogen, gefunden, enttarnt, Observierung geplatzt, oder wie immer du das auch nennen magst. Jetzt muss ich dich leider verhaften. Wegen Stalking, verstehst.«

»Wie: entdeckt?«, fragt er noch mal und nimmt jetzt das Glas von der Nase. »Ich bin doch hier total in voller Deckung, Mensch. Wer bitte schön sollte mich denn da finden?«

Ich zuck mit den Schultern.

Relativ ungläubig hievt er dann aber ein weiteres Mal seinen Feldstecher vor den Zinken und tastet visuell noch einmal das komplette Szenario ab. Millimeter für Millimeter.

»Können Sie mir vielleicht mal erklären, warum Sie diesen Perversen hier immer noch spannen lassen und ihn nicht einfach verhaften?«, will plötzlich eine Frau von mir wissen, die grade aus der Wiese gewachsen sein muss. Jetzt bin ich erst mal ein bisschen verdattert. »Das ist ja wirklich unglaublich. Ich meine, Sie sind doch schließlich hier, um genau das zu verhindern, nicht wahr? Oder sind Sie vielleicht ein Spanner, der Spanner beobachtet?«

Huihuihui, die ist ja vielleicht erregt. Und schiach ist sie auch. Wie sie da so steht, mit den zotteligen Haaren, an denen der Wind zerrt, und diesen unglaublich winzigen Augen. Und den schmalen Lippen über den gelben Zähnen. Ich kann nicht aufhören, sie anzustarren.

»Sagen Sie mal, haben Sie grad eine Erscheinung, oder was?«, will sie nun wissen und reißt mich damit aus meinen Gedanken heraus.

»Das hoffe ich nicht. Inständigst sogar«, murmele ich so mehr vor mich hin. Über ihre Schultern hinweg kann ich nun einige Personen erkennen, zwei davon im Kochgewand, und ich vermute mal, dass es sich dabei um die Hintergrundgeräusche aus dem Telefonat von gerade handelt. Jedenfalls kommen sie raschen Schrittes in unsere Richtung und wirken keinesfalls friedlich dabei. Der Rudi wird käsig, das kann ich aus den Augenwinkeln heraus glasklar erkennen. Und nur ein paar Atemzüge später hat sich die mürrische Delegation auch schon im Halbkreis um uns herum aufgestellt, wobei die einen die Arme verschränken, die anderen es eher vorziehen, selbige in die Hüften zu stemmen. Irgendwie grotesk, das Ganze. Ich schau mal in die Runde. Ganz langsam und in jedes einzelne Gesicht. Genauer, direkt in die Augen. Sagen tu ich kein einziges Wort. So was mach ich manchmal ganz gerne. Den Gegner zermürben. Indem man schlicht und ergreifend nichts macht. Außer schauen. Sonst nix. Und freilich dauert es auch gar nicht so lange, bis sich der Erste voll Unbehagen räuspert. Den schau ich jetzt an.

»Ja?«, frag ich nach und geh einen Schritt auf ihn zu.

»Nix«, sagt er, blickt nach unten und scharrt mit dem Fuß in der Erde.

»Also, was ist jetzt?«, will die Schiache daraufhin wissen, doch auch ihr Tonfall ist nun schon deutlich runter vom Gas.

»Ich schlage mal vor«, sag ich und deute mit dem Kinn rüber zum Gasthof. »Wir suchen jetzt dieses nette Lokal auf, und dann werden mein eifriger Kollege hier und meine Wenigkeit alle momentan Anwesenden einfach mal der Reihe nach verhören.«

Kollektives blankes Entsetzen. Fragende Augenpaare suchen einander. Ein fast panisches Schweigen. Dann eine Explosion verständnisloser Fragen, bis hin zu den wüstesten Beschimpfungen, die man sich nur vorstellen kann und die selbstverständlich allesamt sofort von mir notiert werden. Ja, so ungefähr könnte man die Situation vielleicht grad beschreiben. Der Rudi kriegt nun langsam wieder etwas Farbe um den blassen Zinken herum und schickt mir ein triumphierendes Grinsen. Ganz so, als wär diese Idee grad auf seinem eigenen Mist gewachsen. Aber wurst.

»Aus welcher Grundlage heraus wollen Sie uns denn eigentlich verhören?«, fragt nun ein älterer Mann, der mir sehr nach Wirt ausschaut.

»Aus der Grundlage heraus, dass ich die Polizei bin. Tatütata«, sag ich noch so und treibe zum Aufbruch. Und keine zehn Minuten später hocke ich auch schon im Stüberl vom Landgasthof drin, und der Wirt, den ich als solches gleich glasklar erkannt hab, erteilt mir die Ehre, sich als Erster von mir verhören zu lassen. Die Schiache, die sich mittlerweile als seine Tochter entpuppt hat, stellt uns eine Flasche Wasser und zwei Gläser auf den Tisch, wobei sie das meinige eher knallt als stellt. Anschließend aber verlässt sie artig den Raum, um draußen vor der Türe darauf zu warten, dass ich ihren Vater entlasse und sie ihren eigenen Auftritt bekommt. Der Rudi hat sich drüben im Nebenzimmer verbarrikadiert und verhört seinerseits einige Mitglieder dieser seltsamen Sippschaft.

»Warum beobachtet die Polizei eigentlich unseren Gasthof, wenn ich fragen darf?«, will mein Vis-à-vis zunächst einmal wissen, grad wie ich seine Personalien aufnehme, und nippt an seinem Glas. »Wir sind doch rechtschaffene, brave Bürger.«

»Zweifelsohne«, sag ich und hab im Hinblick auf die jüngsten Geschehnisse durchaus einen Hauch Zynismus in der Stimme.

»Meine Güte«, fährt er fort und mit der Hand durch seine Haare. »Das von eben, das können Sie doch gar nicht gelten lassen. Wir haben uns halt einfach bedroht gefühlt.«

»Soso. Und von wem genau?«

»Ja, keine Ahnung, von diesem dubiosen Typen mit seinem Fernglas halt. Aber sagen Sie einmal … was … was wollen Sie denn eigentlich von mir? Ich hab mir nix vorzuwerfen, verstanden? Ich arbeite von Allerherrgottsfrüh bis spät in die

Nacht rein, zahle brav meine Steuern und hab alle meine Mitarbeiter ordentlich angemeldet, so wie sich's gehört. Und eine Leiche hab ich auch keine im Keller.«

»Was zu überprüfen wäre. Aber apropos Mitarbeiter, die Sie freilich allesamt ordentlich angemeldet haben, woran keinerlei Zweifel besteht. Die Mooshammer Liesl jedoch, die fällt da aber nicht zufällig drunter, oder?«

»Aha, daher weht der Wind«, lacht er ein hektisches Lachen. »Die Mooshammer-Matz, diese verfluchte Dreckschleuder ...«

»Obacht«, sag ich und leg mal die Notizen der bisherigen Schimpfwörter vor ihn auf den Tisch. »Wir sind grad so Pi mal Daumen bei dreitausend Euro, Herr Bächle. Ich weiß ja nicht, was Ihnen diese Sache hier wert ist. Aber ...«

»Jetzt passen S' mal auf, Herr ...?«

»Eberhofer.«

»Herr Eberhofer«, schnauft er dann ganz tief durch, lehnt sich nach hinten zurück, und plötzlich wirkt er ziemlich kraftlos. »Die Liesl, die hab ich praktisch von meinem Vater geerbt, wissen Sie. Die hat schon immer für uns gebügelt, und ich glaub sogar, die beiden, die hatten früher mal was miteinander, was aber wurst ist. Na ja, und wie er dann gestorben ist, da hab ich es nicht übers Herz gebracht, sie einfach so rauszuschmeißen, verstehen Sie. Obwohl ich wirklich nicht scharf war auf sie.«

»Wer ist das schon?«, muss ich ihm hier beipflichten, und er schickt mir ein dankbares Lächeln.

»Ja, und so hat sie halt weitergebügelt, und das, obwohl sie ständig bloß uns und unsere Gäste in der ganzen Gegend ausgerichtet hat. Mehr Geld hat sie allerdings nicht gekriegt. Aber, und das war durchaus nicht selten, wenn sie zum Essen hergekommen ist, hat sie nie auch nur einen einzigen Pfennig dafür hierlassen müssen. Und wie sie dann mehr Kohle wollte, da hab ich sie halt rausgeschmissen. So viel zum Thema Mooshammer Liesl.«

»Soweit ich weiß, haben Sie ihr aber noch damit gedroht, dass sie gut auf ihr Haus aufpassen soll, nicht, dass es ihr abfackelt …«

»Erst nachdem sie mir gedroht hat, dass mir der Landgasthof hier abfackeln soll. Aber wissen S', das war doch eh alles nur aus der Hitze des Gefechts heraus.«

Dann klopft es kurz an der Tür und der Rudi kommt rein. Steht dort mit stolzgeschwellter Brust und verkündet das Ende aller Verhöre vonseiten des Nebenzimmers her. Ja, sagt er, vier Leute hat er jetzt durch, sogar diese Tochter hat er sich noch geschnappt. Aber ich … ich würde ja ganz offensichtlich immer noch beim Ersten rumhängen.

»Sind wir hier grad beim Speed-Dating, oder was?«, frag ich, aber weil mir erstens jetzt eh nix mehr einfällt, zweitens der Hunger hochkommt und drittens aus der Küche heraus inzwischen die herrlichsten Düfte strömen, brech ich hier ab und verlange stattdessen nach der Speisekarte. Welche auch umgehend gereicht wird und hinter der unser Rudi dann auch gleich für eine ganze Weile verschwindet.

»Das Kartoffel-Gemüse-Gratin ist …«, kann ich ihn irgendwann hinter der Karte heraus murmeln hören.

»… ist so lala. Ja, ich weiß, Rudi«, unterbrech ich ihn hier, weiß ich doch eh längst, wonach es mir mundet.

»Weißt du schon, was du essen willst?«, fragt er, und zwar abermals aus seiner Deckung heraus. Ich nicke, was er freilich nicht sehen kann, ich aber unglaublich lustig finde.

»Franz?«

Ich nicke. Und ich grinse.

Jetzt nimmt er endlich diese dämliche Karte herunter und schaut mich an.

Ich nicke und grinse.

»Also. Was?«, fragt er und verdreht seine Augen.

»Ich nehm das Spanferkel mit rescher Kruste in Dunkel-biersoße ...«

»Nicht dein Ernst, oder?«

»Und zwar mit Semmelknödeln und Speck ...«

»Willst du dich umbringen, Franz?«

»Und dazu Specksauerkraut.«

Kapitel 12

Nachdem der Rudi und ich, schon rein kulinarisch gesehen, bereits den Feierabend eingeläutet haben, fahren wir anschließend zum Hof zurück, weil dort ja trotzdem noch Arbeit wartet. Die Sache am Landgasthof hat tatsächlich deutlich mehr Zeit in Anspruch genommen, als ich zuvor vermutet hätte. Und das im Grunde auch noch ziemlich für'n Arsch, weil wir beide schon rein grundsätzlich der Meinung sind, dass die Leute dort vielleicht derb und ein bisschen plemplem, aber wohl sicherlich nicht sehr gefährlich rüberkommen. Und jetzt auf dem Heimweg befürchte ich fast, die arme Frau Grimm, die ist von der Oma mittlerweile in den Wahnsinn geschrien und fotografiert worden. Doch die Situation stellt sich deutlich anders dar, das merke ich schon, wie ich zur Küche reinkomme. Die Oma steht nämlich am Bügelbrett und ist grade eifrig damit beschäftigt, auf die ordentlichste aller Arten und Weisen ein Hemd zusammenzufalten. Und die Liesl, die hockt auf der Eckbank drüben, sortiert paarweise Socken und trällert mit dem Radio um die Wette. »Ein Schiff wird kommen …« Von der armen Frau Grimm jedoch weit und breit nichts zu sehen.

»Servus, miteinander«, sag ich, gleich nachdem mein Blick die Lage sondiert und meine Hand die musikalische Untermalung beendet hat. »Wo ist denn die Frau Grimm, wenn ich fragen darf?«

»Ah, servus, Buben«, sagt die Oma und legt nun eines der Hemden zu seinesgleichen in den Korb.

»Die Frau Grimm«, antwortet dann die Liesl auf meine Frage hin. »Die fährt dein alter Herr grad nach Landshut rein. Hotel Sonne, da drüben liegt der Zettel. Dort hat sie nämlich ein Zimmer genommen, und morgen kannst dich dann bei ihr melden. Ihr hat das hier jetzt einfach zu lange gedauert, hat sie gesagt.«

»Ja, Franz, da schau her«, sagt nun auch noch die Oma und schnappt sich dabei diesen Zettel vom Tisch. »Die Frau Grimm, die ...«

»Die Liesl hat's grad schon erzählt«, unterbrech ich sie hier lautstark und unterstreich auch rein optisch, dass ich bereits auf dem Laufenden bin.

»Ah, so«, sagt sie dann beinah beleidigt und wirft einen sehr kurzen, aber recht gehässigen Blick rüber zur Eckbank.

»Diese Zeitungsberichte, die hat sie freilich gleich alle sehen wollen, weißt«, sagt die Liesl dann weiter und deutet auf den Stapel, der neben ihr liegt. »Kann man ja auch irgendwie verstehen, gell. Mei, und so traurig ist sie gewesen, die arme Frau Grimm. Wie ein Häuferl Elend ist sie da gehockt und hat gezahnt. Furchtbar, wirklich.«

»Und, hat sie sonst noch was erzählt? Ich mein, du hast doch sicherlich was aus ihr rausgebracht, ist ja schließlich dein Spezialgebiet.«

»Also, wie du das wieder sagst, Franz«, sagt sie noch so und legt dabei ein Paar Socken zur Seite. Dann aber beginnt sie auch gleich zu erzählen, was sie alles weiß. Ein rechtes Durcheinander ist das schon. Aber schlechte Informationen sind immer noch besser als gar keine, gell. So gibt's zum Beispiel einen Freund beziehungsweise Exfreund von unsrer Toten, der sie ab und zu noch genervt haben soll. Mit einem Arbeitskollegen war sie gelegentlich tanzen und mit einem gewissen Conny war sie schon befreundet, seit dem Kindergarten. Und der war bis zuletzt ihr bester Freund und obendrein schwul. Aha.

»Oder war es der Arbeitskollege, der schwul war?«, überlegt jetzt die Liesl und kratzt sich am Kinn.

»Wurst, Liesl. Morgen weiß ich sowieso mehr«, kann ich sie beruhigen.

»Aber eines ... das hättest echt sehen sollen, Franz«, fährt die Mooshammerin nach ihrer Gedenkminute wieder fort.

»Was hätt ich sehen sollen?«

»Wie dein Vater reagiert hat. Also auf diese Frau Grimm praktisch. So hab ich ihn fei noch niemals erlebt. Der war ja direkt ... mei, wie soll ich sagen ... ja, vielleicht so, als hätt er eine Erscheinung gehabt oder als wär der Blitz in ihn rein, weißt. Zuerst, da hat er sie einfach nur angestarrt. Ist zur Tür reingekommen, hat sie gesehen und ist einen Moment lang vor ihr stehen geblieben. Wie angewurzelt, sag ich dir.«

»Aha, und weiter«, frag ich jetzt und setz mich mal zu ihr an den Tisch. Der Rudi gesellt sich nun ebenfalls dazu, nur die Oma wirkt noch ein bisserl eingeschnappt und bügelt stoisch vor sich hin. Ein paar Sekunden lang schaut die Liesl zwischen dem Rudi und mir hin und her, und irgendwie kriegt sie ganz sonderbare Gesichtszüge dabei. Danach aber schnauft sie einmal tief ein und lässt uns dann an ihrer ganz persönlichen Psychoanalyse teilhaben. Also quasi, wie sie das Verhalten vom Papa so rein aus therapeutischer Sicht heraus interpretieren würde. Ja, sagt sie relativ leise, und wie auf Kommando stecken wir alle drei plötzlich unsere Köpfe zusammen. Verschwörung wirklich Dreck dagegen. Ob mir denn überhaupt aufgefallen wär, was für ein unverschämt hübsches Weibsbild diese Frau Grimm eigentlich ist. Und, ja, dass sie eine schier unglaubliche Ähnlichkeit hat mit der Senta Berger. Und so denk ich kurz nach. Mei, aufgefallen wär jetzt fast zu viel gesagt, gell. Aber grad, wo's die Liesl so erwähnt, da muss ich schon sagen, dass ich ihr wirklich nur beipflichten kann. Diese Ähnlichkeit ist tatsächlich frappierend. Ja, und daher, sagt die Liesl prompt weiter, daher gibt es im Grunde nur zwei Möglichkeiten dafür, warum der Papa sie so dermaßen angestarrt hat. Die eine ist die, dass der Papa schlicht und ergreifend einfach verwirrt war, eben genau wegen dieser kolossalen Ähnlichkeit. Das wär schon gut möglich, sagt sie weiter. Dann aber hätte er das Starren wohl irgendwann wieder aufgehört, oder? Hat er aber nicht. Und deshalb tippt sie ganz stark auf Möglichkeit Nummer zwei. Die da wäre – und nun macht sie eine ganz lange Pause, in der sie abwechselnd dem Rudi und mir sehr tief in die Augen schaut. Die zweite, die wär nämlich schlicht und ergreifend, dass er sich verliebt hat. Und aus. Liebe auf den ersten Blick sozusagen. Ja, so was soll's geben, sagt sie noch. Dann steh ich auf.

»Liesl, Liesl«, sag ich und schnapp mir zwei Bier aus dem Kühlschrank. »Du hörst nicht nur die Flöhe husten, nein, du siehst auch noch Gespenster. Wenn *du* dir deinen Titel als Dorfratschn nicht redlich verdient hast, wer sonst?«

»Soll das etwa heißen, dass du mir das jetzt nicht abkaufst, oder was?«

»Also, das mit der Senta Berger, das kann schon gut sein. Aber, dass der Papa …«

»Ha, was glaubst du eigentlich, Franz, dein Vater, das ist doch auch nur ein Mann!«

»Nein, das ist er eben nicht, Liesl«, sag ich und reiche dem Rudi seine Flasche über den Tisch, die er gleich dankbar annimmt. »Der ist seit vierzig Jahren kein Mann mehr. Und jetzt, wo er alt ist, wird er damit auch nicht mehr anfangen.«

»Das seh ich aber anders«, mischt sich nun auch noch der

Birkenberger ein, grad als ob's nun nicht schon langen tät. »Ich muss da der Liesl schon ein bisschen recht geben, Franz. Weil, ein Mann ist und bleibt ein Mann, solange er lebt. Und bei manchen …«

»Schluss jetzt mit diesem Schmarrn«, sag ich und hau auf den Tisch, dass sogar die Oma aus ihrer Bügellethargie erwacht.

»Jessas, ist was passiert?«, will sie prompt wissen und klingt ganz besorgt.

»Nein, nix«, sag ich und schüttle den Kopf.

»Du kannst dir also wirklich nicht vorstellen, dass dein Vater …«, bohrt der Rudi noch einmal nach.

»Nein, beim besten Willen nicht.«

»Ja, ja, du Gscheithaferl, du windiges«, spottet die Mooshammerin noch ganz kurz zu mir rüber und erhebt sich anschließend. »Werden wir ja dann schon sehen, wer da richtig liegt von uns zweien, gell. Und das mit der Dorfratschn, das nimmst gefälligst zurück.«

»Niemals«, sag ich noch so und nehm einen guten Schluck Bier. Und wie gleich drauf die Tür ins Schloss fällt, könnte ich schwören, dass sie »Arschloch« knarzt.

Später, wie ich in meinem Saustall eintreff, da ist es mir wieder einmal leicht schlecht, allerdings ist es heut eher der Schwindel, der mich gleich aufs Kanapee niederstreckt. Ich schalte das Licht aus, doch der Mond, der durch die Fenster blinzelt, lässt meine Yuccapalme und den raumhohen Benjamin die sonderbarsten Schatten werfen, welche sich auch noch drehen und wenden und an den Wänden kreisen, dass ich jetzt direkt die Augen zumachen muss. Gleich darauf kann ich die nasse Schnauze vom Ludwig an meinem Handrücken spüren, und trotz meiner Kraftlosigkeit streichle ich seinen Bauch. Irgendwann muss ich rülpsen, wodurch meine Übelkeit ein klein wenig nachlässt. Und grad wie mich endlich der Schlaf übermannen will, da kommt der Rudi aus der Dusche heraus und macht das Licht wieder an. Ja, herzlichen Dank auch! Jetzt droht mir nämlich gleich der Schädel zu platzen.

»Rudi, bitte«, brumm ich aus meinem Kissen heraus.

»Ja, Schatz, was kann ich Gutes für dich tun?«, fragt er fröhlich, kommt dann barfuß und in einen Bademantel gehüllt in meine Richtung und rubbelt sich dabei voll Inbrunst die Haare. Was dann aber fast wieder geradezu lächerlich ist. Weil wenn man eh schon nicht gerade im Besitz einer, ja sagen wir mal: Löwenmähne ist und diesen äußerst übersichtlichen Wuchs dann auch noch auf null Komma drei Millimeter runterrasiert, ja, dann fragt sich der durchschnittliche Mitteleuropäer wohl zu Recht, was es da derart zu rubbeln gibt. Worüber ich mir im Moment aber keine weiteren Gedanken machen kann, weil sich bei mir grad alles nur dreht und dreht und dreht. Grad so, als hätt mir jemand einen Ventilator ins Gehirn eingesetzt.

»Was ist denn mit dir los, Franz?«, fragt der Rudi nun weiter, setzt sich dabei an meine Seite, und nun hört er sich durchaus beunruhigt an. »Du bist ja käseweiß, und schwitzen tust auch wie ein Schwein.«

Und dies ist nun das Letzte, was ich noch bei vollem Bewusstsein verstehe. In den nachfolgenden Stunden aber verschmelzen Traum und Wirklichkeit komplett ineinander. Und ich kann nicht im Mindesten zuordnen, welche der Szenen jetzt tatsächlich passieren und welche eben nicht. Das Einzige, was ich für die Wirklichkeit definitiv ausschließen kann, ist, dass meine Mama auf meiner Bettkante sitzt und meine Hand hält. Gut, diese delikate Szene mit der Susi wohl eher auch. Alles andere aber, nein, da hab ich echt keinerlei Ahnung, ob's in Wahrheit passiert oder ob ich es träume. Nichtsdestotrotz versuch ich es hier mal zusammenzufassen.

Also: Nachdem mir der Rudi mitgeteilt hat, dass ich 'scheiße ausschau, da misst er zuerst einmal Fieber bei mir, und anschließend macht er mir Wadenwickel. Er macht das alles ziemlich geschickt und kümmert sich rührend, doch dabei faselt er immerzu seltsame Texte. »Durchhalten, Schätzelchen«, beispielsweise. Oder »Alles wird gut, kleiner Mausbär«. Und sogar »Musst nicht mehr frieren, mein kleiner Scheißer. Der Onkel Rudi, der legt sich jetzt zu dir, dann wird's dir gleich schön warm«. Irgendwann stößt die Oma dann zu uns, bringt Obst und Gemüse und schlenzt mir die Wange. Auch die Liesl erscheint und hat irgendwelche Bachblüten in ihrem Repertoire und absonderliche Salze, welche sie mir ständig und abwechselnd die Gurgel runterjagt. Der Papa, der stattet mir ebenfalls einen Besuch ab, steht dann an meinem Kopfende, raucht einen Joint und bläst mir andauernd kleine Ringe in meine Nasenlöcher. Und obwohl die Bude nun schon randvoll ist, steht auch plötzlich noch der Herr Doktor Brunnermeier höchstpersönlich mitten im Saustall, schaut einen Moment lang in meine Richtung und schüttelt schließlich ziemlich ratlos den Kopf. Eilt dann mit seinem Köfferchen zum Kanapee rüber und untersucht mich äußerst eingehend, wobei er gelegentlich die eine oder andere Pause einlegt, um ausgiebig den Kopf zu schütteln, und seinen Gedanken freien Lauf lässt. Cholesterin ... Leberwerte ... Gallensteine ... Ernährungsumstellung ... Dickschädel, blöder ...

»Eberhofer, Eberhofer«, sagt er am Ende, doch seine Stimme klingt heut irgendwie deutlich anders wie sonst und setzt somit Erinnerungen an ein Nebelhorn bei mir frei.

»Vielleicht sollten S' ihm einfach den Magen auspumpen, Doktor«, wirft plötzlich die Oma in den Raum und erschreckt mich damit zu Tode.

»Ja, das könnte gut helfen. Oder aber einfach einen gescheiten Einlauf machen, das wirkt immer«, schlägt nun die Liesl vor, was zu meiner Beruhigung jedoch keinesfalls beiträgt.

»Aderlass«, brummt nun auch noch der Papa direkt über mir, wobei er weiterhin seine Ringe kreisen lässt. Dies aber ist jetzt schon wieder so dermaßen skurril, dass ich gleich ganz erleichtert auflachen muss.

Kapitel 13

Ja, ob man's glaubt oder nicht, erst am übernächsten Tag weile ich wieder unter den Lebenden. Und vermutlich wäre ich selbst zu diesem Zeitpunkt noch gar nicht aufgewacht, wenn nicht die Oma im Sessel neben mir plötzlich das Schnarchen angefangen hätt – grad so, als würde sie ganze Wälder abholzen. Zunächst einmal blinzele ich ein paar Augenblicke lang ziemlich orientierungslos und setz mich dann auf. Mein Kreuz tut mir weh, und außerdem hab ich einen furchtbaren Durst. Auf meinem Nachttischchen kann ich vom Fieberthermometer und Blutdruckmesser über eine Thermoskanne samt Tasse bis hin zu unzähligen kleinen und größeren braunen Fläschchen alles Mögliche erkennen, was benötigt wird, wenn jemand halt krank ist. Was war denn da bloß wieder los? Doch so sehr ich mich auch bemüh, mein Schädel ist wie leer gefegt. Fürs Erste aber ist mir das auch relativ wurst, ich schnapp mir nur gleich mal die Thermoskanne und trink sie auf ex. Fencheltee, soso. Danach muss ich rülpsen. Am Fußboden unter mir liegt der Ludwig, und der hat jetzt wohl gemerkt, dass ich aufgewacht bin. Jedenfalls steht er prompt auf, legt zuerst den Kopf auf die Bettkante, winselt kurz auf und springt mir schließlich sogar aufs Bett, dass gleich die Wärmflasche direkt vor der Oma ihren kurzen Haxen und exakt auf den Bettvorleger knallt. Wodurch sie prompt aus ihrem geräuschvollen Nickerchen gerissen wird.

»Jessas, Bub, da bist ja wieder«, schreit sie mich an und setzt sich gleich auf.

»Wieso, ich war doch gar nicht fort, oder?«, schrei ich zurück und zuck mit den Schultern. Doch, doch, sagt sie weiter und dass ich jetzt fast vierzig Stunden lang weg war. Also freilich schon eher geistig als körperlich. Wobei ich auch körperlich wohl nicht so ganz da war. Das jedenfalls hat der Doktor Brunnermeier diagnostiziert, der die letzten zwei Tage ständig hier aufgeschlagen und meinetwegen rein gesundheitstechnisch aufs Äußerste besorgt gewesen sein muss, wie sie sagt. Dann zückt sie ihr Handy, drückt ganz routiniert einige Tasten und reicht es wortlos zu mir rüber. Fotos über Fotos, so weit das müde Auge reicht. Ganz offensichtlich hat sie meinen Krankheitsverlauf bis ins kleinste Detail dokumentiert. Da schau einer an. Fieber messen, Blutdruck auch, die Liesl mit diversen Tropfen, der Brunnermeier, der meinen Herzschlag überprüft, und der Papa, der einen Joint raucht. Und lauter besorgte Gesichter. Sehr schön. Was aber bitte schön ist denn da drauf? Ja, ich seh wohl nicht richtig! Ich halte der Oma das Handy vor die Nase, sie schaut kurz drauf und nickt anschließend.

»Ja, ja, Bub«, sagt sie und haut sich mit der Hand auf den Schenkel. »Das war ein Drama, das kannst dir nicht vorstellen.«

»Was kann ich mir nicht vorstellen?«, frag ich und zuck mit den Schultern. Magen auspumpen und Einlauf machen, sagt sie weiter und lässt dabei keine noch so delikate Kleinigkeit aus. Ich schau derweil echt fassungslos auf diese Bilder, und die Tatsache, dass mich jetzt sogar die Liesl und der Rudi mit runtergelassener Hose kennen, stimmt mich nicht wirklich fröhlich. Irgendwann aber wird mir klar, dass ich mehr an Information eigentlich gar nicht will. Und so lösch ich die Fotos kurzerhand, und anschließend geb ich der Oma wieder ihr Handy retour. Im selben Moment geht die Tür auf und der Rudi kommt rein. Er hat eine halbe Breze in der Hand und die andere Hälfte vermutlich im Mund, jedenfalls sind beide Backen randvoll, wodurch er wie ein Hamster ausschaut.

»Bin wieder da, Oma Eberhofer!«, ruft er schon vom Türrahmen her. »Und übernehm die nächste Schicht.«

Er latscht durch den Saustall hindurch zu uns rüber und schaut mich dann an.

»Hoppala«, sagt er nun immer noch kauend. »Da bist ja endlich wieder, Franz. Du machst es ja vielleicht spannend. Weißt, wir haben uns wirklich schon totale Sorgen gemacht.«

Jetzt steh ich mal auf, streck mich kurz durch, geh zum Fenster und schau in unseren Hof hinaus. Draußen vor dem Wohnhaus hockt der Papa auf einem Bankerl, blinzelt in die Sonne und raucht genüsslich einen Joint. Ja, keine Frage, genau so müssen besorgte Menschen wohl ausschaun.

»Gibt's ein Frühstück, oder was?«, frag ich, während ich mich jetzt auszieh, weil mittlerweile meinen Arsch ja eh schon jeder kennt, und mich dann in Richtung Dusche beg. Und irgendwie ist mir noch immer leicht schwindelig. Oder schon wieder.

»Ja, ja, Franz, ein wunderbares Frühstück hat deine Oma heut für uns alle gezaubert. Ich fürchte nur, dass da nimmer viel da ist«, kann ich den Rudi vom Bad aus vernehmen. Doch das halt ich für ein Gerücht.

Wie ich hernach trotz Schwindels frisch wie der Irische Frühling unseren Hof durchquere, da kann ich freilich den Papa gleich finden. Er hockt nämlich immer noch dort auf seinem Bankerl, aber sonderbarerweise trägt er heute weder seine Uraltjeans noch ein löchriges Shirt, sondern eine Jeans ganz ohne Risse und ein schneeweißes Hemd, bis zu den Ellbogen hochgekrempelt. Auch seine Gummistiefel hat er gegen relativ neue Chucks eingetauscht. Nobel, nobel. Ist denn schon wieder Weihnachten, oder was?

»Und, geht's wieder?«, fragt er und schaut gespannt zu mir hoch.

»Ja, ja«, sag ich nur so und will auch gleich weiter, einfach weil mir echt tierisch der Magen knurrt. Was auch wirklich kein Wunder ist, wenn man bedenkt, dass sowohl Magen als auch Darm bis aufs Gründlichste entleert worden sind.

»Ich glaub, das kommt alles von der Ernährung, Franz. Schau, der Leopold zum Beispiel, der hat gestern aus Thailand angerufen, weißt. Und weißt du, was er erzählt hat? Er hat erzählt, dass er dort jetzt schon beinah sechs Kilo abgenommen hat. Sechs Kilo, verstehst. Und das nur, weil bei denen da drüben halt einfach alles so gesund ist.«

»Also ich hab gehört, dass diese Asiaten so dermaßen gastfreundlich sind, dass sie einen jeden Besucher, den wo sie mögen, mästen, bis er fast platzt. Komisch, oder?«, muss ich trotz Magenknurren noch loswerden.

»Und, was willst jetzt damit sagen?«

»Nix«, sag ich, muss dann einen Schritt nach hinten treten und ihn jetzt noch kurz vom Schuh bis zum Scheitel anschaun. »Aber was anderes, wieso bist denn heut so schneidig? Hab ich irgendwas verpennt, oder so?«

»Nein, wieso?«, kommt die Antwort, zu prompt und zu laut, was bei mir gleich einen Schalter umlegt. Weil sagen wir mal so: Einem erfahrenen Bullen wie mir macht so schnell nämlich keiner was vor. Und der Papa schon gar nicht. Wird doch wohl die Liesl nicht recht gehabt haben mit ihrer dubiosen Prognose? »Die Oma«, faselt er jetzt weiter und wirkt direkt nervös dabei, »die hat mir meine alte Jeans einfach in die Altkleider geschmissen, weißt. Das ist auch schon alles.«

»Das hat sie aber schon ungefähr hundertmal gemacht«, sag ich und muss dabei grinsen. »Und du hast sie jedes Mal wieder zurückgeholt. Und dieses Mal nicht? Entschuldige vielmals, aber das ist schon irgendwie seltsam.«

»Ja, irgendwann ist sie halt einmal fällig, ob mir das passt oder nicht. Was ist denn daran bitte seltsam, Bürscherl?«, fragt er in einer Lautstärke, die wo's überhaupt gar nicht brauchen tät. Weil schließlich redet er ja mit mir und nicht mit der Oma, gell. Jetzt aber zuck ich nur noch mit den Schultern und mach mich vom Acker. Immerhin ist mir mein eigenes Wohlbefinden auch deutlich wichtiger wie das von meiner genetischen Herkunft. Besonders, wenn man bedenkt, dass ich ja zwei Tage lang todkrank gewesen und deutlich geschwächt bin. Ja, womöglich sogar schon unterernährt. Wohingegen er ja direkt ausschaut wie das blühende Leben, gell.

Kaum schlag ich in der Küche auf, da ist die Oma auch erwartungsgemäß schon recht fleißig am Werkeln. Doch obwohl sie zwar wie immer an der Arbeitsplatte steht und wie neuerdings des Öfteren mit Obst und Gemüse hantiert, ist heute irgendwas anders wie sonst. Ich geh da mal hin und lug ihr über die Schulter.

»Ja, schau, Bub, das ist ein Mixer«, erklärt sie auch gleich, ohne jedoch ihre Arbeit zu unterbrechen. »Den ... den hat mir der Rudi gestern für dich mitgebracht. Das ist doch lieb, oder? Und da kann ich dir jetzt jeden Tag ganz feine Säfte machen, damit deine furchtbaren Werte endlich wieder ins Lot kommen, gell.«

Ich werfe die feindseligsten aller Blicke in die Richtung vom Rudi, der grad ganz entspannt am Küchentisch sitzt und aufs Konzentrierteste in der Tageszeitung liest.

»Das hat der liebe Rudi aber wieder mal ganz fein hingekriegt«, sag ich so, hol derweil meinen Teller und das Besteck aus dem Küchenbüfett und platzier es auf dem Tisch.

»Ja, das hat er tatsächlich ganz fein hingekriegt, der liebe Rudi«, sagt der Birkenberger jetzt und klappt dabei sehr energisch sein Tagblatt zusammen. »Weil sich der liebe Rudi nämlich Sorgen gemacht hat und möchte, dass der blöde Franz noch ein paar Jährchen länger lebt und nicht noch vor seinem Fuchzigsten einen Herzschrittmacher braucht, gell. Hast du das jetzt endlich kapiert, du geistiges Brachland?«

Ja, ja, ist schon gut, alte Memme. Ich will jetzt eigentlich nur noch eines, und zwar was essen. Doch bevor mir die Gnade zuteilwird, in eine Vollkornsemmel zu beißen, da muss ich zuvor noch achtzehn homöopathische Tropfen, drei Pillen und einen Esslöffel klebriger undefinierbarer Masse einnehmen, einfach weil die Oma strikt drauf besteht. Und auf diesem depperten Obst- und Gemüse-Batz im Halbliterkrug besteht sie genauso, und anschließend bin ich eigentlich eh schon satt.

»Und, hab ich etwas verpasst, Rudi?«, frag ich, wie ich endlich so in meine Semmel beiße, die erwartungsgemäß ziemlich lasch, dafür aber umso kornlastiger ist. »So rein dienstlich gesehen vielleicht?«

»Aber nein«, sagt er, schüttelt den Kopf und schaut mir dann direkt in die Augen. Rein dienstlich hätte ich gar nix verpasst, weil er gestern ums Verrecken nicht in der Lage gewesen wär, auch nur irgendetwas zu ermitteln. Schließlich und endlich sei praktisch sein jahrelanger Kollege, sein innigster und bester Freund und ja, fast könnte man sagen, sein Alter Ego am gestrigen Arbeitstag dem Tod deutlich näher als dem Leben gewesen. Und da war an Ermittlungen jeglicher Sorte freilich überhaupt nicht erst zu denken, gell. Außerdem musste ja auch rund um die Uhr jemand an der Bettkante hocken und darauf achten, dass der Franz nicht abkratzt. Gut, das ist schon verständlich. Rein menschlich aber, sagt er weiter, rein menschlich hätte ich durchaus was verpasst. Die liebe Susi, die wär nämlich auch da gewesen, und die war gleich ganz mächtig besorgt meinetwegen. Und dann … dann hat sie sogar auch noch die Oma zusammengeschissen, dass sie endlich mit ihrer blöden Fotografiererei aufhören soll. Weil man das nicht macht, einen wehrlosen kranken Menschen ständig zu knipsen. Ja, alle waren da, lieber Franz, sagt der Rudi dann weiter und hat so einen theatralischen Tonfall drauf, dass es mich schon fast herwürgt. Bloß der kleine Paul, der durfte nicht rüber in den Saustall, schließlich hätte der sich ja weiß der Teufel was alles holen können.

»Gut«, sag ich am Ende und bring mein Geschirr rüber zur Spüle. »Dann wird's wohl allerhöchste Zeit; einmal nach Landshut reinzufahren und die Frau Grimm aufzusuchen.«

»Das kannst dir recht schön sparen, Franz, weil diesen Part nämlich schon dein alter Herr übernommen hat«, sagt der Rudi und legt dabei sein breitestes Grinsen in die Visage.

»Wie?«, frag ich jetzt, weil mir weiter nix einfällt.

»Ja, diese Frau Grimm, die hat gestern hier bei euch angerufen und wollte wissen, warum sie halt nichts hört von dir, und was denn jetzt weiter passiert. Und da hat ihr dein Vater dann freilich erzählt von deinem Zustand, also alles praktisch, vom ganzen Magenauspumpen und dem …«

»Ja, weiter«, muss ich hier unterbrechen.

»Ja, weiter. Weiter haben die zwei dann beschlossen, dass er sie heut eben in Landshut drin abholt und hierherbringt. Damit ich oder gegebenenfalls du selber sie dann eben befragen können. Das war eigentlich schon alles.«

Und just in diesem Moment knattert dem Papa sein alter Admiral an unserem Fenster vorbei und durch die Ausfahrt hindurch.

»Mei, Bub«, sagt die Oma und schaut ihm noch kurz ganz versonnen hinterher. Dann trocknet sie sich die Hände ab an der Schürze und kommt zu mir rüber. Stellt sich auf ihre Zehenspitzen und fängt jetzt zu flüstern an, was sie ja praktisch seit Jahren nicht mehr getan hat und sich dementsprechend komisch anhört. »Dein Papa, der hat diese Frau Grimm vor-gestern angeschaut, so was hab ich ja lang nicht mehr gese-hen. Jahrelang nicht, das darfst du mir glauben. Im Grunde genommen schon seit deiner Mama nicht mehr. Und neue Klamotten hat er auch haben wollen, ha. Außerdem hat er sich sogar noch rasiert, fast eine Dreiviertelstund lang. Ich könnt ja fast wetten, dass der sich verliebt hat.«

Dann schlenzt sie mir noch ausgiebig die Wange und schließlich huscht sie kichernderweise durch die Küchen-tür hindurch nach hinten zum Waschhaus. Und ich steh da, als hätt mir grad jemand ganz schonend eröffnet, dass ich in Wirklichkeit doch tatsächlich ein Weib bin. Wahnsinn!

Kapitel 14

Es ist schon fast nachmittags, wie der Papa endlich mit unserer Frau Grimm in den Hof reinschleicht, und das kann man tatsächlich wörtlich nehmen. Ich schau mal auf die Uhr, und ja, er war jetzt tatsächlich sage und schreibe drei Stunden unterwegs für eine Tour, die ich mit dem Streifenwagen locker in dreißig Minuten hinlege. Mit Blaulicht und Sirene sogar nur in zwanzig. Der Papa aber, der will ja seinen uralten Admiral halt unbedingt schonen, und ich vermute sogar, das Gaspedal geht wohl auch nicht mehr richtig. Aber wie auch? Er hat es ja noch niemals ganz durchgedrückt. Wurst.

»Guten Tag, miteinander«, sagt die Frau Grimm sehr freundlich, wenn auch ziemlich schüchtern, wie sie vom Papa durch die Tür reingeschoben wird. Und nachdem wir anderen ebenfalls artig einen Gruß durch die Küche gejagt haben, setzt die Oma prompt Kaffee auf, der Rudi faltet die Zeitung zusammen und ich selber, ich hol schon mal die Tassen hervor. Als Aufmerksamkeit in Person zieht der Papa einen der Stühle hervor und deutet der Frau Grimm lächelnd an, darauf Platz zu nehmen. Seit ich den Papa kenne, also schon seit immer, hat er noch nie, und hier muss ich betonen, nein, noch niemals irgendjemandem, geschweige denn einer Frau, einen Stuhl angeboten. Auf so eine Idee würde er ja noch nicht einmal kommen. Aber gut. Doch diese Frau Grimm hier, die lächelt zaghaft zurück und nimmt schließlich Platz.

»Sie waren ja krank, Herr Kommissar«, sagt sie dann und blickt mich dabei an. »Ich habe gehört, es ist sogar ziemlich schlimm gewesen.«

»Ja, so schlimm jetzt auch wieder nicht, immerhin leb ich ja noch«, sag ich grinsend.

»Na, na, na«, muss nun der Rudi loswerden, lehnt sich zurück und verschränkt die Arme vor der Brust. Jetzt aber kommt die Oma zum Tisch rüber und hat ein Tablett mit Kaffee und Plätzchen dabei, worüber ich mich sehr freu, allein schon, um dieses dämliche Thema zu wechseln.

»Sodala, jetzt gibt's einen feinen Kaffee«, sagt sie fröhlich, und so halte ich ihr gleich mal meine Tasse hin.

»Für dich nicht, Franz«, meint sie dann aber weiter, und schon rein anstandsmäßig schenkt sie unserem Gast freilich als Erster ein. »Für dich hab ich einen Tee gekocht, der steht drüben an der Anrichte. Fenchel. Ist gut für deinen Magen und für deinen maroden Darm sowieso.«

Wie ich im Anschluss nach einem Plätzchen greifen will, da drischt sie mir doch tatsächlich auf die Finger.

Wo bin ich denn hier gelandet!? Die Frau Grimm starrt ein bisschen befremdet auf die Tischplatte runter, und dem Rudi huscht irgendwas ziemlich Gehässiges übers Gesicht.

»Herrschaften«, sag ich zugegebenermaßen relativ angepisst, hol mir die depperte Teetasse und puste hinein. »Das ist kein verdammtes Kaffeekränzchen, verstanden. Der Rudi und ich, wir müssen grad in einem Mordfall ermitteln. Und unser Gast hier hat einzig und allein einen einzigen Zweck zu erfüllen, nämlich uns zu unterstützen, diesen möglichst zeitnah aufzuklären. Wenn ich dann also mal bitten dürfte.« An dieser Stelle endet mein kurzer, wenn auch unmissverständlicher Monolog, und ich rechne fest damit, dass sich sowohl der Papa als auch die Oma nun endlich verzupfen und wir loslegen können. Doch weit gefehlt. Die Oma genießt einfach ihren Kaffee und die Plätzchen und denkt nicht im Mindesten dran, das Feld hier zu räumen. Doch vermutlich hat sie mich eh gar nicht gehört. Und der Papa, der schaut mich an, und seine Augenbrauen rufen mir »Vorsicht!« über den Tisch.

So aber kommen wir einfach nicht weiter. Beim besten Willen nicht. Es hilft alles nix, wir müssen weg von hier. Weg aus der Küche. Weg von unserem Hof. Und am besten auch noch weg aus Niederkaltenkirchen. Gut, man muss es ja nicht gleich übertreiben. Und so ruf ich nur kurz nach dem Ludwig und informiere den Rudi sowie die werte Frau Grimm über meine aktuellen Pläne. Und zwar die, uns auf die Beine zu machen, um durch unsere wunderbaren Wälder zu wandern. Ein bisschen Bewegung hat schließlich noch niemandem geschadet, und vielleicht ist ja auch so eine delikate Sache wie ein gewaltsamer Todesfall ohnehin viel besser an der frischen Luft zu besprechen. Wer weiß. Und ein paar Atemzüge später sind wir drei auch schon unterwegs, und das, obwohl der Papa zwar am Ende vergeblich, aber störrisch wie ein Kleinkind herumgequengelt hat, dass er unbedingt mitkommen möchte.

»Erzählen Sie mir ein bisschen über die Saskia«, fang ich mal vorsichtig an, und dabei werf ich dem Ludwig ein Steckerl. Allein schon, um irgendwie die Dramatik aus meiner Stimme zu kriegen. Sie zuckt kurz mit den Schultern und schaut dem Ludwig hinterher, der wie ein Fitschepfeil losfetzt.

»Ach, schauen Sie, Herr Kommissar, wir waren leider nicht sehr eng miteinander, die Saskia und ich«, beginnt sie dann fast lautlos zu erzählen. »Das war nicht immer so, müssen Sie wissen. Erst als sie diesen Anton kennengelernt hat, da hat das plötzlich alles nicht mehr so recht funktioniert mit uns beiden.«

»Anton und weiter?«, fragt der Rudi und zückt seinen Notizblock. Aufmerksamer Zeitgenosse, muss man schon sagen.

»Anton Rössl.«

»Rössl, aha. Und der war ihr Lebensgefährte, nehm ich mal an?«, muss ich hier fragen.

»Nein, nein«, lacht sie nun, und es klingt durchaus eher bitter. »Der Lebensgefährte vom lieben Anton, das war seine Mutter. Die Saskia, die war für ihn nur, na, wie soll ich sagen … ja, nur sexuell von Nutzen, wenn ich das mal ganz vorsichtig so formulieren darf …«

Die Runde heute ist lang, und wir brauchen gute zwei Stunden dafür. Was zum einen daran liegt, dass wir ja nur schlendern und nicht laufen, wie ich das für gewöhnlich mit dem Ludwig immer mach. Wir zum anderen aber auch die eine oder andere Pause einlegen, weil die Frau Grimm erzählt und erzählt und der Rudi und ich freilich fragen und fragen. Weil aber die Sonne einfach ganz wunderbar durch die Äste hindurch funkelt und die Temperaturen grad mehr als angenehm sind, da ist das rundum ganz einwandfrei. Und obwohl dieser Anlass nun ja alles andere als ein erfreulicher ist, wächst zwischenzeitlich eine durchaus vertraute und ja, sehr positive Atmosphäre zwischen uns dreien. Diese Frau Grimm, die ist nicht nur hübsch und der Senta Berger wirklich zum Verwechseln ähnlich. Nein, sie ist auch noch warmherzig, klug und vermutlich schon rein aus dieser aktuellen Situation heraus ein kleines bisschen wehmütig, was ihr im Übrigen ganz hervorragend steht. Ab und zu bleibt sie kurz stehen und pflückt ein paar Blumen, die so nach und nach zu einem hübschen Strauß heranwachsen. Und freilich könnte ich gleich darauf wetten, wofür die später gedacht sind. Ja, erzählt sie uns weiter, dieser Anton, der war ihr von Anfang an ein ziemlicher Dorn im Auge, und sie kann beim besten Willen und bis heut nicht verstehen, was ihre Tochter an diesem Menschen bloß gefunden hat. Der Kerl ist so um die vierzig, sagt sie, und lebt bis zum jetzigen Tag noch bei seiner Mutter zu Hause, die er auch abgöttisch liebt. Na ja, und, wie gesagt, er ist bei der Saskia immer nur dann auf der Matte gestanden, wenn ihm eben danach war und er seinen menschlichen Bedürfnissen nachkommen musste. Ein einziges Grauen, wirklich. Dabei hätte sie davor so eine nette Beziehung gehabt. Ein echter Traumschwiegersohn wäre dieser Viktor gewesen – ein Arbeitskollege von der kleinen Saskia. Und die beiden hatten auch durchaus schon recht konkrete Hochzeitspläne. Ach, ja. Doch dann … dann ist eben dieser Anton plötzlich irgendwie reingeplatzt, und da ist alles den Bach runtergegangen.

»Ich begreife das nicht und werd es wohl auch nie«, sagt sie abschließend und fügt ein weiteres Blümchen zu ihrem Strauß.

»Wie ist es denn mit Freundinnen, Frau Grimm«, frag ich nun so. »Gibt's da jemanden, der für unsere Ermittlungen wichtig wäre?«

Sie überlegt einen kurzen Moment und schüttelt dann ihren Kopf.

»Nein, ich denke nicht. Sie müssen wissen, die Frauen in Saskias Freundeskreis, die sind natürlich auch alle in ihrem Alter. Und wie das halt mal so ist, haben die mittlerweile natürlich alle ihre Familien. Kinder und Haus und Hund und so weiter. So wie es ja auch mit Viktor geplant war. Ja, aber wenn man dann plötzlich mehr oder weniger der einzige Single in der Truppe ist, dann sind die Interessengebiete nicht mehr die gleichen und man lebt sich auseinander.«

»Verstehe«, sag ich, weil ich davon wirklich ein Lied singen kann.

»Im Grunde aber«, fährt sie nun fort, bleibt dabei wieder kurz stehen und schaut mich an, »hatte sie sowieso nie so etwas wie eine beste Freundin, Herr Kommissar. Sie hatte ihren Conny, ha, ja, den hatte sie wohl.«

»Ihren Conny?«, fragen der Rudi und ich direkt gleichzeitig und entlocken ihr damit ein herzhaftes Lachen.

»Ja, ihren Conny«, sagt sie weiter, und jetzt wirkt sie gleich wieder sehr nachdenklich. »Ihr Conny, das war der Conrad von unserem Nachbarhaus. Den hatte sie ja schon lange vor dem Kindergarten kennen- und ja, man kann durchaus behaupten, auch lieben gelernt. Die beiden waren ja wie zwei Pobacken, haben seine Mutter und ich immer scherzhaft gesagt. Ja, und eines schönen Tages, da hat er uns dann allen miteinander einfach mitgeteilt, dass er schwul ist. Und ich weiß es noch wie heute, wie sich die Saskia über diese Neuigkeit damals gefreut hat, sie ist ihm ja direkt um den Hals gefallen. Aber verwundert war im Grunde eh keiner von uns. Mami, hat sie an diesem Abend zu mir gesagt, der Conny, der wird mir jetzt für immer bleiben. Weil wenn der nämlich schwul ist, dann kriegt ihn keine andere.«

Hm, irgendwie schön, diese Geschichte.

»Sagen Sie, Frau Grimm«, fällt mir hier noch mal ein. »In der Wohnung von der Saskia, da wurden einige Fotos von den Wänden genommen. Haben Sie eine Ahnung, wer oder was da drauf war?«

Jetzt bleibt sie kurz stehen und überlegt.

»Wissen Sie«, sagt sie ein paar Augenblicke später und schlendert langsam weiter. »Es ist schon ein Weilchen her, dass ich bei ihr zu Hause war. Aber damals war sie erst frisch eingezogen, und soweit ich das in Erinnerung hab, waren da gar keine Bilder an der Wand.«

Auf dem Heimweg kommen wir wie durch Zufall am Mooshammer-Haus vorbei, und so kann die Frau Grimm dort ihre Blumen niederlegen. Sie nimmt aber nur die Hälfte davon, was mich zunächst erst einmal verwundert. Später aber freut sich die Oma sehr über diesen kleinen Strauß und stellt ihn sofort in eine schöne Vase.

»Ihr wart ja vielleicht lang unterwegs«, sagt der Papa von seiner Eckbank her und schaut dabei auf die Uhr. »Beinah drei Stunden. Wo seid ihr denn bloß so lange gewesen?«

»Ach, lieber Herr Eberhofer«, übernimmt gleich die Frau Grimm das Zepter und erspart mir somit eine genervte Antwort. »Wir sind durch den Wald gelaufen, und es war wirklich sehr schön dort. Ihr Sohn hat seine Arbeit erledigt, und ich hab einige Fragen beantworten können, die hoffentlich wichtig sind für die Ermittlungen. Und ich habe einen bunten Blumenstrauß gepflückt. Jetzt aber müsste ich bitte dringend nach Landshut zurück.«

»Jetzt schon?«, fragt der Papa nun, und die Enttäuschung ist ihm wie ins Gesicht reingemeißelt.

»Ja, ich fürchte schon«, nickt sie. »Ich hab leider noch etliche Formalitäten zu erledigen und muss mich ja auch dringend um die … ja, eben um die Beisetzung kümmern. Da kommt schon noch einiges auf mich zu, wissen Sie.«

Der Rudi und ich stehen immer noch wie angetackert daneben und betrachten die beiden, grad so, als gäben sie grade eine Theateraufführung für uns. Irgendwie irre.

»Ich könnte Ihnen ja vielleicht helfen«, schlägt der Papa nun so vor, und an dieser Stelle muss ich jetzt mal meine Arme verschränken und den Kopf schief legen. Das aber kann er wohl sehen, jedenfalls schaut er gleich zu mir rüber und ruft »Was?!« in meine Richtung. Ich zuck nur mit den Schultern.

»Nein, nein, ich könnte Ihnen wirklich helfen«, sagt er dann weiter und widmet seine Aufmerksamkeit erneut der Frau Grimm. »Formalitäten sind ja quasi direkt mein Spezialgebiet, könnte man sagen. Fragen Sie nur mal die Mooshammer Liesl, bei der hab ich wertvolle Dienste leisten können, allein was diese Sache mit der Brandversicherung angeht.«

Just in diesem Moment läutet mein Telefon. Es ist der Richter Moratschek, der mir nun die Ehre erweist. Mist, grad wo es so dermaßen spannend wird! So geh ich also mal ein paar Schritte zur Seite und hebe ab.

»Eberhofer?«, schnauft er mir in den Hörer, und gleich kann ich sehr deutlich vernehmen, wie eine ordentliche Dosis Gletscherprise den Weg in seinen Riechkolben findet.

»Ja.«

»Gut, dass ich Sie gleich erwisch.«

»Weil?«

»Ja, Sie sind ja heut vielleicht einsilbig. Was ist los mit Ihnen? Stör ich grad?«

Und eigentlich hätte ich ihm diese Frage zu gern bejaht, kann aber mittlerweile aus den Augenwinkeln heraus ganz deutlich erkennen, dass sowohl der Papa als auch die Frau Grimm eben schon auf dem Weg zum Admiral rüber sind. Und verpasst ist verpasst. Also wurst.

»Nein, was gibt's, lieber Richter Moratschek?«, frag ich deswegen und begeb mich derweil rüber aufs Gartenbankerl.

»Ihren afrikanischen Mitbürger, den können S' wieder abholen, Eberhofer. Der war's nicht, haben S' mich verstanden?«, sagt er weiter und schnäuzt sich dann ausgiebig. Ich frag mich ja praktisch schon seit immer, warum man sich diesen blöden Batz in die Nasenlöcher manövriert, nur um ihn kurz darauf wieder loszuwerden. Dieses Geheimnis wird mir wohl auf immer und ewig verborgen bleiben.

»Den Buengo?«, frag ich, nachdem diese Trompeterei irgendwann ein Ende genommen hat.

»Exakt.«

»Hab ich ja gleich gesagt, dass der das nicht war.«

»Ja, Klugscheißer. Jetzt aber hat das nicht ein eher durchschnittlicher Dorfbulle gesagt, sondern ein Psychoguru aus der JVA. Also alles astrein und verfahrenstechnisch korrekt, oder haben Sie was dagegen?«

»Wann?«, frag ich und schau auf die Uhr.

»Warten S' … soweit ich informiert bin, gilt das ab sofort.«
Prima, sag ich noch so, dann häng ich auf.

»War es was Wichtiges?«, will der Rudi jetzt wissen und kommt auf mich zu.

»Ja und nein«, sag ich. »Der kleine Buengo will aus der JVA abgeholt werden.«

Kapitel 15

Der Frühstückstisch am nächsten Tag ist gesünder denn je, und anfangs bin ich ganz allein in der Küche. Der Rudi steht noch unter der Dusche, und wo der Rest der Sippschaft ist, das wissen die Götter. Nein, der Papa weiß es auch, und der gesellt sich ein paar Augenblicke später zu mir, grad wie ich mir diesen vitaminreichen Saft die Kehle runterjage.

»Brav«, sagt er grinsend und geht zur Kaffeemaschine. »Wirst sehen, das tut dir gut und macht dich wieder fit.«

Und leider hat er recht damit. Weil ich seit zwei Tagen mit Verwunderung feststellen muss, dass mir sowohl der Schwindel als auch die ständige Übelkeit komplett erspart bleiben, was vermutlich tatsächlich dieser ständigen Vitaminzufuhr zuzuschreiben ist. Wobei ich nicht eindeutig ausmachen kann, ob mich diese Erkenntnis nun wirklich fröhlich stimmt.

»Warst ja gestern noch ziemlich lang fort«, stell ich mal so in den Raum. Weil mir nämlich, nachdem ich den Buengo von der JVA abgeholt und zu einem seiner Fußballspezl heimgefahren hab, aufgefallen ist, dass der Admiral immer noch abgängig ist. Und da war es bereits deutlich nach zehn in der Nacht. Um diese Uhrzeit, da ist der Papa für gewöhnlich nie unterwegs. Zumindest nicht mit dem Wagen. Höchstens mal auf ein Bier beim Wolfi. Oder zwei.

»Mei«, sagt er nur kurz, zuckt mit den Schultern und hockt sich dann zu mir an den Tisch

»Was ›mei‹?«, frag ich weiter, weil immerhin kann er ja nicht fünf Stunden lang nur Auto gefahren sein, gell. Selbst dann nicht, wenn er seine dämliche Kiste geschoben hätte.

»Nix ›mei‹.«

»Hast dich noch mit dieser Frau Grimm rumgetrieben, oder was?«, muss ich jetzt wissen und quetsch mir ein lustiges Lachen ab, was wohl nicht ganz klappt. Zumindest hebt er seine berühmte Augenbraue, und für einen kleinen Moment schweigen wir uns an.

»Du, Franz«, sagt er dann ganz ruhig und blickt mir direkt ins Gesicht. »Erstens mal treib ich mich nicht rum, verstanden. Generell nicht und mit einer Frau schon gar nicht.«

»Aber das hab ich doch nicht so …«

»Und zweitens«, unterbricht er mich gleich. »Zweitens bin ich schon groß und hab mein eigenes Privatleben und basta.«

»Aber das ist doch der Punkt. Du hast doch überhaupt kein Privatleben, Papa. Jedenfalls nicht, was Frauen betrifft, und auch nicht seit ich auf der Welt bin.«

»Um dieses Thema abzuschließen, Bub«, schnauft er dann tief durch und steht auf. »Ich werd mich jetzt ausgiebig duschen und rasieren, und anschließend werd ich nach Landshut reinfahren. Das ist alles, was dich zu interessieren hat. Alles andere geht dich schlicht und ergreifend nix an.«

»Geh, mach doch, was du willst, du alter Gigolo. Kannst mir dann vielleicht wenigstens noch sagen, wo die Oma hin ist?«

»Die ist bei der Fußpflege wegen Hühneraugen und so. Mitsamt der Mooshammer Liesl«, brummt er noch, und schon verschwindet er durch die Tür.

Das ist doch die Höhe! Da kommt so ein Weibsbild daher, das er grad mal zwei Atemzüge lang kennt, und nur einen einzigen Wimpernschlag später rutscht die engste Verwandtschaft auf die hintersten Ränge der Prioritätenliste, und ein kreuzbraves Mannsbild verwandelt sich in einen alternden Lustmolch. Da fehlen mir wirklich die Worte.

Noch schlimmer wird's eigentlich nur noch, wie der Rudi endlich hier aufschlägt und ich in diesem Fall selbstverständlich seine uneingeschränkte Zustimmung erwarte. Aber nein, nachdem ich ihm kurz Bericht erstattet hab, zieht es der Herr Birkenberger heute nämlich vor, sich ganz auf die Seite von meinem Erzeuger zu stellen. Ja, sagt er, grad wie er sein Früchtemüsli mit Nüssen bestreut, freilich hat der Papa ein Recht auf seine eigene Privatsphäre. Und wenn er tatsächlich in seinem hohen Alter noch das richtige Mädchen findet, ja, dann sollte man ihn dazu gefälligst herzlich beglückwünschen und ihn zufriedenlassen. Basta. Täusch ich mich da grad, oder wird der Rudi trotz seiner so besonnenen Lebensweise jeden Tag fetter? Egal.

»Ich werd heut mal diesen Kalender durchgehen«, sagt er schließlich kauenderweise. »Immerhin müssen wir ja langsam mal wissen, was es mit diesen Eintragungen so auf sich hat, gell. Und was steht bei dir auf dem Programm, Franz?«

Jetzt muss ich kurz überlegen und weiß gleich gar nicht so recht, wo ich anfangen soll. Eigentlich müsste ich zuerst meinen alten Radler, den Fürstenberger, aufsuchen. Um herauszufinden, warum der mit unserer Toten – also: als die noch lebendig war – durch die Gegend gegondelt ist. Andererseits würd es mich aber viel eher nach Landshut rein ziehen. Zum einen, weil ich freilich noch die genauen Namen und möglichst auch die Anschriften von den diversen Herren bräuchte, von denen die Frau Grimm gestern erzählt hat. Mein deutlich größeres Interesse jedoch besteht freilich darin, herauszufinden, was die beiden Oldies denn eigentlich so treiben. Also diese Frau Grimm halt und unser alter Gigolo. Also, was tun?

»Erde an Eberhofer! Erde an Eberhofer«, kann ich den Rudi plötzlich vernehmen, und mein intensiver Überlegungsprozess wird somit freilich grad aufs Radikalste gestört. Und wie ich aufschau, da merke ich auch noch, wie er mir mit seiner blöden Hand vor den Augen rumfuchtelt. Zugegebenermaßen bin ich momentan ziemlich mürrisch, lass ihn aber trotzdem an meiner aktuellen Gehirnakrobatik teilhaben. Doch prompt kommt sein Veto.

»Nein, nein, nein, lieber Franz«, sagt er daraufhin grinsend. »Diese Adressen, die können wir auch ganz problemlos telefonisch abfragen. Das weißt du genau, und das ist auch gar nicht der Punkt. Der eigentliche Punkt, der ist doch ganz einfach, dass dir die Neugierde keine Ruh lässt, gib's zu. Du willst ja nur unbedingt und ums Verrecken gern wissen, ob da was läuft zwischen deinem Alten und dieser Frau Grimm, ha!«

»Räum den verdammten Tisch ab, du Blödmann, und erledige gefälligst den Abwasch, wenn du fertig bist«, kann ich hier nur noch sagen und mach mich dann auch gleich vom Acker. Seinen kläglichen Einspruch, was die neu erworbenen Küchendienste betrifft, den hör ich schon kaum mehr. Und wenn ich so nachdenk, dann gibt's aktuell grade drei Fragen, die mich tierisch beschäftigen und ebenso nerven. Die da wären: Warum rennt der Papa plötzlich diesem Weib hinterher? Wieso macht mich das so wahnsinnig? Und weshalb findet der Rudi dies auch noch ganz toll, anstatt mir den Rücken zu stärken?

Ganz offensichtlich will meine Glückssträhne heute aber gar nicht mehr abreißen. Denn just wie ich in meinen Streifenwagen steig, um meinen dienstlichen Pflichten nachzugehen, da kommen die Oma und die Liesl in unseren Hof hereingeradelt. Und zwar genau da, wo der Papa frisch und fröhlich in dem edelsten seiner Zwirne, bestens gelaunt und pfeifenderweise auf seinen Admiral zusteuert.

»Ja, sag einmal, so dermaßen fesch heut, Eberhofer?«, kann ich die Liesl auch prompt vernehmen, und zu allem Überfluss steuert sie dabei direkt auf mich zu. »Hab ich's dir nicht gesagt, Franz? Der alte Sack ist im zweiten Frühling«, zischt sie kurz her, während sie mir die triumphalsten aller Blicke sendet.

»Ja«, sagt der Papa nur kurz und knapp und öffnet seine Fahrertür. »Man tut, was man kann.«

»Schneidig, schneidig«, ruft ihm die Mooshammerin noch hinterher, und schon kracht die Tür ins Schloss und er startet den Motor. Kurbelt das Fenster herunter und lehnt seinen Arm ganz lässig nach draußen.

Und ich für meinen Teil versuch hier lieber auch gleich die Kurve zu kriegen, ehe mich jetzt noch einmal die Liesl erwischt und sich mit all ihren Prophezeiungserfolgen an mir festbeißen kann.

Das Zweifamilienhaus von den Fürstenbergers liegt am Dorfrand in einer Nachkriegssiedlung, und so wie's ausschaut, gibt es kaum etwas, das nicht bereits komplett von irgendwelchen Kletterrosen erobert worden ist. Vielleicht sollte ich kurz mal nachschauen, ob Dornröschen sich wachküssen lässt? Zwei Klingeln, zwei Namensschilder, zweimal Fürstenberger. Doch ich komm gar nicht erst dazu, nachzudenken, wer nun oben oder unten … nein, umgehend wird die Haustür geöffnet, und die Frau Fürstenberger von neulich steht vor mir auf der Schwelle.

»Guten …«

»Psst«, unterbricht sie mich gleich, wirft einen raschen Blick die Treppe hinauf und kommt dann ganz dicht an mich ran. »Herr Kommissar …«, flüstert sie nun kaum hörbar. Die Wohnungstür im Hintergrund steht einen kleinen Spalt offen, wo ich Hausschuhe vorspitzen sehe. Vermutlich gehören sie dem werten Gatten, der wohl lieber im Verborgenen bleibt. »Sie müssen oben läuten, verstanden? Aber das Wichtigste ist, von uns haben Sie nix, gell.«

Und schon dreht sie wieder ab und wird von der Türe verschluckt. Ich schnauf mal tief durch und drücke dann die
obere Klingel. Es dauert ein Weilchen, doch schließlich tönt
es durch die Sprechanlage.

»Ja, bitte?«

»Eberhofer, Polizei. Aufmachen, wenn's keine Umstände
macht.«

Einen kurzen Moment muss ich noch warten, doch dann
brummt auch schon der Summer. Und so latsch ich mal nach
oben, und dort werd ich auch schon erwartungsgemäß von
der Nickelbrille in Empfang genommen. Er trägt Jeans, ein
eher seltsames Modell mit Bügelfalte, welches nicht mal der
Papa tragen würde, und ein gestreiftes Hemd, das bis ganz
oben hin zugeknöpft ist und wo mir schon rein vom Anblick
her die Luft wegbleibt.

»Eberhofer, Grundgütiger, was machen Sie hier?«, will er
postwendend wissen und schaut mich recht unschlüssig an.
»Planen Sie wieder einmal einen Ihrer berühmt-berüchtigten
Auftritte, die proletarischer gar nicht sein könnten, oder was
verschafft mir diese fragwürdige Ehre?«

»Sie finden meine Auftritte proletarisch?«, muss ich hier
nachfragen.

»Durchaus.«

»Echt?«

»Ja.«

»Warum?«

»Was soll das, Eberhofer? Wird das hier eine Grundsatzdiskussion, oder was?«

»Möglich.«

»Also, Schluss jetzt mit dem Unsinn!«

»Aber Sie haben doch damit angefangen.«

»Ich … ich werde mich beschweren über Sie!«

»Das hatten Sie mir schon einmal versprochen.«

»Herrschaft, weswegen sind Sie hier, Eberhofer? Was wollen Sie von mir?«, fragt er abschließend und wirkt nun deutlich genervt. Und so fordere ich ihn erst einmal relativ höflich auf, mich in seine Wohnung zu lassen. Allein schon in seinem ganz eigenen Interesse. Aber das möchte er nicht. Nein, auf gar keinen Fall. Gut, sagen wir einmal so: Wenn ich da reinwollte, dann würde ich da freilich auch reinkommen. Gar keine Frage. Ein klitzekleiner proletarischer Auftritt und schon wär ich da drinnen. Andererseits ist es ja vielleicht gar nicht so schlecht, die Angelegenheit hier im Treppenhaus zu besprechen.

»Ich ermittle in einem Mordfall, Herr Fürstenberger«, sag ich deswegen erst mal und versuch jetzt, einen möglichst seriösen Tonfall hinzukriegen.

»Ja, das soll vorkommen in Ihrem Beruf. Aber was, bitte schön, hab ich damit zu tun?«, möchte er nun gern wissen. Und so zeig ich ihm kurz ein Bild von unserer Toten, woraufhin er seine Brille zurechtrückt und auch etwas näher kommt.

»Das ist die Frau Grimm, Herr Fürstenberger. Und diese Frau Grimm, die hat hier unsere Gegend sondiert, verstehen Sie? Um hinterher eventuell ein Hotel her zu bauen. Na, klingelt da was?«

»Meine Güte, ja«, antwortet er mürrisch und verschränkt seine Arme. »Ich habe sie kürzlich getroffen. Ist das ein Verbrechen?«

»Das kommt ganz darauf an. Wo war das genau?«

»Dort am Mühlbach.«

»Am Mühlbach? Ach, verstehe, da an unserem Schneckenwegerl.«

»Von mir aus auch das«, sagt er und verdreht kurz die Augen.

»Was haben Sie dort gemacht?«

»Ja, herrje! Das Wetter war einfach großartig, und ich war dort spazieren, wie so oft.«

»Weiter.«

»Sagen Sie mal, Eberhofer, woher wissen Sie das eigentlich, dass …?«

»Weiter, sag ich!«

Sein ahnender Blick schweift noch kurz die Treppe hinab, doch dann wird er endlich gesprächig. Freundlicher wird er nicht und deswegen auch nicht wesentlich sympathischer, aber wie gesagt, immerhin *wird* er endlich gesprächig. Und so erfahr ich, dass er nur einen einzigen Tag vor diesem schrecklichen Brand und exakt dort am Mühlbach auf unsere Frau Grimm gestoßen sei. Sie wär da mit ihrem Fotoapparat unterwegs gewesen, so ein richtig professionelles Teil, wie er sagt, und hätte unzählige Bilder geschossen. Und da er zum einen selbst gern fotografiert und bei ihm deswegen wohl das Interesse hochkam, er es zum anderen aber auch sonderbar fand, was sie denn so alles vor die Linse nahm, ja, deswegen hätte er sie schließlich einfach kurz angesprochen. Kann man ja auch irgendwie verstehen, oder? Weil wenn jemand Kieswege, Verkehrsinseln und sogar Strommasten fotografiert, dann ist das schon eher sonderbar, gell. Nett sei sie gewesen, die Frau Grimm, und auch durchaus aufgeschlossen. Ja, sie würde ständig irgendwelche seltsamen Dinge fotografieren, hätte sie ihn angelacht. Weil Blumenwiesen könnte ja jeder. So haben sie wohl ein Weilchen geplaudert. Anschließend aber hatte sie ihm dann etliche Fragen gestellt. Über Niederkaltenkirchen zum Beispiel und die ganze Umgebung hier, über die Infrastruktur und nicht zuletzt auch über unsere Einwohner. Außerdem hatte sie auch noch wissen wollen, wie frequentiert dieses Nest hier denn überhaupt wär und ob er sich denn vielleicht vorstellen könnte, dass diese Gegend eventuell auch für Urlauber verlockend wäre.

»Ja, und da hat es mir dann langsam gedämmert«, sagt er am Ende und rückt dabei erneut seine Brille in Position.

»Was genau hat Ihnen da gedämmert, Herr Fürstenberger?«, frag ich und versuch gleichzeitig, all diese Infos in mein Notizbuch zu kritzeln. So schnell aber kann ein Mensch gar nicht schreiben, wie der spricht. Vielleicht sollte ich doch mal wieder mein altes Diktiergerät hervorsuchen und aktivieren. Wer weiß.

»Na, das mit diesem Hotel halt«, sagt er weiter und zuckt mit den Schultern. »Diese Geschichte war doch erst im letzten Jahr heiß rauf- und runterdiskutiert worden. Das war ja schon direkt zum Wahnsinnigwerden. Mittlerweile jedoch war ich mir schon ziemlich sicher, dass diese Sache nun endlich vom Tisch ist. Aber nein, jetzt kommt diese Frau plötzlich daher, und der ganze Irrsinn geht wieder von vorne los?«

»Sagen Sie mal, haben Sie denn mit der Frau Grimm auch darüber gesprochen?«

»Nein, um Gottes willen, nein«, sagt er daraufhin und schaut dann zu Boden. »Wissen Sie, ich … wie soll ich sagen … mein Gott, ich bin wirklich nicht sehr stolz darauf. Aber diese Frau Grimm, die hat mich ganz offensichtlich ein bisschen ausquetschen wollen, verstehen Sie. Doch weil ich die Sache zum Glück auch ziemlich schnell durchschaut habe, da hat sie eben von mir nur noch die Antworten gekriegt, die ich einfach für mich selber und vor allem für unser Dorf hier verantworten konnte.«

»Wenn ich das richtig verstehe, dann wollen Sie damit wohl sagen, dass Sie ihr diese Idee von wegen Urlaubern und Pipapo einfach ein bisschen madig geredet haben, oder?«

Schulterzucken. Aha. Dachte ich mir schon.

»Die Frau Grimm, die hat Sie am Schluss ja sogar noch heimgefahren, ist das korrekt?«, muss ich dann noch wissen, und prompt blitzt es kurz in seinen Augen und sein Blick wandert erneut die Treppe hinab. Absolut richtig, mein Bester, genau von daher weht dieser Wind.

»Ach, dann kommen Ihre expliziten Informationen wohl von meiner geschätzten Verwandtschaft da unten.«

»Woher meine expliziten Informationen kommen, lieber Herr Fürstenberger, das lassen Sie mal recht schön meine Sorge sein. Also?«, sag ich nickenderweise und muss grinsen.

»Ja, verdammt noch eins. Wir haben eben geredet und geredet und plötzlich hat es zu nieseln angefangen. Und weil der Wagen von der Frau Grimm halt nur einige Schritte entfernt war, da hat sie mir eben angeboten, mich schnell noch nach Hause zu fahren. Aber das war es auch schon.«

Ja, bei mir ist das jetzt auch schon alles, weil mir zum einen eh nix mehr einfällt und zweitens meine Finger schon wehtun von dieser elendigen Schreiberei hier. Und außerdem, weil ich ja drittens noch unbedingt nach Landshut rein will. So verabschiede ich mich mal und begeb mich treppab. Und grad wie ich im Begriff bin, ins Freie zu gehen, da wird die untere Wohnungstür aufgerissen und die werte Schwägerin wächst ein weiteres Mal direkt aus der Türschwelle heraus.

»Psst«, flüstert sie wieder und winkt mich heran. Also geh ich halt mal hin. »Hab ich's Ihnen nicht gesagt, Herr Kommissar? Der …«, flüstert sie ganz hitzig und deutet nach oben. »Der war unterwegs mit dieser armen Frau. Und wenn Sie mich fragen, dann war das nicht nur dieses eine Mal. Die beiden, die waren nämlich äußerst vertraut miteinander, als sie sich verabschiedet haben, nur, dass Sie das wissen.«

»Wie vertraut? Was meinen Sie damit? Haben sie sich etwa geküsst?«

»Das kann ich leider nicht mit absoluter Sicherheit sagen«, sagt sie und zuckt mit den Schultern.

»Aber sag, was wir gesehen haben«, flüstert uns nun die Wohnungstür zu und sie muss eindeutig ein Mann sein.

Die Frau Fürstenberger nickt.

»Genau, also die beiden, die hatten nämlich ihre Köpfe in der Mitte des Wagens irgendwie so zusammengesteckt, und es hat durchaus ein ganzes Weilchen gedauert, bis er endlich ausgestiegen ist. Wissen Sie, Herr Kommissar, wir wollen ja niemandem Scherereien machen, aber in so einem Mordfall, da muss doch alles seine Richtigkeit haben, gell.«

Ich mach mal die Haustüre auf, schau nach draußen und überprüf kurz die Strecke bis raus zur Straße.

»Sie und Ihr Gatte, Sie müssen ja Augen haben wie ein Seeadler, Verehrteste«, sag ich in Anbetracht der großen Entfernung.

»Mei«, sagt sie noch und kichert kurz wie ein nervöses Schulmädchen.

»Sag ihm das mit dem Fernglas«, flüstert die Wohnungstür.

»Sie haben ein …«, frag ich noch, doch schon beginnt sie zu nicken. Also gut.

»Was haben Sie denn da im Auto noch gemacht, Herr Fürstenberger?«, ruf ich jetzt mal nach oben.

»Grundgütiger, ich glaub das alles nicht. Ich habe einfach diesen blöden Sicherheitsgurt irgendwie nicht gleich aufbekommen«, ruft er retour.

»Sehen Sie«, sag ich noch kurz zu meinem Vis-à-vis und dreh mich dann ab.

»Natter!«, tönt es jetzt noch von oben, dann knallt die erste Tür ins Schloss. Und einen Wimpernschlag später folgt auch schon die zweite. Ja, so eine reizende Familie, das ist wirklich ein Geschenk Gottes, gar keine Frage.

Dem Papa sein Auto in Landshut zu finden, das ist quasi der reinste Klacks. Einfach, weil er immer und immer wieder denselben Parkplatz ansteuert. Nämlich einen, der sowohl direkt an der wunderbaren Isar liegt, was ihm somit einen erstklassigen Uferweg in die Altstadt ermöglicht. Wo aber auch andererseits die Parkboxen so dermaßen groß sind, dass sogar er mit diesem Riesenhobel und seinen eher verkümmerten Fahrkünsten völlig problemlos ein- und wieder ausparken kann. Also dreh ich da mal 'ne Runde, und bingo: Da steht er auch schon. So fahr ich durch diese Wagengasse hindurch, passiere dabei eben den Admiral und mache mich anschließend gleich auf den Weg zum Hotel Sonne. Dort park ich meinen eigenen Wagen, schließ ab, und gleich darauf betrete ich auch schon die dortige Lobby. Die zwei schnuckeligen Damen am Empfang begrüßen mich lächelnd und erwecken umgehend den Eindruck, dass sie mir jeglichen Wunsch von den Augen ablesen möchten. Großartig, wirklich. Und tatsächlich können sie mir bei der Frage nach unserer Frau Grimm direkt unter die Arme greifen. Ja, sagt eine der zwei Zuckerschnecken, die Frau Grimm, die hätte hier unten ein Weilchen gewartet und wär schließlich und endlich erst vor einem knappen halben Stündchen abgeholt worden. Und zwar von ihrem Ehemann.

Von ihrem was?

Ja, ja, von ihrem Ehemann. Ein wirklich ganz reizender älterer Herr. Mit wunderbaren Manieren und so galant und aufmerksam.

Das ist aber jetzt echt allerhand! Da bleibt mir ja direkt die Spucke weg. Der arme Papa! Himmelherrschaftszeiten noch einmal! Da kratzt nach Jahrzehnten endlich mal ein weibliches Händchen an sein verhärtetes Herz, und nun das!

Und so verabschiede ich mich fürs Erste nur noch recht hastig, und schon bin ich wieder draußen. Ich muss nachdenken. Soviel ich weiß, gibt's hier in Landshut exakt nur drei Anlaufstellen, die für den Papa infrage kommen. Zum einen ist da dieser lauschige Biergarten drüben an der Isar. Der unter den alten Kastanien, wo er bei schönem Wetter schon mal gern hockt und diesem Gitarristen zuhört, der immer dort in der Ecke hockt und im Grunde mehr für sich selber spielt als für jemanden sonst. Dann wär da aber auch noch sein bester Schulfreund, der Xare. Der dort nur ein paar Straßen weiter und seit ungefähr hundert Jahren eine Autowerkstatt betreibt. Und wohl auch stets den einen oder anderen guten Schluck Bardolino im Repertoire haben dürfte und von einem feinen Joint niemals die Finger lassen kann. Die letzte der Möglichkeiten wär dann noch ein kleiner Imbiss mitten in der Altstadt, nämlich die Würstl-Susi. Und was ihn dort hintreibt, das kann man sich ja wohl denken und bedarf eher keiner weiteren Erklärung. Und so mach ich mich mal auf den Weg, um diese Gedenkstätten der Reihe nach abzuklappern, unseren alten Herrn zu finden und ihm zu helfen, sein schweres Herz nach Haus zu tragen.

Den ganzen verschissenen Nachmittag lang bin ich somit auf Achse. Aber nix. Nirgendwo auch nur die kleinste Spur von unserem armen Papa. Irgendwann aber läutet dann mein Telefon und die Susi ist dran. Wo ich denn bitte schön bleibe, möchte sie wissen, und dass sie mittlerweile schon über eine Stunde lang auf mich wartet und der kleine Paul langsam schon ganz quengelig wird. Im ersten Moment weiß ich gleich gar nicht recht, was sie überhaupt meint. Im zweiten aber schlägt's dann ein wie eine Bombe, und zwar direkt gleichzeitig sowohl in mein Hirn als auch in meine Magengrube. Scheiße, heute ist Freitag! Gottverdammter Freitag. Also praktisch Susi-Time. Mir bricht jetzt direkt der Schweiß aus.

»Susimaus, ich bin gleich bei dir«, schrei ich noch schnell in den Hörer, doch die Leitung ist bereits tot.

Kapitel 16

Wie ich heimkomm, ist die Kacke gleich in zweierlei Hinsicht ziemlich am Dampfen. Zum einen ist die Susi mittlerweile schon weg, was ich bereits befürchtet hab, weil sie mir bei meinen hundert Anrufen auf dem Heimweg ums Verrecken nicht mehr abgenommen hat. Dafür aber ist der Paul noch da, was mich sowohl freilich freut als auch durchaus etwas verwundert. Er hockt dort bei der Oma am Schoß, und beide machen ein und dasselbe Gesicht. Nämlich ein finsteres.

»Da bist ja endlich, du Depp«, sagt sie gleich, und wie man vielleicht ahnen kann, nicht unbedingt freundlich. »Bist du narrisch, oder was? Wo warst denn so lang? Mei, die Susi, die war vielleicht sauer, was ich auch verdammt gut verstehen kann. Schließlich ist heut euer Freitag, gell.«

»Ja, und zufällig hab ich auch noch einen Job und ganz nebenbei einen Mord aufzuklären«, sag ich so, jedoch wohl mehr zu mir selber. Dann steht die Oma auf, kommt auf mich zu und überreicht mir den Buben. Der hat eine Rotzglocke bis runter zum Hals, und rein geruchstechnisch ist er jetzt auch nicht so der Burner. Nur zur Sicherheit heb ich ihn mal hoch und nehm eine Nase voll.

»Ja, ja«, bestätigt die Oma meinen unerfreulichen Verdacht und wackelt rüber zum Herd. »Den darfst jetzt gleich wickeln, der stinkt wie ein Elch. Die Susi, die hat dir die ganzen Wickelsachen und was er noch so alles braucht, in deinen Saustall rübergebracht und auch seine Flascherl. Und jetzt schickst dich gefälligst, weil das Essen nämlich gleich fertig ist.«

Moment einmal. Wie, die Wickelsachen sind im Saustall drüben und die Flascherl auch? Mit Händen und Füßen muss ich die aktuelle Situation gleich erfragen, und das, obwohl die Geruchsbelästigung mittlerweile schon regelrecht mörderisch ist. Aber nein, die Oma bleibt dabei. Ja, ja, sagt sie, die Susi hätte diese Sachen allesamt dagelassen, und wie man ja sieht, den Buben eben auch. Weil sie nämlich echt tierisch sauer war und dann einfach kurzerhand beschlossen hat, sich heute einmal eine Auszeit zu nehmen und einen schönen Abend zu machen. Und einfach mal mir die väterlichen Pflichten aufs Auge zu drücken. Und zwar alle. Denn schließlich gehöre zu einer anständigen Kindererziehung nicht nur tutzitutzitutzi und der kleine Bussibär, sondern eben auch verschissene Windeln, kilometerlange Rotzglocken und schlaflose Nächte. Und davon hätte sie in letzter Zeit reichlich und ich eben nicht. Drum wird der Spieß nun halt einfach mal umgedreht und basta. Ja, prima, wirklich. Zumindest könnte sie dann ja auch so gut sein und mir meinen geschissenen Mordfall aufklären, das wär ja wohl das Mindeste, oder? Aber es hilft alles nix. So geh ich also mit diesem kleinen Stinker hier erst mal in meinen Saustall rüber. Und mein armer Ludwig, der läuft heut nicht schwanzwedelnd neben mir, sondern quasi kilometerweit dahinter und weigert sich anschließend sogar noch, mit nach drinnen zu kommen. Aber irgendwie kann ich das sehr gut verstehen. Der Paul wird auf dem Kanapee zwischengelagert, und nachdem zunächst die Nase geputzt und das Gesicht abgewaschen ist, versuch ich mich mal an den Strampler zu wagen. »Pozilei« ist dort draufgedruckt in ganz bunten Farben und ein Streifenwagen samt Blaulicht ist ebenfalls drauf. Rein optisch der Hammer, wirklich. Der erste Knopf ist mittlerweile schon offen und so wag ich mich mal an den zweiten. Dann aber klopft es kurz an der Tür und der Bürgermeister kommt rein.

»Eberhofer«, keucht er schon vom Eingang her und bleibt dort auch stehen. »Was machen Sie denn da eigentlich? Und warum zum Teufel stinkt es hier so barbarisch?«

»Ich versuch grad irgendwie meinen Sohn aus seinem Haufen zu kriegen, Bürgermeister. Was gibt's?«

»Großer Gott, womit bitte schön wird der kleine Scheißer denn gefüttert? Mit dampfenden Kuhfladen, oder was? Aber weshalb ich eigentlich da bin, wo waren S' denn heute den ganzen lieben langen Tag lang? Bei uns im Rathaus, da war der Teufel los.«

»Hab einen Mord aufzuklären, schon vergessen? Aber sagen Sie mal, Bürgermeister, Sie haben nicht zufällig ein gnadenloses Talent in Sachen Kinderwickeln, oder?«, frag ich und hoff dabei echt inständig auf tatkräftige Unterstützung.

»Nein, wo denken Sie hin.«

»Hm, hab ich mir schon fast gedacht.«

»Nein, nein, Eberhofer, eines dürfen Sie mir glauben, ich würde diese Hose noch nicht einmal anfassen, selbst wenn ich sie selbst vollgeschissen hätte. Aber warten Sie kurz, ich hol Ihre Oma«, sagt er noch so, und schon ist er draußen. Jetzt fängt der kleine Paul an zu weinen. Wahrscheinlich ist es ihm auch schon ganz schlecht. Augenblicke später aber kommt der Bürgermeister auch schon zurück, und ganz offensichtlich hat er tatsächlich weibliche Hilfe im Schlepptau. Allerdings handelt es sich dabei nicht wie erwartet um die Oma, nein, es ist ausgerechnet die Mooshammer Liesl, die hier grad ihre Dienste anbietet. Einfach, weil sich die Oma nämlich geweigert hat und der Meinung ist, dass es wirklich nicht zu viel verlangt ist, den eigenen Sohn gefälligst auch einmal selber trockenzulegen. Die Liesl aber, die sieht das zu meinem Glück vollkommen anders. Ein richtiges Mannsbild, sagt sie, das muss so etwas nicht können. Und wenn es sich dabei um einen stahlharten Bullen handelt, dann erst recht nicht. Der soll sich lieber um heimtückische Mordfälle kümmern und fertig. Und so hockt sie sich prompt dort zum Paulchen aufs Kanapee und geht ihm auch direkt an die Wäsche. Ja, im Grunde kann man über die Mooshammerin sagen, was immer man möchte, und meistens ist sie so nervig wie ein lästiges Arschwimmerl, aber in manch delikaten Situationen, da ist sie einfach unersetzlich, und man ist froh und dankbar, dass es sie gibt.

»Sagen Sie mal, Bürgermeister«, will sie dann aber noch gerne wissen. »Was war denn da vorm Rathaus heut eigentlich los? Da ist es ja zugegangen wie am Stachus.«

Nix, sagt er nur knapp, packt mich am Ärmel und zerrt mich nach draußen an die frische Luft. Dort atmen wir zuerst ganz tief ein und wieder aus. Einige Male sogar. Dann aber würde ich schließlich auch gern mal wissen, was ihn denn überhaupt so zu mir hergetrieben hat.

»Eberhofer«, fängt er auch postwendend an, und jetzt schnauft er dramatisch tief durch. »Es ist der Wahnsinn, was da grade abgeht, das können Sie sich überhaupt gar nicht vorstellen.«

»Essen ist fertig!«, ruft just in diesem Moment die Oma aus dem Küchenfenster heraus. Und so schaun wir uns nur noch kurz an, der Bürgermeister und ich, und wandern dann los.

»Was kann ich mir denn nicht vorstellen, Bürgermeister?«, frag ich nach einigen Schritten.

»Ja, diese ganze Geschichte halt, die mit diesem leidigen Hotelbau, das läuft grad alles komplett aus dem Ruder«, sagt er und wischt sich mit einem Taschentuch über die Stirn.

»Aber ich denk, die Sache mit diesem Hotelbau ist erst mal vom Tisch. Weil immerhin ist ja die Frau Grimm …«

»Ja, ja, diese arme Frau Grimm, gell«, unterbricht er mich

gleich und setzt ein hektisches Hüsteln hinterher. »Aber wie das Leben so spielt, Eberhofer, auch eine Frau Grimm ist nicht unersetzlich, verstehen Sie. Und ihr Nachfolger, der steht schon in den Startlöchern – und unserem Projekt übrigens durchaus wohlgesonnen gegenüber, wenn ich das einfach mal so sagen darf.«

Ja, das darf er. Ich öffne die Küchentüre und begeb mich gleich rüber zum Herd. Dort steht nur ein einziger Topf, und in dem befindet sich eine undefinierbare grün-braune Masse, wie ich sie noch nie zuvor jemals gesehen hab. Daneben steht eine riesige Schüssel bis zum Rand voll mit Rote-Bete-Salat. Aha.

»Gell, da schaust, Franz. Ja, einen Rote-Rüben-Salat gibt's heut«, sagt die Oma umgehend, während sie auf mich zu schlurft. Dann wischt sie sich die Hände ab und kramt einen Zettel aus ihrer Schürze, von dem sie dann abliest. »Der hat einen ganzen Haufen Vitamin B, außerdem noch Eisen und wie heißt das andere Glump gleich noch …? Wart schnell … ah, Kalium, genau. Kalium ist da auch drin, Bub, und das ist wichtig, hat der Brunnermeier gesagt. Für deine Nieren, glaub ich.«

Dann greift sie nach dem Topf und hält mir diesen undefinierbaren Batz unter die Nase. »Und das … das ist ein Brok-koli-Tofu-Eintopf, Franzl. Mit Eisen, Zink und außerdem noch Carotin, alles da drinnen. Da kriegst dann eine recht schöne Gesichtsfarbe auch noch davon, gell. Schmecken tut's leider nicht so besonders, aber es ist halt gesund, gell. Dafür gibt's hinterher noch einen Nachtisch, und zwar ein Ananas-Granatapfel-Eis. Alles selber gemacht. Mögen S' mitessen, Bürgermeister?«

»Nein, nein, liebe Frau Eberhofer«, sagt er jedoch prompt und schüttelt vehement seinen Kopf. »Aber ich muss auch gleich weiter, gell.«

»Apropos, Bürgermeister, wollten Sie mir nicht noch von diesen Hotelproblemen erzählen?«, sag ich. Und obwohl meinerseits freilich keinerlei kulinarische Vorfreude aufkeimen will, raff ich mich auf, hol ein paar Teller hervor und fang an, den Tisch einzudecken.

»Ja, genau, Eberhofer, unbedingt«, sagt der Bürgermeister jetzt weiter, wendet sich aber schon direkt zum Gehen ab. »Kommen S' nachher noch schnell bei mir im Büro vorbei, wenn Sie mit Ihren ganzen feinen Schmankerln durch sind, gell. Es ist wirklich ernst.«

»Warten S' noch kurz«, sag ich und folge ihm schnell. »Da komm ich doch lieber am besten gleich mit, wenn es so ernst ist. Womöglich ist es ja tatsächlich was unglaublich Wichtiges, das beim besten Willen nicht …«

»Wag es bloß nicht!«, versperrt mir die Oma jetzt aber den Weg und klingt durchaus gefährlich. »Du bleibst gefälligst hier. Du glaubst doch nicht, dass ich diesen ganzen gesunden Scheißdreck hier gekocht hab, nur für dich und deine ganzen maroden Organe da drinnen, und du haust jetzt einfach ab. Schleichst dich dann wahrscheinlich noch rüber zum Simmerl und pfeifst dir ein paar Leberkässemmeln hinter die Kiemen und danach flackst wieder da wie verreckt. Nein, nein, nein, mein Freundchen. Ganz davon abgesehen, dass da drüben dein Bub zu Besuch ist, und um den kümmerst dich nachher gefälligst. So, und jetzt kannst dein Maul wieder zumachen. Hock dich nieder, iss was und halt einfach deine blöde Waffel. Und Wiederschaun, Herr Bürgermeister.«

Der wird exakt in diesem Moment von unserer Küchentür verschluckt, und so setz ich mich halt notgedrungen nieder, ess was und halt einfach meine blöde Waffel. Was bleibt mir auch übrig? Schmecken tut's erwartungsgemäß freilich nicht. Aber wie auch? Da versagen sogar der Oma ihre Kochkünste. Noch dazu, wo kaum was gewürzt ist. Zumindest nicht mit Salz, weil das ja auch wieder ungesund ist, wie unser verdammter Dorfarzt offenbar ein weiteres Mal prognostiziert hat. Wenn ich den in die Finger krieg, dann ist er sowieso fällig, frag nicht! Die Vorfreude auf das Eis nach diesem freudlosen Mahl entpuppt sich dann am Ende ebenso als Flop, einfach weil die Oma in diesem Fall nun gänzlich auf Zucker verzichtet hat und stattdessen mit Bienenhonig für Süße sorgen wollte, was dann am Ende natürlich auch gründlich in die Hose gegangen ist. Und allmählich langt's mir.

»Sodala, wir zwei Hübschen sind wieder fit«, erscheint nun die Liesl bei uns in der Küche und hat den Paul auf dem Arm. Der schaut ziemlich zufrieden aus seinem frischen Strampler heraus in die Runde, und gleich wie er mich entdeckt, huscht ein breites Grinsen über sein kleines Gesicht. So steh ich mal auf und nehm ihn auf meinen Arm. Er duftet wie ein Vanillekipferl. Und ich muss mich kolossal zusammenreißen, nicht in ihn hineinzubeißen.

»Was hat denn der Bürgermeister eigentlich von dir wollen, Franz?«, fragt die Liesl.

»Keine Ahnung«, antworte ich wahrheitsgemäß, was sie ganz offensichtlich nur wenig befriedigt.

»Wo der Papa bloß bleibt?«, murmelt die Oma jetzt mit einem Blick auf die Uhr. Ja, das wüsste ich auch nur zu gern.

»Ja, das ist aber auch vollkommen wurst, wir fangen jetzt trotzdem an«, sagt die Liesl, begibt sich dann rüber zum Kühlschrank und öffnet die Tür. »Weil, wie heißt es so schön, wer nicht kommt zur rechten Zeit, der muss sehen, was übrig bleibt. Außerdem will ich nach dem Essen unbedingt noch mit dem Radl los.«

Anschließend kramt sie unzählige Tüten und Tupperboxen hervor und stapelt alles der Reihe nach auf der Arbeitsplatte. Was wird das, wenn's fertig ist?

»Ah, wunderbar, Bratkartoffeln mit Zwiebeln und Leberkäs und Ei«, trällert sie nun so vor sich hin und man kann ihr die Vorfreude direkt ansehen. Auch die Oma macht jetzt plötzlich ein ausgesprochen fröhliches Gesicht und beginnt auch gleich, die Kartoffeln in feine Scheiben zu schneiden. Und mir ... mir stößt ständig nur dieser widerliche Gemüsebatz auf. Ganz erstklassig, wirklich.

»Was meinst, Liesl, sollen wir vielleicht noch einen kleinen Salat dazu machen?«, fragt nun die Oma. Doch da zuckt die Mooshammerin nur mit den Schultern.

»Also meinetwegen braucht's keinen, aber wenn du einen willst, Lenerl, dann machen wir halt einen.«

Bratkartoffeln mit Zwiebeln und Leberkäs und Ei. Und das alles ganz ohne Salat. Ich kann es förmlich schon schmecken. Ich muss raus hier. Und zwar noch bevor ich zu einem Mord fähig bin. Also schnapp ich mir lieber den Maxi-Cosi, verfrachte das Paulchen dort hinein und schon Augenblicke später düsen wir zwei in meinem Streifenwagen unserem wunderbaren Rathaus entgegen. Es ist mein eigenes Büro, wo noch Licht drinnen brennt, nicht das von unserem werten Bürgermeister. Doch ansonsten ist sowieso alles stockmauernfinster. Was aber weiter kein Wunder ist, weil heute eben Freitag ist und somit die gemeindeeigene Sippschaft quasi bereits seit Mittag im Saturday-Night-Fieber weilt. Wie ich zur Tür reinwill, merk ich es gleich, dass sie abgesperrt ist, also kurz Schlüssel rauskramen, aufsperren und rein.

»Warum zum Teufel haben Sie sich denn hier eingeschlossen?«, muss ich den Bürgermeister erst mal fragen, gleich wie ich den Maxi-Cosi auf meinem Schreibtisch abstell. Auf selbigem stapeln sich grad diverse Akten in beinah schwindelerregende Höhen hinauf. Was ist denn bloß da wieder los?

»Weil es mittlerweile ziemlich gefährlich ist da bei uns, Eberhofer«, sagt er, geht rüber zum Fenster und lugt ein bisschen angespannt durch die blitzblanken Scheiben hinaus.

»Brandgefährlich, sag ich Ihnen. Unsere Bevölkerung, die scheint nämlich langsam, aber sicher komplett durchzudrehen. Und zwar alle miteinander, verstehen S'?«

Nein, tu ich nicht.

»Inwiefern?«, frag ich deswegen erst mal und schnapp mir eines der Schreiben vom meinem Schreibtisch. Eine Anzeige, soso. Auch beim zweiten und dritten Blatt handelt es sich eindeutig um Texte, in denen sich jeweils einer unserer werten Mitbürger bitterlich darüber beschwert, wie übel ihm mitgespielt wurde. Interessant.

»Ja, ja, schaun S' nur gut hin, Eberhofer«, knurrt nun der Bürgermeister und kommt zu mir rüber. »Das sind alles miteinander Anzeigen. Und zwar in schriftlicher Form. So was war doch noch nie da, oder können Sie sich erinnern?«

Nein, das kann ich in der Tat nicht. Ich blättere weiter und komm aus dem Staunen gar nicht mehr raus. Eine Anzeige nach der anderen. Hier eine Eisenstange, die im Weizenfeld liegt, wo sie freilich nicht hingehört, weil das bei der Feldarbeit brandgefährlich sein kann. Dort ein paar aufgeschlitzte Autoreifen oder hier eingeschlagene Fenster. Weiter geht's mit einem vergifteten Pfau, und dort sind es zwei Katzen. Und da sogar ein demolierter Elektrozaun, der dafür gesorgt hat, dass mitten in der Nacht eine ganze Rinderherde durch unser wunderbares Dorf gestampft ist. Die Liste würde sich noch endlos fortsetzen lassen, und alles miteinander ist allein in den letzten vierundzwanzig Stunden passiert. Warum, zum Teufel, sind urplötzlich rechtschaffene Mitbürger zu so etwas fähig? Und weshalb regeln sie das nicht untereinander, wie sie es sonst immer tun?

»Ja, ja, schaun S' nur gut hin, Eberhofer. Diese armen Mädchen, die Jessy und die Mia, die haben sich ja praktisch ihre Finger wund geschrieben«, sagt der Bürgermeister jetzt weiter und reißt mich damit aus meinen Gedanken heraus.

»Und Sie vermuten tatsächlich, dass diese ganzen Geschichten hier mit dem Hotelbau zu tun haben?«, frag ich jetzt einmal nach. Der Bürgermeister nickt.

»Ja, ja, daran dürfte überhaupt kein Zweifel bestehen. Zumindest haben das die Geschädigten der jeweils anderen Partei einwandfrei in die Schuhe geschoben. Außerdem«, sagt er weiter und beginnt dann, all diese Papiere der Reihe nach auf zwei Stapel zu verteilen. »Da, schaun S' einmal durch, Eberhofer«, sagt er am Ende und deutet beherzt auf sein fertiges Werk. »Sie werden sehen, dass sich die eine Hälfte der Leute ganz stark für diesen Hotelbau ausspricht und die andere eben dagegen. Und von denen, die neutral sind, da ist überhaupt nix dabei.«

Und nach einer ganz kurzen Überprüfung muss ich sagen, ja, er hat recht. Wobei ich allerdings auch feststellen muss, dass der Stapel von den Hotelgegnern deutlich größer ist. Was freilich heißen will, dass denen deutlich mehr zugefügt wurde als der Gegenfraktion sozusagen. Im Grunde gehen eh nur zwei Anzeigen auf das Konto, was die Hotelbefürworter betrifft. Um genau zu sein, ein durchgeschnittener Wasserschlauch beim Flötzinger und ein geköpfter Gartenzwerg beim Bodenleger in der Landshuter Straße. Na gut. So richtig kriminell ist das ja jetzt eigentlich nicht. Und das sag ich ihm auch.

»Bürgermeister«, sag ich und deute auf die Akten. »Sie sehen aber schon, dass die deutlich schlimmeren Gangster in Ihren eigenen Reihen zu finden sind, oder? Weil immerhin ist es ja schon ein Unterschied, ob man bloß einen Gartenzwerg oder einen richtigen Pfau auf dem Gewissen hat.«

Jetzt zuckt er nur kurz mit den Schultern.

»Mei, was will das schon heißen? Jeder muss seinen Frust halt auf seine ureigene Weise kompensieren, gell.«

Ja, und so manch anderer, der ist wohl neben dem Hirn auch noch deppert.

Aber es hilft alles nix. Um dieser nervigen Angelegenheit ein bisschen auf den Pelz zu rücken, da gibt's ohnehin nur eine einzige Möglichkeit. Und ob ich will oder nicht, ich muss heut unbedingt noch zum Wolfi rein. Das nämlich ist die beste Anlaufstelle in unserem Kaff, um relativ problemlos auf den einen oder anderen Informanten zu stoßen. Mal sehen, was der Abend so hergibt. Und deshalb schnapp ich mir nun gleich mal das Paulchen und winke zum Aufbruch. Allerdings besteht unser nervöser Häuptling noch kurz auf Polizeischutz bis hin zu seinem Wagen. Also verdreh ich kurz mal die Augen, und schon wandern wir los. Und jetzt, grad wie wir so durch unsere Rathaustür schreiten, da merken wir's gleich: Es duscht wie aus Eimern.

»Scheiße!«, sag ich deswegen und versuch irgendwie meinen Paul abzudecken. Und der Bürgermeister schaut hoch zum Himmel und öffnet dann eiligst die Autotür.

»Ich fürchte fast, es regnet sich ein«, sagt er noch und steigt ein. »Servus, Eberhofer, und gute Nacht.«

»Ja, servus«, verabschiede ich mich, bring uns zwei Hübschen ins Trockene und anschließend fahren wir unserem wunderbaren Hof entgegen. Von unterwegs versuch ich noch dreimal und inständig hoffend, die liebe Susi zu erreichen. Aber leider völlig vergeblich.

Seltsam, so friedlich wie dieses Kaff jetzt grad in der Dunkelheit ruht. Hinter den meisten der Fenster brennt Licht, und hier und da kann ich einen Fernseher sehen, der durch die Gardinen hindurch flimmert. Die Gehsteige scheinen wie leer gefegt, kein Mensch weit und breit, nur ein tropfnasser Straßenköter kreuzt meinen Weg. Und sicherlich würd kaum jemand auf die Idee kommen, dass sich hinter all diesen idyllisch ruhigen Fassaden wohl grad eben so was wie ein Kleinbürgerkrieg hochschaukelt. Verstehen kann ich ja im Grunde beide Seiten. Ja, wirklich. Weil, die einen, die wollen schlicht und ergreifend, dass alles hier so bleibt, wie es ist. War ja auch gar nicht so schlecht, gell. Und die anderen, ja, die sehen ganz klar sowohl die finanziellen als eben auch die sozialen Fortschritte, die ein Hotelbau so mit sich bringen würde. Ja, und beide Seiten haben irgendwie recht. Dass man aber für die Verwirklichung seiner eigenen Ziele den anderen das Leben regelrecht zur Hölle macht und ein friedliches Dorf völlig aus den Fugen gerät, das geht dann doch eindeutig zu weit.

Herrschaftszeiten noch eins.

Wie zum Teufel soll man sich da auf einen Mord konzentrieren, von einem Privatleben mag ich gar nicht erst reden, wenn die werte Mitbürgerschaft langsam, aber sicher dem Wahnsinn verfällt. Also wie handeln? Alle miteinander einfach abknallen und es würd endlich wieder Ruhe einkehren? Ja.

Wie von selber fährt mich mein Streifenwagen jetzt quasi direkt zum Hause Simmerl. Und es ist die Gisela, die mir die Haustür aufmacht, worüber ich mich erst mal sehr freue.

»Servus, Gisela«, sag ich deswegen und mache ein freundliches Gesicht. »Ist dein Filius daheim?«

Sie verschränkt die Arme vor der Brust und legt den Kopf schief. Und rein schon aus alten Erfahrungswerten heraus weiß ich jetzt bereits, dass sie im Moment wohl nicht grade hocherfreut ist über mein Auftauchen hier. Aber es hilft alles nix.

»Also?«, frag ich noch mal nach.

»Du hast die Susi schon wieder versetzt?«, will sie nun jedoch wissen und bringt mich somit ein wenig aus der Spur.

»Mei, versetzt … was heißt ›versetzt‹.«

»Versetzt heißt versetzt, du Arschloch.«

Klugscheißerin!

»Also, was ist jetzt mit dem Max, Gisela? Ich bin ja nicht zum Spaß hier, sondern dienstlich. Verstehst das oder brauchst es schriftlich?«, sag ich, und nun deutlich schärfer.

Ja, sagt sie noch mürrisch, aber wenigstens gibt sie den Eingang frei. Er ist oben in seinem Zimmer, und der Weg dorthin, der wär mir ja bekannt. Und so bitte ich sie nur noch, für einen kleinen Augenblick nach dem Paulchen zu schauen, und schon eile ich die Treppen hinauf. Klopfe kurz an die Tür und trete dann ein. Vermutlich hab ich ein bisschen zu kurz an die Tür geklopft und bin zu schnell eingetreten, wer weiß. Jedenfalls stoß ich genau in dem Moment dazu, wie die Mia und der Max grad so richtig am Einarbeiten sind. Das ist mir jetzt aber irgendwie peinlich. Ich räuspere mich, was in der Schrille der Schreie eh untergeht, und begeb mich prompt wieder nach draußen. Und nur ein paar Wimpernschläge später, da stößt der Max in T-Shirt und Shorts aber auch schon zu mir in die Diele. Und nachdem er mir erst mal Vorhaltungen der übelsten Sorte gemacht hat, kann ich schließlich zum Punkt kommen.

»Was meinst du damit, ich soll mich um diese ganzen Anzeigen kümmern?«, fragt er verwirrt und fährt sich dabei durch die Haare.

»Genau das, was ich gesagt habe, Max. Du schnappst dir eine Anzeige nach der anderen und gehst diesen Vorfällen allen mal auf den Grund.«

»Aber das darf ich doch gar nicht, ich bin doch kein Bulle.«

»Ich erteile dir hiermit ganz offiziell den Auftrag dazu. Du bist jetzt sozusagen mein ganz privater Deputy, verstanden?«

»Dein … Na, toll. Und wann soll das Ganze losgehen?«, will er dann noch wissen. Doch seine Begeisterung hält sich gut sichtbar in Grenzen.

»Sofort, lieber Max. Weil, du weißt ja, was du heute kannst besorgen, das verschiebe nie auf morgen.«

Und dann bin ich weg.

Kapitel 17

Es ist schon relativ spät, wie ich beim Wolfi eintreff, weil ich nämlich zuvor noch auf vorbildlichste Art und Weise meinen väterlichen Pflichten nachkomme. Will heißen, ich wickele – und zwar höchstselbst –, bin aber zugegebenermaßen schon ziemlich erleichtert, dass mein Paul seine größeren Geschäfte schon zuvor erledigt hatte. Danach geb ich ihm sein Gute-Nacht-Flascherl, wobei er ewig lang braucht, weil er mich unter dem Nuckeln ständig angrinsen muss, bis er sich dann die müden Äuglein reibt und nach einem ganz fetten Bäuerchen schließlich auf meinem Arm einschläft. Und zu guter Letzt muss ich die liebe Oma noch davon überzeugen, dass ich rein dienstlich gesehen unbedingt und ganz dringend kurz zum Wolfi rüber muss. Recht glaubhaft klingt das freilich erst einmal nicht, das ist mir schon klar. Trotzdem knickt sie irgendwann ein und am Ende schickt sie mich sogar noch selber fort.

»Ja, jetzt hau schon endlich ab«, sagt sie, während sie den Paul zudeckt. »Vielleicht hast ja Glück und deine Susi ist auch dorten.«

Und so geb ich ihr noch schnell ein Bussi auf die Backe, schnapp mir den Ludwig, und schon sind wir weg.

Die Bude ist erwartungsgemäß rappelvoll, das kann man kaum erzählen, und mit Müh und Not krieg ich noch einen winzigen Stehplatz dort am Tresen. Der arme Ludwig denkt gar nicht erst dran, mit nach drinnen zu kommen, und ist stattdessen lieber draußen vor der Tür liegen geblieben. Und der Wolfi, der hat heut noch nicht einmal Zeit, irgendwelche dämlichen Gläser auf Hochglanz zu bringen, sondern ist so dermaßen damit beschäftigt, immerfort zwischen Zapfhähnen oder Schnapsflaschen hin und her zu zischen, um quasi ununterbrochen für flüssigen Nachschub zu sorgen. Servieren kann er aufgrund dieses Andrangs längst schon nimmer, und so hat er kurzerhand beschlossen, heute lieber auf Selbstbedienung umzustellen. Und noch bevor ich überhaupt einen Gruß ins Volk werfen kann, steht auch schon ein frisch gezapftes Bier direkt vor meiner Nase. Wenn das kein Service ist.

»Finger weg«, knurrt der blöde Wirt aber gleich zapfenderweise, grad wie ich hinlangen möchte. »Simmerl!«, schreit er dann ins hinterste Eck durch die Menge hindurch. »Hol dir gefälligst dein Bier ab, bevor's ein anderer säuft.«

»Wird aber auch langsam Zeit«, kann ich nun unseren Metzger vernehmen und auch gleich darauf erblicken, grad wie er sich jetzt seinen Weg durch die Menschentraube hindurch bahnt. »Machst mir gleich noch eine Halbe, Wolfi«, sagt er weiter, und schon lässt er sich das feine bräunliche Zeug samt wunderbarer Schaumkrone seine Kehle runterzischen. Ich steh daneben und mir trieft der Zahn.

»Ganz schön voll heut«, sag ich jetzt erst mal und deute mit dem Kinn auf die Heerscharen da herinnen.

»Ja, knallvoll. Besser geht's nicht«, grinst mir der Simmerl noch kurz her und trommelt dann auf den Tresen. »Ja, sorry, Franz, aber du, ich muss wieder da hinter. Da gibt's heut noch jede Menge zu besprechen, weißt.«

Soso.

Immerhin stellt mir der Wolfi jetzt auch endlich ein Bier vor die Nase und macht dabei sogar einen Strich auf meinen

Deckel. Das ist ungewöhnlich. Äußerst ungewöhnlich, könnte man sagen. Weil sonst kann sich der blöde Wirt nämlich immer ganz akkurat und völlig problemlos merken, wer von uns was säuft und wie viel. Gut, aber heute würde dieses Ausmaß wohl seine Gehirnzellen überstrapazieren, ganz klar. So schnapp ich mir also mein Glas und quetsch mich durch die Gästeflut hindurch und genau in die Richtung vom Simmerl seinem höchstwichtigen Tisch. Bleibe dann exakt so stehen, dass ich zwar außer Sicht-, aber in guter Hörweite bin und kann deswegen ganz großartig an all den schönen Informationen teilhaben, die dort grad über den Biertisch fließen. Und freilich ist es die Hotelfraktion, die dort nun rumlungert und wo mir jede einzelne Visage noch vom letzten Jahr her nur zu gut in Erinnerung ist. Außer dem Bürgermeister und dem Flötzinger sind sie wohl tatsächlich vollzählig. Und ganz offensichtlich sind diese Herrschaften hier momentan grade aufs Eifrigste damit beschäftigt, eine Liste zu erstellen. Eine Liste, welche alle möglichen Vorzüge beinhaltet, die ein baldiger Hotelbau so mit sich bringen würde. Und da kommt durchaus einiges zusammen, alle Achtung.

»Diese ganzen kranken Typen da drüben, die würden doch mit ihrer Gier und ihrem perversen Machthunger echt voll über Leichen gehen«, kann ich nun direkt neben mir eine Stimme vernehmen und muss kurz überlegen, ob diese Nachricht überhaupt an mich gerichtet ist. Deshalb schau ich mal hin. Und, ja, wen haben wir denn da? Da sitzt ja dieser käsige Rastaman höchstpersönlich, der mir erst neulich mitsamt seinem nervigen Neffen dort beim Simmerl an der Wurstfront aufgefallen ist.

»So spät noch unterwegs, Bürschchen«, frag ich und nehm einen Schluck Bier. »Musst du nicht schon längst in der Heia liegen?«

»Oho, wie cool doch unser Dorfsheriff heut wieder einmal

unterwegs ist. Knallst du mich jetzt ab, oder was?«, grinst er mir her und prostet mir zu. Und obwohl mir im Grunde jetzt so gar nicht nach einer längeren Unterhaltung mit diesem Grünschnabel ist, merke ich schnell, dass er echt gut auf dem Laufenden ist, was diese dubiose Versammlung hier so betrifft. Und so erfahr ich, dass sich die werten Herrschaften schon seit Stunden die allergrößte Mühe geben, jede eventuell zu erwartende Veränderung möglichst optimal zu präsentieren und bis ins kleinste Detail auf Hochglanz zu polieren, um sie anschließend den Zweiflern oder gar Gegnern im Volk richtiggehend schmackhaft zu machen.

»Da sind ein paar richtige Füchse drunter, die dir locker jeden stinkenden Misthaufen noch als duftendes Rosenbeet verkaufen könnten«, sagt er und deutet mit dem Kinn Richtung Simmerl.

»Aha«, sag ich, weil mir weiter nix einfällt.

»Da machen ein paar wenige den ganz fetten Reibach und allen anderen bleibt recht sauber das Maul trocken.«

Apropos, ich muss nach vorne zum Wolfi.

»Ja, ich persönlich brauch jetzt noch ein Bier«, sag ich deswegen. Doch er hält mich noch kurz fest.

»BNZ, verstehst. *Bürgerinitiative Niederkaltenkirchens Zukunft* nennt sich diese Meute hier, und leider werden es jeden Tag ein paar mehr«, sagt er abschließend und schüttelt den Kopf. »Jetzt starten sie eine Unterschriftenaktion, und damit will der Brunstetten dann zum Landrat.«

»Der Brunstetten mit seinen Bodenbelägen?«, frag ich überflüssigerweise nach, weil ich längst weiß, wen er meint.

»Exakt, der Brunstetten mit seinen Bodenbelägen«, sagt er weiter. »Und ausgerechnet der ist mit unserem Landrat schon in die erste Klasse gegangen, jedenfalls hat er grad vorher noch recht fett geprahlt damit. Ja, und heute würden sie noch gelegentlich zusammen Golf spielen, diese Schickimicki-

Prolls. Und allein deshalb ist diese Hotelgeschichte ja praktisch schon längst eine gemähte Wiese, verstehst.«

Ja, da kann man mal sehen.

Gut, recht viel mehr weiß er dann leider auch nicht mehr, mein blasser Spion. Was aber wurst ist, weil der Flötzinger plötzlich neben mir aus dem Fußboden wächst und ungefähr grad dieselbe Hautfarbe hat wie mein brandneuer Freund hier.

»Franz«, sagt er und starrt mir durch seine dicken Brillengläser hindurch genau in die Augen. »Es ist was Schreckliches passiert. Kannst einmal mit nach draußen kommen?«

Im Grunde hab ich dazu jetzt echt keinen Bock, doch irgendwie scheint er ernsthaft verzweifelt. Und so holen wir uns am Tresen vorne noch schnell zwei Halbe, gehen damit vor die Tür und hocken uns auf die Stufen. Und ganz offensichtlich freut sich der Ludwig, jedenfalls legt er mir gleich seinen Kopf auf den Schenkel.

»Also«, sag ich auffordernd und nehme einen Schluck. »Raus damit!«

Ja, sagt er, prima! Ganz prima, wirklich! Er war nämlich heut Abend beim Zumba, so wie er das auch sonst gelegentlich gern zu tun pflegt. Zum einen freilich wegen Gesundheit und Fitness und all diesem Scheiß. Zum anderen – und wie ich finde deutlich wesentlicheren – aber auch wegen der Weiber. Was aber jetzt wurst ist. Jedenfalls war er eben heute wieder einmal auf dem Dancefloor und hat so richtig Gas gegeben. Und am Ende, also praktisch nach dem Duschen und allem Pipapo, da ist er völlig zufällig auf diese einsame Schnecke gestoßen. Also quasi ein Wahnsinnsweib, das immer in unglaublich heißen Trainingstrikots direkt vor ihm rumtanzt und die ihm schon das ein oder andere Mal einen äußerst verheißungsvollen Blick zugeworfen hat. Zumindest sind das seine Worte. Na gut, kurze Rede, langer Sinn. Jedenfalls sind die beiden wohl heute Abend irgendwie in seinem Auto gelandet. Und grad wie es schließlich zur Sache geht, genau da steht die Mooshammerin urplötzlich vor seiner Windschutzscheibe und grinst in den Wagen hinein.

»Kannst du dir das vorstellen, Franz«, sagt er weiter, und jetzt ist er so dermaßen in Wallung, dass seine Augengläser beschlagen. »Da sind wir zwei grad so auf Betriebstemperatur angelaufen und du denkst, du schlägst gleich im Paradies auf, und stattdessen starrt dir der Leibhaftige auf den nackerten Arsch.«

Nein, das kann ich mir nicht vorstellen, und ich will es auch gar nicht. Trotzdem muss ich jetzt irgendwie grinsen.

»Das ist nicht lustig, Franz«, hechelt er weiter und versucht dabei, seine Brillengläser vom Nebel zu befreien. »Du musst sie mir vom Leib halten, Franz, unbedingt. Hast du mich verstanden? Du musst mir die Mooshammerin vom Leib halten. Wenn meine Alte davon Wind bekommt, dann kann ich nämlich einpacken, verdammte Scheiße, Mann! Unterhalt für sie und die drei Kinder, ha, da muss ich ja gezwungenermaßen unter der Isarbrücke landen.«

Aus dem Wirtshaus heraus werden die Stimmen jetzt lauter und lauter. Irgendwie scheint wohl grad gar keine positive Aura da drinnen zu herrschen. Der Flötzinger hier aber, der quengelt unbeirrt weiter.

»Was soll ich denn jetzt machen, Franz? Was würdest du an meiner Stelle denn bloß tun?«

Und so reich ich ihm meine Dienstwaffe rüber.

»Sehr witzig.«

»Oder du gehst barfuß nach Altötting rüber und wieder zurück.«

Jetzt zeigt er mir nur noch den Vogel.

Drinnen ist es mittlerweile schon ziemlich extrem. Das Lärmschutzkontingent dürfte langsam sicher erschöpft sein. Doch genau in diesem Moment, da schießt mir dann doch noch ein recht brauchbarer Gedanke ins Hirnkastl rein, was meinen maroden Freund hier so betrifft.

»Mei, sagen wir einmal so, Heizungspfuscher«, schlag ich deshalb vor. »Wer weiß, wennst der Liesl meinetwegen einen, sagen wir, unschlagbar günstigen Wahnsinnspreis für ihre depperte Hausrenovierung machst, ja, dann kann sie sich vielleicht gar nicht mehr so recht dran erinnern, gell. Ich mein, an diese schlüpfrige Sache von heut Abend mit deinem nackerten Arsch, was meinst?«

Einen winzigen Moment lang stutzt er.

»Du glaubst …?«, sagt er schließlich, während er ganz konzentriert auf den Fußboden gafft.

»Genau.«

»Aber … aber dann bin ich vermutlich auch so gut wie ruiniert, Franz.«

»Mei, Flötzinger, ob dich jetzt die Liesl unter die Isarbrücke bringt oder deine Alte, das ist doch dann auch scheißegal, oder? Einen Versuch aber ist es allemal wert.«

»Ja, ganz genau wie ich's mir gedacht hab«, tönt es nun plötzlich direkt vor uns beiden, und gleich wie ich aufschau, kann ich auch prompt die Oma erkennen. Sie steht dort im Schein einer Straßenlaterne mit ihrem Radl und sieht zu uns rüber. Kein freundlicher Blick nicht. »Dienstliche Angelegenheit, dass ich nicht lach! Du hockst da mit deinem blöden Saufkumpan und zischst dir ein paar Halbe in deinen gierigen Schlund. Und daheim … da wartet wieder einmal deine Susi, und die ist mittlerweile schon ziemlich auf hundert, wie du dir vielleicht vorstellen kannst.«

Huihuihui! Das ist jetzt aber voll scheiße.

Doch noch bevor ich mich auch nur irgendwie rechtfertigen kann, wird hinter mir mit einem einzigen Ruck die Tür aufgestoßen, und einige Gäste stürmen relativ aufgebracht ins Freie hinaus. Und zu meiner unendlichen Erleichterung scheint sich hier grad die Situation regelrecht zuzuspitzen. Zunächst einmal fliegen aber nur einige Schimpfwörter zwischen den hitzigen Köpfen hin und her. Wobei ich schon sagen muss, es sind welche der übelsten Sorte. Sekunden später jedoch und wie ja auch eigentlich gar nicht anders zu erwarten, da folgen auch schon die Fäuste. Und so zuck ich nur kurz mit den Schultern in die Richtung von der Oma, um ihr mitzuteilen: Ja, da schau nur hin! Ist das nun ein polizeilicher Einsatz oder etwa nicht? Der Flötzinger seinerseits steht jetzt postwendend auf und eilt auf sie zu. Hakt sie fürsorglich unter und bringt sie aus dem Schlachtfeld, während ich mich nun wohl oder übel in dasselbige schmeiß.

»Mei, Susi«, sagt die Oma nicht ganz ohne Stolz in ihrer Stimme, gleich wie wir später in die Küche reinkommen. »Das hättest wirklich sehen sollen. Da war vielleicht eine wilde Rauferei drüben beim Wolfi, das kannst dir gar nicht vorstellen. Aber unser Franzl, der hat diesen Kasperln dort freilich gleich einmal gezeigt, wo der Bartl den Most holt, gell, Bub.« Und dabei schlenzt sie mir die Wange. Relativ lange sogar. Die Zornesfalte von der Susi entspannt sich auch gleich ein bisschen, und ganz kurz schaut sie mich sogar an. Ja, erzählt die Oma dann weiter, aber holterdiepolter hat der Bub diese brandgefährliche Situation ganz prima im Griff gehabt, was jedoch aus waffentechnischen Gründen auch kein allzu großer Akt gewesen ist, aber wurst. Und hinterher, wie schließlich alles vorbei war, da sind wir zwei Hübschen noch mit dem Radl heimgefahren, und sie ist auf dem Gepäckträger gesessen, die Oma. Jetzt huscht der Susi ein Grinsen übers Gesicht.

Ja, besser hätt ich das auch alles nicht erzählen können, und die Susimaus scheint sich bei jedem einzelnen Wort sichtbar mehr zu entspannen.

»Da warst du aber mal wieder ein richtiger Held«, sagt sie irgendwann, und ich weiß jetzt gleich gar nicht recht, ob da ein ironischer Unterton mitschwingt oder eher nicht. Also lächle ich lieber mal ein bisschen unverbindlich.

Dann geht die Tür auf und der Papa kommt rein. Er ist immer noch schneidig, genau wie heute Morgen, und ein kurzer Blick auf die Uhr verrät mir gleich, dass es deutlich nach Mitternacht ist.

»Servus, miteinander«, sagt er kurz in die Runde, und anscheinend findet er es das Normalste auf der Welt, uns um diese fortgeschrittene Stunde und in der Konstellation hier in der Küche aufzufinden.

»Ah, da bist ja«, sagt jetzt die Oma. »Spät bist dran, hast vielleicht noch einen Hunger?«

»Nein, vielen Dank, ich bin bestens versorgt«, antwortet er und geht rüber zum Küchenbüfett, das er auch umgehend öffnet.

Da schau einer an, er ist bestens versorgt. Und ich Idiot mach mir seinetwegen den lieben langen Nachmittag Sorgen, dass er sich aus lauter Verzweiflung wegen diesem unerwarteten Gatten von der nächsten Isarbrücke stürzt.

»Sonst noch jemand?«, fragt er nun in die Runde, während er eine Flasche Rotwein in die Höh hält. Und weil keiner von uns dreien abgeneigt ist, bringt er auch artig vier Gläser zum Tisch und beginnt einzugießen. Und die Oma fischt Streichhölzer aus ihrer Schürzentasche und zündet sogar noch ein Kerzlein an. Mein lieber Schwan, jetzt wird's ja beinah romantisch.

»Wo warst?«, frag ich, nachdem wir angestoßen haben.

»In Landshut drinnen, wenn's recht ist. Und du?«, sagt er und kramt seinen Tabaksbeutel hervor.

»Arbeiten, wenn's recht ist«, antworte ich und finde seine Erklärung wirklich mehr als übersichtlich. Doch bevor ich noch weiter nachhaken kann, da lässt es sich die Oma jetzt erst mal nicht nehmen, auch dem Papa von ihren Erlebnissen am heutigen Abend aufs Ausführlichste Bericht zu erstatten. Derweil nippt die Susi ein paar Mal an ihrem Weinglas und schaut mich dabei an. Und ich kann nicht wirklich ausmachen, ob mir ihre Augen einfach nur müde oder doch eher traurig erscheinen.

»Sodala«, sagt die Oma am Ende und reißt mich aus meinen Gedanken. »Ich bin saumüd und geh jetzt ins Bett.«

Dann trinkt sie ihr Neigerl aus, stellt das Glas ins Spülbecken und wackelt zur Tür. »Gute Nacht beisammen«, plärrt sie noch so in den Raum, und schon ist sie weg.

»Ja, es ist spät. Ich werd's auch langsam packen«, sagt nun die Susi und gähnt.

»Geh, Susi, bleib halt da«, kommt mir der Papa zuvor, nimmt dann einen ganz tiefen Zug und bläst Ringe in die Luft.

»Genau«, muss ich ihm hier beipflichten. »Schau, der kleine Paul, der schläft doch grad so schön im Wohnzimmer drüben. Das wär doch echt blöd, den jetzt aufzuwecken, oder?«

Doch sie schüttelt den Kopf. Nein, sagt sie, der Paul, der würde gar nicht erst aufwachen, weil er das nämlich längstens gewöhnt wär, dass er dann und wann einmal umquartiert wird. Davon würde er mit Sicherheit nicht wach werden. Dann schnappt sie sich auch schon Tasche und Jacke und verabschiedet sich. Das ist schade. Und so begleit ich sie also nur noch kurz mitsamt dem Maxi-Cosi zu ihrem Elefantenrollschuh und verfrachte das Paulchen nach hinten auf die Rückbank. Und tatsächlich, er schlummert ganz unbeirrt weiter.

»Gute Nacht, Franz«, sagt die Susi, grad wie sie einsteigt.

»Das … das tut mir echt leid, weißt«, sag ich noch so, und schlagartig hält sie inne und schaut mir direkt in die Augen.

»Was genau, Franz? Was tut dir leid, hm? Das mit heut Abend? Oder dass ich jetzt nicht über Nacht bleib? Oder vielleicht doch eher allgemein die ganzen letzten Jahre?«, fragt sie nun, und ihre Stimme ist an Zynismus kaum zu überbieten. Und die Antwort, die mir momentan eh im Hals stecken bleibt, wartet sie auch gar nicht mehr ab. Sie steigt in den Wagen, startet den Motor und schon düst sie ab. Ein ganzes Weilchen lang bleib ich noch stehen und schau den Rücklichtern hinterher, wie sie langsam durch die Dunkelheit flimmern und sich irgendwann in Luft auflösen. Und ich merke noch nicht einmal, dass es wieder zu regnen anfängt.

»Komm rein, Burschi, du wirst krank«, kann ich den Papa plötzlich vernehmen, und erst da merk ich, dass ich tatsächlich schon ziemlich durchnässt bin. Er steht dort am Eingang und hat das Glas Rotwein in seiner Hand.

»Ich hab mir verdammt noch mal Sorgen gemacht«, muss ich ihn jetzt anfauchen, doch vermutlich nur stellvertretend für mich selber. Und er versteht eh grad nur Bahnhof. Und so muss ich ihn notgedrungen kurz aufklären über diesen Vorfall dort im Hotel Sonne. Am Ende lacht er recht herzlich und nimmt einen Schluck Wein.

»Das findest du lustig?«, fährt es jetzt aus mir raus.

»Die haben echt gesagt ein reizender Herr mit tollen Manieren?«, fragt er und schaut mich erwartungsvoll an.

»Ja, verdammt, so oder so ähnlich, warum?«

»Weil ich dieser reizende Herr war mit tollen Manieren.«

Für einen kurzen Moment stutze ich.

»Dann müsst ihr aber sehr vertraut gewesen sein, du und deine Frau Grimm. Wenn diese zwei Empfangsschnecken euch sogar für ein Ehepaar halten …«

Jetzt aber zuckt er nur kurz mit den Schultern und hat ein ziemlich zufriedenes Grinsen im Gesicht.

Und so dreh ich mich ab und geh meinem Saustall entgegen.

»Sauwetter«, murmele ich so vor mich hin.

»Ja, es regnet sich ein«, hör ich den Papa noch. »Gut Nacht, Burschi.«

»Nacht«, sag ich, dann mach ich die Tür hinter mir zu.

Kapitel 18

Wie ich am nächsten Morgen durch die Pfützen hindurch in Richtung Frühstückstisch latsche, da kommt mir die Mooshammerin schon entgegen. Sie trägt einen Ostfriesennerz und ist barfuß unterwegs, und trotz dieses nervigen Dauerregens ist sie ganz offensichtlich allerbester Laune. Jedenfalls strahlt sie über das ganze Gesicht, wie wir aufeinandertreffen und uns einen guten Morgen wünschen.

»Wunderbar, Franz. Ganz wunderbar«, sagt sie und hüpft dabei von einem ihrer nackerten Haxen auf den andern. »Weißt, das solltest du auch einmal machen. Einfach barfuß durch den Regen laufen. Das ist das Beste, wo es überhaupt gibt, weißt. Es ist gut für die komplette Durchblutung und einen Katarrh hast dann garantiert auch keinen nimmer.«

»Was bist denn gar so fröhlich heut?«, frag ich, grad wie ich die Haustür aufmach. Die Liesl folgt mir auf dem Fuße.

»Mei, Bub«, ruft die Oma jetzt, wie sie mich entdeckt, und schnappt sich ein Geschirrtuch vom Haken. »Du bist ja vollkommen tropfnass. Komm, lass dich lieber gleich abtrocknen, sonst bist bloß wieder krank hinterher«, sagt sie weiter und rubbelt relativ motiviert auf meinem ganzen Schädel herum.

»Wo steht denn deine Karre eigentlich?«, fragt sie jetzt und deutet mit dem Kinn in die Richtung durchs Fenster, wo normalerweise mein Streifenwagen zu stehen pflegt.

»Der steht noch beim Wolfi«, geb ich ihr zu verstehen. Die Liesl setzt derweil Kaffeewasser auf und trällert dabei ein Liedchen vor sich hin. »Du hast mich tausendmal betrogen …« Wie gesagt, ausgesprochen fröhlich heute.

»Du, Liesl«, muss ich deswegen gleich einmal die Situation hier auspeilen. »Diese Heiterkeit, die du heut so verbreitest, die hat nicht rein zufällig was mit deiner nächtlichen Radltour von gestern zu tun?«

»Mei, wieso? Man darf doch wohl einmal heiter sein, oder nicht? Und außerdem, wie kommst denn jetzt da eigentlich drauf?«, fragt sie, ohne mir jedoch auch nur einen einzigen Blick zu gewähren. Die Oma ist mittlerweile fertig mit Rubbeln und fängt endlich an, unser Frühstück zu machen.

»Erpressungen jeglicher Sorte, die sind durchaus strafbar und können bis zu fünf Jahre einbringen«, sag ich mehr so vor mich hin und deck derweil den Tisch ein.

»Redest du etwa mit mir, oder was?«, will die Mooshammerin gleich darauf wissen und schaut nun prompt zu mir her.

»Geh, Schmarrn. Das war nur grad so eine berufliche Macke von mir, Liesl. Sonst nix. Manchmal schießen mir halt solche Gedanken in den Kopf, verstehst. So wie grad eben. Da musst dir nix denken, gell. Allerdings fällt mir dabei auch noch ein, Rufmord kann ja auch gut bis zu zwei Jahre bringen.«

Das Powerfrühstück anschließend verzehren wir dann eher schweigend. Ich schnapp mir den Sportteil aus der Tageszeitung und lese. Doch ab und zu werfe ich einen Blick über den Blattrand und merk deutlich, dass die gute Laune von der Liesl auf einmal wie weggeblasen scheint. Zwar ist ihr Appetit riesig, so wie er es halt jeden Tag ist. Und freilich schlurft sie auch an ihrem Kaffee, doch derweil starrt sie bloß auf ihren Teller runter und sagt kein einziges Wort.

Ein bisschen später, grad wie die zwei Mädels hier den Abwasch machen, da schnapp ich mir dann mein Telefon, weil es einige ziemlich wichtige Anrufe zu tätigen gilt. Nummer eins ist die Susi.

»Susimaus«, sag ich, gleich wie sie abnimmt.

»Ja.«

»Du, wegen gestern …«

»Mach dir keine Mühe, Franz«, unterbricht sie mich aber sofort. »Du, pass auf, wegen nächstem Freitag, da kommt der Paul um vier zu euch auf den Hof und ich hol ihn um acht wieder ab. Vielleicht bringst du es ja tatsächlich fertig, dir mal Zeit für ihn zu nehmen. Oder sorg wenigstens dafür, dass sich die Oma um ihn kümmert. Ja, das war's auch schon, danke und schönes Wochenende.«

Dann legt sie auf. Ihre Stimme war nicht etwa bös oder laut. Nein, wirklich gar nicht. Eher sehr leise und müd. Und vielleicht auch etwas … mei, wie soll ich sagen … hilflos. Mir kommt jetzt direkt ein schlechtes Gewissen herauf. Und ein ganzes Weilchen lang starr ich nur auf diesen blöden Hörer dort in meiner Hand. Freilich hat auch die Mooshammerin die ganze Situation eben miterlebt. Und jetzt, wie ich aufschau, da springt ihr förmlich das triumphalste aller Gegrinse direkt aus der Visage heraus. Und ich muss mich echt kolossal zusammenreißen.

»Vorsicht«, knurr ich sie deswegen an. Doch sie zuckt nur kurz mit den Schultern, und völlig unbeirrt trocknet sie weiterhin ab.

Für Anruf Nummer zwei hab ich nun den Rudi auf dem Radar, doch auch bei ihm werd ich wohl keinerlei Freudenschreie erwarten können. Denn immerhin war ich beim gestrigen Abschied relativ grantig, und er für seine Person tendiert ja eher zur nachtragenderen Kategorie der Menschheit.

»Birkenberger«, sagt er, und wie befürchtet äußerst förmlich, obwohl oder gerade weil er längst weiß, wer der Anrufer ist.

»Servus, Rudi«, sag ich und schlag mal einen möglichst lockeren Tonfall an.

»Ah, der Franz«, versucht er mir nun tatsächlich, wenn auch eher verkrampft, einen echten Überraschungsmoment vorzutäuschen. »Was ist los? Hab ich eure heilige Küche gestern nicht ordnungsgemäß verlassen, oder was?«

»Doch, doch«, quetsch ich mir ein Lachen ab. »Alles paletti, Rudi.«

»Will ich wohl meinen. Schließlich hab ich euch sogar das blöde Silberbesteck noch auf Hochglanz poliert.«

»Soso, prima. Echt prima, Rudi. Aber weswegen ich eigentlich anruf: Hast du denn zufällig noch etwas rausfinden können?«

»Du meinst, was unseren Mordfall betrifft?«, fragt er und hat dabei noch immer einen echt seltsamen Tonfall drauf. Doch wenigstens reagiert er einigermaßen professionell, zumindest was unsere Arbeit angeht.

»Exakt«, sag ich, und nun kommt mir direkt so etwas wie Erleichterung auf.

»Ja, klar hab ich was rausgefunden. Ich bin ja schließlich kein Anfänger, gell. Aber, sorry, Eberhofer, doch du weißt ja, Wochenende ist Wochenende. Und in dienstlichen Fragen, da steh ich leider erst wieder ab Montag in der Früh zur Verfügung. Also, schönes Wochenende, mein Bester und servus«, sagt er noch, und schon legt er auf.

Arschloch. Blödes.

»Ja, super, Rudi. Dann bis Montag. Ja, ja, ich freu mich auch sehr«, sag ich noch so in die bereits tote Leitung. Einfach schon, um der Mooshammerin in ihrem aktuellen Schadenfreudentaumel nicht auch noch zum Orgasmus zu verhelfen. Dann klopft es kurz an der Tür und der Bürgermeister kommt rein. Er ist tropfnass vom Kopf bis zu den Schuhen runter und hat ein Megafon unter dem Arm. Ein seltsamer Anblick, wirklich. Doch kaum, dass er in der Küche steht, da kommt auch schon die Oma angewackelt, und wieder hat sie ihr deppertes Geschirrtuch in der Hand.

»Jessas, Bürgermeister, geh, wie schaun S' denn aus. Tragen S' mir ja keine Pfützen rein da«, sagt sie und reicht ihm diesen Fetzen, den er auch postwendend und dankbar nickend entgegennimmt. Dann nimmt sie ihm den triefenden Mantel ab und bringt ihn hinaus in den Hausgang.

»Ja, ja, liebe Mitbürger und Mitbürgerinnen«, sagt er und rubbelt sich derweil über den Kopf. »Es schaut ganz so aus, als würd es sich einregnen, gell.« Und nachdem er einigermaßen trocken ist, hockt er sich nieder und die Oma stellt ihm ein dampfendes Haferl Kaffee vor die Nase. »Bürgermeister«, sag ich, weil es noch nicht einmal Mittag ist und es mir trotzdem für heute schon reicht. »Wenn S' so gut sind, erklären S' mir vielleicht erst einmal, was Sie mit diesem Megafon denn so vorhaben.«

Er wirft einen kurzen Blick auf dieses Teil auf seinem Schoß, und schon fällt der Groschen. Ja, genau, sagt er dann, dieses ganz wunderbare und übriges auch uralte Megafon, das ja praktisch schon seit Jahren drüben im Rathaus leider nur noch so vor sich rumdümpelt und verstaubt, das käme heut endlich wieder einmal zum Einsatz. Ob man's glaubt oder nicht. Weil morgen Nachmittag nämlich, da gäb's im Vereinsheim Rot-Weiß quasi eine Art Krisensitzung. Wegen dieser leidigen Hotelgeschichte, gell. Damit in der Sache endlich mal eine Entscheidung getroffen und somit das aufgewühlte Volk wieder einigermaßen beruhigt wird. Weil so, so kann es auf gar keinen Fall nicht weitergehen, gell. Und damit unsere werten Stammesbrüder und -schwestern davon auch Kenntnis bekämen, also von dieser Sitzung, genau deswegen hätte ich nun die Ehre, mit meinem Streifenwagen durch die Gegend zu gondeln und diese Informationen in Umlauf zu bringen. Spinnt der jetzt komplett, oder was?

»Ist alles in Ordnung da oben?«, frag ich deswegen erst mal und fass mir ans Hirn.

»Wieso, hähä«, sagt er und nippt ein bisserl nervös am Kaffee.

»Bürgermeister, ich hab ein Megafon an meinem Streifenwagen«, muss ich ihm jetzt erklären, obwohl ich sicher bin, dass er davon durchaus längst Kenntnis hat.

»Ich befürchte leider nicht, Eberhofer«, faselt er nun ein wenig kleinlaut und starrt in seine Kaffeetasse. Jedenfalls nicht mehr, sagt er weiter. Kein Megafon, kein Außenspiegel, kein Nummernschild und, ach ja, er räuspert sich ausgiebig. So wie's ausschaut auch kein Blaulicht mehr.

»Sie meinen …?«, frag ich, obwohl ich noch keinen echten Durchblick habe.

»Ja, lieber Eberhofer, vermutlich ist Ihr Streifenwagen ein weiteres Opfer dieser Dings. Wissen S' schon, dieser Vandalen. Und ich ahne bereits, wenn nichts passiert, dann wird das nicht das Letzte sein. Und genau deshalb, Eberhofer, genau aus diesem Grund müssen wir nun endlich in die Gänge kommen, gell.«

Ich schnapp mir meinen Autoschlüssel und begeb mich zur Küchentür.

»Nimm einen Schirm mit, Bub«, kann ich die Oma noch hören. Doch der Bub, der nimmt keinen Schirm mit, weil er nämlich schon draußen ist.

Schon von Weitem kann ich sehen, wovon unser Häuptling grad eben erzählt hat, und ja, er hat nicht übertrieben. Ganz im Gegenteil. Wer immer das auch gewesen sein mag, er hat sich wirklich Mühe gemacht. Und zwar so dermaßen, dass er mir noch unzählige Lachgesichter auf meinen Lack gekritzelt hat. Und zwar mit einem Edding. Mit einem wasserfesten Edding, um genau zu sein. Na bravo! Immerhin aber springt die alte Kiste wenigstens noch an. Und so fahr ich also quasi in meinem Wrack einmal durch ganz Niederkaltenkirchen hindurch und freilich auf schnellstem Wege wieder nach Haus. Und gleich wie ich aussteig, da kleben erwartungsgemäß sämtliche Schädel am Küchenfenster und starren durch die dicken Tropfen hindurch einem ziemlich frustrierten Sheriff entgegen. Die Oma starrt dort so vor sich hin, ebenso wie unser Bürgermeister und freilich auch die Mooshammer Liesl. Der Einzige, der nicht starrt, das ist der Papa. Doch der ist wohl noch im Bett.

Und wie ich dann in der Küche zurück bin, da macht sich der Bürgermeister noch einmal über mich her. Diesmal jedoch mit deutlich mehr Nachdruck. Und jetzt bin ich es, der am Fenster drüben steht und den lädierten Streifenwagen anglotzt.

»Eberhofer, Sie sehen's ja selber«, sagt der Bürgermeister betroffen und trommelt dabei auf dieses blöde Megafon. »Ich glaub, ich muss Sie über die Notwendigkeit dieser morgigen Sitzung nicht weiter aufklären.« Und irgendwie hat er damit wohl recht. So jedenfalls kann's ja hier echt nicht mehr weitergehen.

»Was will er?«, will nun freilich noch die Oma wissen und nötigt mich somit, ihr schnell mit Händen und Füßen von dem fragwürdigen Ansinnen mit dieser alten Flüstertüte Bericht zu erstatten.

»Ja mei, das ist ja wunderbar«, ruft sie dann hocherfreut, strahlt kurz den Bürgermeister an, der ein wenig verwirrt, jedoch artig zurückstrahlt, und schon schnappt sie sich beherzt das Megafon von seinem Schoß. »Hallo, hallo«, schreit sie dort dann hinein. Und ich danke Gott, dass dieses Ding noch nicht an ist. »Darf ich da auch mit, Franz? Bitte«, fängt sie nun dann an zu quengeln. Und exakt in solchen Momenten, wo sie praktisch immer wie ein ganz kleines Kind ist, da kann ich beim besten Willen niemals Nein sagen.

Und so hocken wir zwei Hübschen auch schon kurz darauf in meiner demolierten Kiste und sind auf dem Weg durch unsere heimatlichen Straßen. Und genau wie ich befürchtet hab, besteht die Oma darauf, diese mordswichtigen Informationen höchstselbst unters Volk zu schmettern, was anfangs jedoch tierisch in die Hose geht. Erst wie ich zu ihr sag: Oma, wenn du unbedingt schreien willst, dann brauchen wir dieses Megafon gar nicht. Man hört dich auch so gut. Wenn du aber auf dem Megafon bestehst, dann brauchst du nicht schreien, verstanden? Dann aber hat sie's recht hurtig begriffen und ist dementsprechend leiser.

»Achtung, Achtung«, sagt sie anschließend immer und immer wieder aus ihrem Beifahrersitz heraus und hält dabei ganz konzentriert ihren Ablesezettel in der Hand. »Am morgigen Sonntag ist um fünfzehn Uhr, ich wiederhole, um fünfzehn Uhr im Vereinsheim Rot-Weiß eine Krisensitzung der Gemeinde Niederkaltenkirchen. Wichtigster und einziger Tagesordnungspunkt ist der Hotelbau. Für das leibliche Wohl ist bestens gesorgt. Um zahlreiches Erscheinen wird dringend gebeten. Es werden diverse Vorträge gehalten, unter anderem auch von unserem werten Herrn Landrat. Abschließend soll über eine Abstimmung die Entscheidung für oder gegen das Hotelbauprojekt fallen. Also gefälligst alle hinkommen. Achtung, Achtung …«

Sie macht das echt ziemlich professionell, muss man schon sagen. Und das, obwohl sie durchaus auch noch mit ganz andern Dingen beschäftigt ist. Zum einen ist es ihr nämlich offenbar grad ein großes Bedürfnis, wie die Queen höchstpersönlich sämtlichen Passanten möglichst huldvoll zuzulächeln und dabei äußerst majestätisch zu winken. Zwischenzeitlich zückt sie auch ständig ihr Handy und fotografiert alles und jeden. Zum Schreien, wirklich. Und ich für meinen Teil hab im Grunde nur eine einzige Aufgabe: sie auf ihrer Prozession relativ langsam durch alle Straßen zu chauffieren. Wobei das nicht ganz stimmt. Kurz bevor wir abbrechen, da greif ich selber noch kurz zur Flüstertüte. Weil, was sein muss, muss sein.

»Wenn ich dieses Arschloch erwische, das meinen Streifenwagen so zugerichtet hat, dann knall ich ihn ab, ich schwör's. Ende der Durchsage.«

Wie wir schließlich wieder heimwärts düsen, da seh ich es gleich. Der Admiral vom Papa ist schon wieder weg und ich muss nicht besonders lang überlegen, um das Ziel seiner Reise zu erraten. Stattdessen aber steht nun ein Kastenwagen im Hof mit der Aufschrift »Gas Wasser Heizung Flötzinger«. Da schau einer an, das ging ja zackig.

»Liesl«, kann ich ihn auch schon vom Hausflur vernehmen, weil halt die Küchentür grad nur angelehnt ist. Seine Stimme ist sanft, ja beinah zärtlich, fast so, als rede er mit einem trotzigen Kind. »Schau dir das bitte mal ganz genau an, liebe Liesl. Die halbe Nacht lang hab ich gesessen und an diesem hammermäßigen Kostenvoranschlag rumgebastelt.«

»Ja, ja, Flötzinger«, kann ich jetzt die Mooshammerin astrein vernehmen. »Die andere Hälfte von deiner Nacht, da hast ja auch an was anderem rumbasteln müssen, gell.«

Hör ich da etwa einen klitzekleinen süffisanten Unterton raus?

Und genau jetzt kommt die Oma vom Klo zurück und will freilich gleich rein in die Küche. Doch ich kann sie grade noch stoppen, schau sie eindringlich an und leg mir den Finger auf den Mund. Sie versteht mich auf Anhieb, nickt kurz, und im Anschluss schiebt sie mit ihrem Schuh sogar die Tür einen kleinen Spalt weiter auf. Was man aber auch echt prima verstehen kann, gell. Weil wenn man schon so gut wie nix hört, dann will man wenigstens visuell seinen Anteil abkriegen. Und wir haben Glück. Denn zum einen sitzen die zwei beinah mit dem Rücken zu uns, aber schon so, dass wir was mitkriegen. Zum anderen sind sie momentan wohl auch ziemlich intensiv mit diesem Kostenvoranschlag beschäftigt. Jedenfalls hockt die Liesl mit kerzengeradem Rückgrat dort auf unserer Eckbank und geht vermutlich grad akribisch Posten für Posten durch. Und der Flötzinger, unser alter Bastler, der hockt daneben, beobachtet sie, ist sichtlich unruhig und beißt an seinen Fingernägeln.

»Soso«, sagt die Liesl am Ende und nimmt ihre Lesebrille von der Nase. »Da hast dich aber weit aus dem Fenster gelehnt, Flötzinger. Richtig weit, würd ich sogar sagen.«

»Ja, ja. Und hast das gesehen, Liesl?«, fragt er und trommelt dabei auf seinem Angebot umeinander. »Eine Hackschnitzelheizung hab ich dir auch noch reingebaut. Sogar das allerneueste Modell. Alles tiptop, sag ich dir. Und wie gesagt, alles zu einem sensationellen Hammerpreis, gell.«

»Ja, freilich hab ich das gesehen, Flötzinger. Soso, eine Hackschnitzelheizung, da schau einer an. Ja, das hört sich doch alles ganz schneidig an.«

»Will ich meinen«, sagt er und ringt sich ein zaghaftes Lächeln ab.

Pause.

»Und, was sagst jetzt?«, will er nach einer Weile dann wissen, weil ihn die Mooshammerin nun vermutlich gern noch ein bisschen zappeln lässt und erst mal schweigt. Sitzt nur da, glotzt auf diese depperten Zettel runter und hat die Arme verschränkt.

»Gut«, sagt sie schließlich. »Wann kannst anfangen?«

Wie dem Flötzinger jetzt ein Stein vom Herzen fällt, das kann man ja fast schon akustisch hören. Sehen kann man es auf alle Fälle, weil er jetzt erstens endlich damit aufhört, an seinen dämlichen Nägeln zu beißen, und sich zweitens auch seine bislang eher gelbstichige Hautfarbe in ein konzentriertes Hochrot verwandelt.

»Ja, da schau her«, sag ich gleich, wie ich jetzt zur Küche reinkomm und grad Zeuge werd, wie sich die beiden ganz ausgiebig die Hände schütteln. »Darf man gratulieren, oder was?«

»Misch dich nicht ein«, zischt die Liesl umgehend.

»Ich weiß nicht recht, aber irgendwie ereilt mich der Eindruck, dass hier grad ein ganz fettes Geschäft besiegelt wird. Oder täusch ich mich etwa?«, muss ich hier aber trotzdem noch mal nachlegen.

»Was dich ereilt oder nicht, Eberhofer, das rutscht mir relativ geschmeidig den Arsch runter«, sagt die Mooshammerin jetzt, und leider muss ich zugeben, sie wirkt im Augenblick irgendwie unglaublich cool. Und mir fällt ums Verrecken nix ein, was ich entgegensetzen könnte.

»Apropos ereilen«, sagt der Flötzinger, trommelt kurz auf den Tisch und erhebt sich dann. »Für mich wird's Zeit, gell. Weil schließlich muss sich ein schwer arbeitender Handwerker wenigstens am Wochenende um seine Familie kümmern. Servus, miteinander.«

Und schon ist er weg. Die Oma setzt Kaffeewasser auf.

»Komisch«, sagt jetzt die Liesl, und dabei wedelt sie mir mit ihrem Kostenvoranschlag vor der Nase herum »Ich weiß nicht, woran's liegt. Womöglich werd ich ja allmählich alt und vergesslich. Aber glaubst, Eberhofer, ich kann mich beim besten Willen nicht mehr an den gestrigen Abend erinnern. Nicht ums Verrecken.«

Dabei grinst sie ganz fett und zwinkert mir zu. Und nun wirkt sie so dermaßen cool, dass ich schon beinah Frostbeulen krieg.

Kapitel 19

Tags darauf beginnt der Sonntag relativ entspannt. Wobei das eigentlich schon fast untertrieben ist. Ehrlich. Im Grunde nämlich wär sensationell das viel passendere Wort, würd es da nicht dieses unsägliche Wetter geben. Es regnet sich ein, trifft es noch nicht einmal mehr ansatzweise. Monsun Scheißdreck dagegen, könnte man sagen. Allein von meinem Saustall bis rüber zum Wohnhaus bin ich trotz Friesennerz, Gummistiefeln und Schirm schon komplett durchnässt. Weil nämlich neuerdings dank eines heftigen Windes der Regen nicht mehr nur von oben kommt. Nein, jetzt kommt er von vorne, von hinten, von allen Seiten, und fast könnt ich schwören, er kommt auch von unten. Und somit läuft mir das Wasser direkt vom Gesicht aus über den Hals runter, dann in den Nacken, von dort aus über den Buckel hinunter, um schließlich und endlich wohl exakt in meiner Arschfalte zu versickern. Weil die Beine … die sind nämlich noch relativ trocken. In unserm Hof, da stehen mittlerweile Lachen, da könnte man gut und gerne ein Schaf drin ersäufen. Und seit gestern Abend geht der arme Ludwig nur noch schnell zur Haustür raus und macht gleich dort seinen Haufen, was er für gewöhnlich niemals nicht tut. Und ich befürchte ja, wenn es tatsächlich noch länger so schüttet, dann wird er künftig selbst auf diesen Weg noch verzichten und stattdessen in die Küche scheißen. Und wenn ich mir die Geranien von der Oma so anschau, dann

frag ich mich ernsthaft, ob die demnächst womöglich zu See-
rosen mutieren. Die Aktion mit dem Geschirrtuch hat die
Oma schon wieder verworfen, dafür liegt nun ein Föhn in der
Küche bereit, was auch deutlich mehr Sinn macht. Ja. Nein,
jetzt bin ich irgendwie abgeschweift. Doch das nur kurz zum
besseren Verständnis, damit man halt weiß, warum ein eigentlich echt genialer Sonntagsauftakt dann doch mehr zum »so
lala« verkümmert.

Gut, wie dem auch sei. Der wahre Grund, der meine Stimmung trotzdem so ungemein hebt, ist die Tatsache, dass die
Oma grad am Knödelrollen ist, exakt wie ich in die Küche
reinkomm. Und beinah kann ich meinen Augen nicht trauen.

»Es gibt Knödel?«, frag ich deshalb ziemlich verblüfft und
schau ihr dabei über die Schulter. Mehr krieg ich sowieso
nicht über die Lippen, weil selbige bereits prompt zusam-
menpappen.

»Herrschaft, Bub«, keift sie mir gleich her, wischt sich die
Hände an der Schürze ab und drückt mir dann den Föhn in
die Hand. »Geh weg! Du tropfst mir ja in den Knödelteig
rein.«

»Warum gibt's Knödel?«, kratzt es mir aus dem Hals.

»Ja, weil's zum Schweinernen halt schon immer Knödel
gibt.«

Aha.

»Dann gibt's etwa ein Schweiners heut?«, frag ich zur Sicherheit weiter und schwöre, jedes einzelne Wort ist eine unglaubliche Qual.

Sie nickt. Ja, beginnt sie dann zu erzählen. Unsern wunderbaren Herrn Doktor Brunnermeier nämlich, den hat sie gestern rein zufällig beim Einkaufen getroffen. Und dabei hat er
sie dann wohl so rein ernährungstechnisch aufs Erstklassigs-
te informiert. Frau Eberhofer, hat er zu ihr gesagt, einmal in
der Woche, da muss unbedingt was Kalorienreiches auf den

Tisch. Ja, unbedingt, hat er gesagt. Denn dadurch wird unserem Körper quasi mitgeteilt, dass alles völlig in Ordnung ist. Ansonsten, wenn man halt praktisch ständig komplett alles reduziert, dann denkt sich der schlaue Körper: Huihuihui! Vorsicht, Krieg! Oder Hungersnot! Oder Pleite! Und dann fängt er natürlich irgendwann an, die gesamte Kalorienverbrennung aufs Drastischste runterzudrosseln und unser ganzes System ist damit komplett durch den Wind. Und das wollen wir ja schließlich nicht, gell. Drum einmal die Woche richtig schlemmen und schon hat man den guten alten Body überlistet und alles ist somit in Ordnung. Ja, wenn das mal keine grandiosen Nachrichten sind.

Kaum, dass sich mein erfreutes Herz wieder zu einem regulären Rhythmus eingefunden hat, da geht die Tür auf und die Mooshammerin kommt rein.

»Eine schöne Mess ist das heute gewesen«, sagt sie und schnappt sich dann gleich den Föhn. »Da bin ich froh, dass ich dort war trotz diesem miesen Scheißwetter da draußen. Und der Pfarrer, der hat am End noch gesagt, wir sollen alle in uns gehen heut Nachmittag bei dieser Sitzung. Und dass man seinen Nächsten lieben soll wie sich selber. Ja, das hat er gesagt, und das war schön.«

»Soso«, sag ich, weil mir zum einen eh weiter nix einfällt und ich zum anderen irgendwie diese blöden Knödel nicht aus den Augen lassen kann.

»Bist du heut Nachmittag für die Sicherheit zuständig, Franz?«, fragt sie dann noch nach.

»Ja, wer denn sonst?«, murmele ich mehr so vor mich hin.

»Mei, hätt ja auch sein können, dass der Max diese Aufgabe übernimmt.«

»Ja, das wird er wohl auch müssen, wenn er nicht zufällig grad wieder mit der Zunge an seiner Mia angewachsen ist«, sag ich und zuck mit den Schultern.

»Gell, dieses Flitscherl, dieses windige«, sagt die Liesl jetzt weiter und legt dabei den Föhn beiseite. »Die arme Gisela, die ist schon ganz fertig mit den Nerven. Weil diese zwei Jungen ja praktisch jede Nacht rammeln, was das Zeug hält, und die Gisela und auch ihr Alter ständig wach werden davon.«

Jetzt muss ich grinsen.

Doch bevor ich mir dieses Szenario auch noch so richtig vorstellen kann, stößt der Papa zu uns in die Küche, grüßt kurz und knapp und schnappt sich schließlich den Föhn.

»Wo kommst du denn her?«, frag ich, weil mich das echt interessiert.

»Der ist grad noch unter seinem Opel geflackt«, antwortet die Liesl statt seiner, aber er nickt dabei zustimmend. »Die alte Kiste, die verliert wohl irgendwie Öl.«

Manchmal frag ich mich echt, ob es in diesem Kaff auch nur irgendeine winzige Kleinigkeit gibt, die der Mooshammerin tatsächlich entgeht.

»Hast ihn ja auch arg strapaziert in den letzten paar Tagen«, sag ich nun so zum Papa, doch der föhnt und föhnt, ist dabei ziemlich entspannt in der Visage und tut einfach so, als hätt er mich gar nicht gehört.

»Bist schon wieder recht gut drauf heut, gell. Und das trotz diesem ganzen Sauwetter da draußen«, starte ich erneut einen Versuch, ihm irgendetwas aus der Nase zu kitzeln.

»Mei«, sagt er und schaut mich jetzt wenigstens an. »Wie hat er gesagt, der gute, alte Valentin: Ich freu mich, wenn's regnet, weil wenn ich mich nicht freu, dann regnet es auch.«

Hm.

»Ja, da ist schon was dran. Ach ja, bevor ich's vergess, der Buengo, der kommt heut übrigens auch zum Mittagessen vorbei. Ich hab ihn eingeladen«, sagt die Liesl jetzt weiter, während sie nun die Schwarte vom Fleisch in möglichst gleichmäßig große Quadrate einzuschneiden beginnt. Ein schönes

Stück Braten, muss man schon sagen, sogar im noch völlig rohen Zustand. Und wenn das erst mal im Ofenrohr ist und so langsam vor sich hin brutzelt … Und von Zeit zu Zeit mit dunklem Bier übergossen wird …

Jetzt aber läutet mein Telefon und reißt mich somit aus meinen deftigsten Träumen. Es ist der Rudi, der dran ist. Das seh ich sofort.

»Eberhofer«, sag ich, geh rüber zum Fenster und schau mal in den Regen hinaus.

»Birkenberger«, sagt der Rudi überflüssigerweise.

»Ich weiß.«

»Warum meldest du dich dann so seltsam?«

»Rudi, was ist los? Gibt's denn etwas Privates zu besprechen? Denn in beruflichen Dingen, da wolltest du mir ja erst am Montag wieder eine Audienz geben, oder nicht?«

»Jetzt sei nicht albern, Franz, und pass auf.«

Nicht albern, ha, da spricht ja wohl der Experte. Aber wurst. So bin ich halt nicht länger albern und pass auf. Ja, es läuft grad ganz gut, sagt er, und dass er nun endlich diesen ganzen seltsamen Kürzeln auf dem Kalender von unserer Toten auf die Spur gekommen ist. Stunden und Tage hätte er schon darüber gegrübelt, und nun hat er dieses Rätsel wohl endlich entschlüsselt. T steht für telefonieren, versucht er mir zu erklären. B für Besuch. Und S, ja stell dir vor, S steht für Sex. Der jeweilige Buchstabe davor, der steht für den Namen. Also Beispiel: Wenn dort an einem Sonntag seht: »MT«, dann heißt das praktisch, dass unser Opfer am Sonntag mit ihrer Mutter telefoniert hat.

»Rudi, das ist ja wohl lächerlich«, muss ich hier unterbrechen. »MT, das könnte alles Mögliche heißen. Mutter Teresa zum Beispiel. Oder Möchte Tortellini. Oder meinetwegen: Morgen Tonne rausstellen, verdammt.«

»Heißt es aber nicht.«

»Woher willst du das wissen?«

»MT heißt Mutter telefonieren, weil sie nämlich sonntags ziemlich regelmäßig mit ihrer Mutter telefoniert hat, verstehst. Und wissen tu ich das mit ziemlicher Sicherheit, und zwar von ihrer Mutter höchstpersönlich.«

»Von ihrer … sag mal, bitte schön, wo und wann hast du denn ihre Mutter getroffen?«

»Gestern, wenn du's genau wissen willst, und zwar in Landshut drinnen. Dein Vater war übrigens auch dabei, hat er denn gar nix erwähnt?«, will der Rudi nun wissen und kriegt grad mal wieder seinen berühmt überheblichen Tonfall und ich gleich das Kotzen. Ich schau mal rüber zur Eckbank, wo der Papa hockt und sich mit seinem Autoschlüssel ganz konzentriert die Fingernägel ausputzt.

»Franz?«, kann ich den Rudi weiter vernehmen.

»Ja, scheiße, Mann. Und was weißt du über diese anderen Buchstaben? Da war doch noch ein C, oder? Und ein V, soweit ich mich erinnern kann«, frag ich, und in der Spiegelung von der Fensterscheibe kann ich nun erkennen, wie die Liesl grad unseren Braten im Backrohr versenkt. Wunderbar. Gar nicht mehr lang, und schon wird die komplette Küche ganz hammermäßig zu duften anfangen.

»Ja, genau. Da gibt's doch diesen Viktor, diesen Conny und warte kurz … gleich hab ich's. Da, diesen gewissen Anton gibt's auch noch. Wobei dieser Conny, der ist vermutlich eh außen vor. Der ist ja ihr Kindergartenfreund und außerdem noch stockschwul und dürfte somit aus unserem Raster fallen.«

»Wieso?«, muss ich hier nachhaken, einfach, weil mir schlicht und ergreifend die Logik hinter dieser These fehlt.

»Keine Ahnung, das hab ich so im Urin.«

»Ach so. Ja, gut, Rudi, dann ist es natürlich vollkommen klar.«

»Ja, jetzt reg dich nicht auf. Fakt ist jedenfalls, dass wir uns die beiden anderen noch mal genauer anschauen sollten, Franz. Einer davon war ja ihr Ex und der andere ein Arbeitskollege. Nun aber kommt's, mit allen zweien hatte die wunderschöne Saskia durchaus noch richtig was am Laufen, wenn du weißt, was ich meine. Und zwar bis zuletzt.«

Da schau einer an, was der Rudi alles weiß.

Grad schnauf ich noch so tief durch, um die Informationen zu sortieren und eine anständige Antwort zu liefern, wie es draußen plötzlich einen dumpfen Knall gibt und kurz darauf eine fette Staubwolke in den heimatlichen Himmel emporsteigt. Was zum Teufel ist denn jetzt wieder los? Wie nicht anders zu erwarten, rumpelt prompt die Liesl neben mich, und auch der Papa erhebt sich umgehend und gesellt sich zu uns an die Fensterfront.

»Scheiße, Liesl«, brummt er einige Atemzüge später und deutet mit dem Kinn in die Richtung der Wolke, die nur einen kleinen Moment lang nach oben steigt, gleich aber vom prasselnden Regen zurückgedrückt wird. »Ich fürcht ja fast, deine alte Bude, die hat's jetzt endgültig zerlegt.«

»Wie, meine alte Bude hat's zerlegt? Was meinst denn damit? Jetzt sag schon«, will sie darauf gleich wissen, wobei sie immer noch wie gebannt durch die Scheibe hindurch und in den Regen starrt. Im Grunde genommen genauso wie der Papa und ich selbst. Einzig die Oma, die steht noch an der Arbeitsplatte drüben, dreht unbeirrt Knödel und hat offenbar keinen blassen Schimmer, was hier grad so abgeht. Ich unterbrech mal kommentarlos das Telefonat mit dem Rudi und wähl stattdessen die Nummer vom Flötzinger. Immerhin ist der ja ein direkter Nachbar von der Liesl und müsste somit schon irgendwas mitgekriegt haben. Es ist belegt, das ist ja zum Verrücktwerden heute.

»Jessas«, kann ich die Oma dann plötzlich vernehmen und

merk es gleich, dass sie nun neben uns steht. »Der Regen, der ist ja ganz furchtbar dreckig. Schauts doch hin, das wird ja immer schlimmer. Eine Scheißumwelt ist das da draußen. Nein, direkt ekelhaft, pfui Deifel.«

Dann aber läutet mein Telefon, und fast könnt ich schwören, es ist das allererste Mal, wo ich mich ehrlich über einen Anruf vom Flötzinger freu. Und ja, es ist wahr. Die Ruine von der Liesl, sagt er, die ist nun völlig im Arsch und sein blöder Kostenvoranschlag, wo er die halbe Nacht lang dran gehockt hat, der somit freilich auch. Wahrscheinlich war das marode Gebäude mitsamt diesem löchrigen Dach diesen Wassermassen einfach nicht mehr gewachsen. Ja, hier spricht der Fachmann, keine Frage.

Das Telefon läutet. Diesmal aber ist es nicht mein eigenes, sondern das vom Wohnhaus, und dadurch geht der Papa ans Rohr. Von draußen her kann man mittlerweile die Feuerwehrsirenen hören, was dazu führt, dass die Liesl aus ihrer aktuellen Schockstarre herausgerissen wird und plötzlich zur Tür hinaussaust. Und so beende ich das Gespräch mit unserm Heizungspfuscher, weil ich mittlerweile ja weiß, was ich wissen hab wollen.

»Der Bürgermeister war grad dran«, sagt der Papa, wie er vom Telefon zurückschlurft. »Du sollst zur Einsturzstelle kommen, und zwar gleich, wenn's keine Umstände macht.«

Herrschaftszeiten, geht's noch!

Und so steh ich, wie viele andere auch, ein paar Minuten später im strömenden Regen vor dem Schutthaufen von der Mooshammer Liesl, der einstmals ihr Haus war und zwischenzeitlich auch eine Ruine. Zu tun gibt's hier aber für mich momentan eh nichts mehr. Und so quetsch ich mich durch etliche Gaffer und Regenschirme hindurch und begeb mich mal ganz nach vorne zu der Liesl, die dort vor ihren Trümmern steht.

»Das tut mir jetzt echt leid für dich«, sag ich erst mal, und es ist durchaus wahrheitsgemäß.

»Da brauchst dir gar nix scheißen, Franz«, entgegnet sie mir aber mit verschränkten Armen, und ihre Stimme ist so resolut wie eh und je. »Alles, was mir jemals wichtig war in meinem Leben, das hab ich zuvor längst schon in Sicherheit gebracht, verstehst. Und alles andere, das war keinen Pfifferling mehr wert. Jetzt, Franz, jetzt bau ich mir hier einen Bungalow her, einen ganz erstklassigen, und bingo. Fertighaus, verstehst. Dann brauch ich keine depperten Treppen nicht mehr steigen. Und außerdem bauen die mir das in vier Wochen hin und gut ist. Und so lang hätt der Flötzinger allein schon für seine depperte Hackschnitzelheizung gebraucht.«

Aha.

»Aha«, sag ich, weil mir weiter nix einfällt.

Die Schaulustigen lösen sich im gleichen Tempo auf, wie sie vorher erschienen sind, was in Anbetracht der Wetterlage auch nicht weiter verwunderlich ist. Und aus demselben Grund machen wir uns auch ziemlich rasch wieder auf den Heimweg, die Liesl und ich. Und sonderbarerweise sind wir alle zwei richtig guter Dinge dabei. Sie wahrscheinlich mehr wegen der ganzen Vorfreude auf ihren erstklassigen Bungalow mit ganz ohne Treppen. Und ich eher mehr, weil mittlerweile ein hammermäßiger Schweinebraten in seinen letzten Zügen liegen dürfte und bald schon meine Gurgel runtermarschiert.

»Weißt, Franz«, sagt sie dann noch, kurz bevor wir im Hof ankommen. »Der Himmelvater, der hat schon ein Einsehen gehabt.«

»Inwiefern?«

»Ja mei, die Renovierungsarbeiten, die hätten viel gekostet und ewig lang gedauert. Und hinterher, da wär ich trotzdem bloß in diesem uralten Bunker gehockt und hätt wahrscheinlich außerdem auch noch ständig an diese arme tote Frau denken müssen, die dort sterben hat müssen.«

»Hm, ja, kann ich nachvollziehen«, sag ich, weil es wirklich so ist.

»Und, wie schaut's denn eigentlich bei dir aus? Bist vielleicht schon auf der Spur von deinem Mörder?«

»Nicht konkret. Da gibt's schon noch einige, die überprüft werden müssen und wo ich rausfinden muss, ob überhaupt ein brauchbares Motiv vorliegt. Apropos Motiv, Liesl, du weißt schon, dass du jetzt freilich auch zu meinen Hauptverdächtigen gehörst. Weil, wenn wir einmal ehrlich sind, dein Motiv ist ja kaum noch zu toppen, oder?«

»Geh, Depp«, grinst sie mir her. »Ich hab's dir doch schon gesagt, Eberhofer. Fahr rüber zum Landgasthof und knall einfach alle der Reihe nach ab. Da erwischst garantiert keinen Verkehrten.«

Die Oma gießt einen kräftigen Schuss Dunkelbier über die bereits resche Kruste, grad wie wir in die Küche reinkommen, und der Papa macht schon mal den Tisch zurecht. Und wie erwartet, hat der Bratenduft mittlerweile den ganzen Raum eingenommen. Ich schnauf ein paar Mal tief ein und muss mich immer fast direkt zwingen, auch wieder auszuatmen. Und freilich wollen die zwei Daheimgebliebenen dann gleich unbedingt wissen, was denn alles so los war, dort drüben bei der Einsturzstelle. Drum bleibt erst einmal gar nichts anderes übrig, als ganz artig Bericht zu erstatten, um ihre Neugierde zu stillen. Im weiteren Verlauf ist es jedoch dann eher die Mooshammerin als meine eigene Wenigkeit, die das mit dem Erzählen komplett übernimmt. Weil jetzt nämlich dieser gigantische Braten der Reihe nach auf unseren Tellern landet. Mitsamt Knödeln und Kraut und ganz fett Soße obendrauf. Und ich es drum lieber vorzieh, meine gesamte Aufmerksamkeit diesem einzigartigen Kunstwerk zu widmen. So genieß ich deshalb und schweig und bin quasi damit schon so dermaßen überfordert, dass mir das hitzige Tischgespräch, das unter meinen drei Mitessern soeben stattfindet, schlicht und ergreifend völlig entgeht. Hinterher bin ich zufrieden und satt und eigentlich auch unglaublich couchschwer, dennoch leider genötigt, stattdessen meinen Arsch zu erheben und mich zu dieser unsäglich blöden Krisensitzung der Gemeinde Niederkaltenkirchen zu begeben. Mir bleibt aber wirklich auch gar nix erspart.

Kapitel 20

Noch bevor ich mit meiner Rumpelkiste im Vereinsheim Rot-Weiß aufschlag, läutet mein Telefon und der Simmerl Max ist dran. Er will wissen, wo ich abbleib, und hat einen ziemlich hektischen Tonfall drauf. Ja, ja, sag ich nur kurz und knapp, er soll sich nicht einnässen, ich wär gleich vor Ort. Es regnet noch immer, mir ist wieder mal schlecht, der Papa hockt neben mir auf dem Beifahrersitz und die Oma klebt hinten auf der Rückbank und schnauft mir ins Ohr. Und der liebe Gott weiß sehr wohl, dass ich meinen Sonntagnachmittag liebend gern komplett anders gestaltet hätte. Aber es hilft alles nix.

»Ui, schau«, schreit mir die Oma über die Schulter, grad wie wir vor die Vereinstür rollen. »Das ganze Dorf ist da. Und da drüben, hinter dem Trumm Auto, dieser Spargel da, ist das nicht sogar unser Landrat?«

»Ja, mich leckst am Arsch«, brummt dann auch noch der Papa aus seinem Polster heraus und kriegt dabei ganz riesige Augen.

So steig ich mal aus, und kaum hab ich den zweiten Hax aus der Fahrertür draußen, da eilt bereits der Max auf uns zu.

»Drei Anzeigen wegen Beleidigung, eine wegen Sachbeschädigung und eine wegen Körperverletzung«, liest er von einem Zettel ab, welchen er mir im Anschluss großzügig überreicht. »Hier, hab dir alles aufgeschrieben.«

Und just in diesem Moment, da fliegt eine Tomate auf die Limousine von unserem schmalbrüstigen Herrn Landrat, zerschellt dort am Lack nachtblau metallic und bespritzt somit sogar sein anthrazitfarbenes Nobeljackett. Na, servus.

»Autsch«, grinst mir jetzt der Simmerlbub her. »Dann werden's wohl zwei. Also zwei Anzeigen wegen Sachbeschädigung.«

Doch nachdem der Chauffeur von unserem Landrat das Malheur an diesem höchstselbst sowie an dessen Wagen prompt und geschickt beseitigt hat, so gut es eben geht, reagiert der dürre Amtmann ausgesprochen souverän und routiniert. Vermutlich ist es ja auch nicht das erste Mal, dass etwas nach ihm geschmissen wurde. Egal. Jedenfalls fordert er jetzt unsere Mitbürgerinnen und Mitbürger zur Besonnenheit auf und legt ihnen nahe, diese Versammlung, wegen der im Grunde ja alle wohl hier wären, vernünftig und sachlich anzugehen. Was einerseits zu jubelnder Zustimmung, andererseits und erwartungsgemäß aber eben auch zu hämischem Gelächter über Buhrufe bis hin zu Hau-ab-und-schleich-dich-du-Arsch-Rufen führt. So zieh ich mal meine Waffe und schieß damit dreimal in die Luft. Und wie auf Kommando wackeln alle unsere Eingeborenen prompt brav ins Vereinsheim.

»Mein Gott, sind Sie denn des Wahnsinns«, wendet sich unser Landrat nun direkt an meine Wenigkeit. Doch bevor ich mich überhaupt zu einer Antwort hinreißen lasse, da übernimmt ein ganz anderer schon meinen Part.

»Grüß Sie Gott, mein lieber Herr Landrat«, sagt plötzlich der Richter Moratschek, der grad ums Eck und auf uns zukommt. »Das mit diesen Schüssen, das dürfen Sie nicht allzu eng sehen. Der Kollege Eberhofer, der weiß nämlich schon sehr wohl, wie er umzugehen hat mit seinen Pappenheimern, gell.«

»Moratschek«, entgegnet der Landrat ein bisschen nervös

und fischt ein Tempo aus seiner Jackentasche. »Ja, heiliger Bimbam, sind wir denn hier im Wilden Westen?«

»Von Landshut aus gesehen sogar ziemlich exakt. Also rein geografisch gesehen«, muss ich mich hier einmischen. »Wenn man jedoch beispielsweise von Straubing aus schaut, dann allerdings liegt Niederkaltenkirchen mehr …«

»Eberhofer, Herrschaftszeiten!«, werde ich nun aber abrupt unterbrochen, und zwar vom Richter Moratschek. Und der möchte nun, dass ich diese dämliche Konversation hier schnellstens abbreche und den werten Landrat stattdessen auf dem sichersten aller Wege ins Vereinsheim transportiere. Nichts leichter als das. So geh ich also mal hinein, noch immer bewaffnet, das versteht sich von selbst, und fordere alle Anwesenden hier ausnahmslos dazu auf, umgehend Platz zu nehmen und das Maul zu halten.

»Wir auch?«, fragt nun die Vroni hinter ihrem Tresen hervor und meint damit offensichtlich die ganze Belegschaft. Ich schüttle den Kopf. Und Sekunden später kann der Herr Landrat ungehindert eintreten und sich völlig unbehelligt unter den Mob mischen.

»Ich wart draußen vor der Tür, habts mich verstanden. Also machts bloß keinen Scheiß«, ruf ich noch so in die Menge, und dann bin ich weg.

»Aber warum bleiben Sie denn nicht drinnen?«, will der Richter nun wissen, grad wie wir anschließend im Korridor ein weiteres Mal aufeinandertreffen.

»Einfach, weil ich keinen Bock hab, Moratschek. Wissen S', eigentlich wär heut mein heiliger Sonntag. Weil ich nämlich morgen in aller Herrgottsfrühe wieder fit sein muss, und zwar wie ein Turnschuh, um einen depperten Mörder zu suchen. Aber was anderes, was machen Sie eigentlich hier draußen bei uns in der Prärie?«

»Das hat verschiedene Gründe, Eberhofer. Einer davon ist

zum Beispiel Ihr depperter Mörder. Haben S' denn da schon den einen oder anderen Anhaltspunkt?«

»Anhaltspunkte hab ich einige. Aber wissen S', wenn ich mich ständig um so einen Scheißdr…«

»Pst! Jetzt passen S' einmal auf, Eberhofer«, unterbricht er mich wieder und hakt sich dann auch noch bei mir unter. Und so wandern wir einige Schritte ins Freie hinaus. »Haben Sie sich denn schon mal die Mutter angeschaut? Also die von der Toten?«, fragt er nun, und dabei senkt er verschwörerisch seine Stimme.

»Die Frau Grimm?«

»Genau die.«

»Wieso?«

»Ja, Herrschaftszeiten. Weil Sie einen Mord aufklären müssen, verdammt noch mal. Und dazu die Befragung aller Verdächtigen gehört.«

»Sagen Sie mir nicht, wie ich meinen Job machen muss.«

»Ja, offenbar muss ich das schon. Diese Frau Grimm, die hat nämlich grad ein kleines Vermögen geerbt. Von ihrer ermordeten Tochter, um genau zu sein. Und, spannen S' was?«

»Was? Die … die Frau Grimm? Das kann ich nicht glauben.«

»Glauben S' das oder lassen S' das bleiben. Mir ist das wurst. Aber ermitteln sollten S' in jedem Fall.«

Jetzt fehlen mir direkt die Worte.

»Aber woher … woher wollen S' denn das eigentlich haben? Also das mit der Erbschaft«, muss ich hier nachfragen und bleib dann erst einmal stehen. Er zuckt kurz mit den Schultern und kramt dann eine Schnupftabakdose hervor. »Nachlassgericht, Eberhofer«, murmelt er noch, ehe er seine Nasenflügel mit Drogen versorgt.

»Scheiße, ja, klar. Und … und über welche Summe sprechen wir hier?«

»Weit über eine Million, Eberhofer. Ob Sie's glauben oder auch nicht.«

Seine Nase ist nun wieder einmal voller Schnupftabak, aber diesen Anblick bin ich längstens gewohnt. Woran ich mich aber niemals gewöhne, ist diese nasale Stimme, die er dann plötzlich kriegt, wenn er seine Sucht befriedigt. Es ist wirklich total irritierend, und ständig warte ich drauf, dass er schnäuzt oder niest, was aber durchaus auch mal dauern kann.

»Sagen Sie mal«, näselt er weiter, und mich würgt's richtig her. »Wie war denn eigentlich das Verhältnis so zwischen Mutter und Tochter? Wissen S' da was drüber?«

»Ja, freilich weiß ich da was drüber, ist schließlich mein Job.«

»Na ja, Ihre Methoden sind ja … zumindest fragwürdig, gell. Aber egal, also?«

»Nach Aussage von der Mutter hatten die beiden in der letzten Zeit nur noch wenig Kontakt. Und der Grund war wohl, dass die Tochter irgendwann ein Verhältnis mit so einem Typen angefangen hat und dadurch ihren damaligen Bräutigam samt konkreten Hochzeitsplänen an die Wand gefahren hat, was der Frau Mama halt nicht besonders gefallen hat.«

»Sehen Sie! Das ist doch schon ein Motiv. Und so eine Million, die ist ja dann vielleicht umso prickelnder, um es in Ihre Worte zu fassen.«

»Sie haben da was, Moratschek«, sag ich und deut auf meine Nase. Er kapiert sofort und zieht ein Taschentuch aus der Hosentasche, womit er sich abwischt. Die Hoffnung auf einen ausgiebigen Schnäuzer allerdings bleibt unerhört.

»Danke«, näselt er wieder.

»Bitte. Aber woher soll denn diese junge Frau überhaupt so unglaublich viel Geld gehabt haben?«

»Ja, bin ich der, wo bei der Polizei ist, oder sind Sie das? Das müssen S' dann schon noch selber herausfinden, gell. Ich kann Ihnen nur sagen, dass ihre Mutter die einzige Hinterbliebene ist. Und somit die Alleinerbin von unserem Opfer. Und ich weiß aus meiner Berufserfahrung heraus, dass durchaus schon der eine oder andere im Grunde unbescholtene Weggefährte für weitaus weniger Geld plötzlich und unerwartet zum Familienmeuchler mutiert ist. Das dürfen Sie mir gern glauben, Eberhofer.«

Da schau einer an! Über eine Million. Allerhand. Den Papa wird das gar nicht freuen. Und wie auf Kommando tritt der durch die Tür, gesellt sich dann zu uns und reißt mich somit komplett aus meinen Gedanken heraus. Und nachdem sich die beiden Senioren ausgesprochen herzlich begrüßt und umarmt haben, lässt uns der Papa noch wissen, dass da drinnen grad eh nur rumgelabert wird. Dabei holt er seinen Tabakbeutel aus der Hosentasche und dreht sich einen Joint. Und so zieh ich mich mal lieber in meinen Streifenwagen zurück und lass die zwei betagten Herrschaften hier allein in ihrem alten Schmäh versinken.

»Ein Sauwetter ist das«, kann ich den Moratschek beim Weggehen noch hören. »Erinnern Sie sich noch an unseren Gardaseeurlaub, lieber Eberhofer? Ha, was war das doch …«

Und kaum dass ich eingestiegen bin, da lass ich meinen Fahrersitz weit nach hinten gleiten, lehn mich zurück und schließe die Augen. Diese Frau Grimm. Das ist völlig unglaublich. Diese zarte, hübsche und warmherzige Frau. Die so unglücklich war über den Tod ihrer Tochter, mit all ihren Blumen und Kerzen und Tränen. War das alles nur Theater und sie ist eine ganz miese und durchtriebene Kindsmörderin? Und das aus reiner Habgier heraus? Eigentlich kaum vorstellbar. Allerdings, und das lehrt mich meine Erfahrung, hat sich schon so manch ein Ferrari als astreine Seifenkiste entpuppt, ganz klar. Und mal angenommen, an der Sache ist wirklich was dran, wie bitte schön soll ich das dem Papa verklickern? So nach dem Motto: Kannst deine Antennen ruhig wieder einfahren. Dein neues Herzblatt liegt nämlich nun erst mal für ein paar Jahre auf Eis. Hm. Lustig wird er das sicher nicht finden. Verdammte, verdammte Scheiße noch eins. Doch es hilft alles nix, eines ist gewiss, ich muss dieser Sache unbedingt auf den Grund gehen. Und ich muss den Rudi informieren. Mein Gott, ist dieser Fall vielleicht anstrengend.

Dann klopft es kurz an der Scheibe, ich öffne die Augen und gleich im Anschluss auch noch das Fenster.

»Sag mal, Franz, was ist denn mit deiner Kiste passiert?«, grinst mir der Max nun entgegen, und ich streck mich mal durch. So informier ich ihn halt kurz über die Vorfälle, die unliebsamen, denn immerhin geh ich ja mal stark davon aus, dass er auf meiner und somit der richtigen Seite steht. Sein dämliches Grinsen jedoch reduziert sich nicht im Mindesten nach meiner Ansprache. Ganz im Gegenteil.

»Findest du das lustig, Max?«, frag ich deswegen nach und steige mal aus.

»Irgendwie schon«, sagt er knapp, wird dabei aber wenigstens rot.

»Dann solltest du dir ernsthaft einmal Gedanken machen, ob das auch der richtige Job ist, den du da machst.«

»Mann, du verstehst aber auch echt keinen Spaß«, brummt er nun und scharrt mit seinen Schuhen im Kies.

»Nicht, wenn's um meinen Job geht, du kleiner Scheißer. Und erst recht nicht, wenn's um meinen Streifenwagen geht, verstehst? Der hat nämlich schon Gangster in den Knast befördert, da bist du noch nicht mal Sperma gewesen, kapiert? Im Übrigen hat er mich bei all meinen Fällen nie im Stich gelassen. Und dann kommen so ein paar hirnrissige Vandalen und machen einen einzigen Schrottplatz daraus. Und du findest das dann noch lustig.«

Jetzt sagt er nichts mehr, starrt nur in den Boden und scharrt unbeirrt weiter.

»Wie dem auch sei«, wechsle ich jetzt lieber das Thema und deute mit dem Kinn aufs Vereinsheim rüber. »Was geht da drin grad so ab?«

»Na ja, die einen wollen halt unser Schneckenwegerl retten und die anderen eben unbedingt dieses blöde Hotel hinbauen. Eigentlich alles wie immer. Keine Ahnung. Aber ich glaub, der Landrat, der hat jetzt ein paar Vorschläge, die gar nicht so schlecht sind.«

Na also. Geht doch. Und dafür muss extra ein Landrat anwackeln, dass hier in Niederkaltenkirchen endlich wieder Waffenstillstand herrscht. Ja, weit haben wir's gebracht, könnte man meinen.

»O.k., o.k.«, sagt der Metzgerbub weiter und hat endlich seine eigene Hautfarbe zurück. »Ich … äh, ich schau dann mal wieder rein. Damit wenigstens einer von uns beiden auf dem Laufenden ist.«

Was aber ja direkt lächerlich ist. Weil wenn man zu Hause den Papa, die Oma und obendrein die Mooshammerin am Küchentisch hocken hat, dann ist man so was von auf dem Laufenden, das kann man im Grunde eh kaum ertragen.

Aber gut. Und so schau ich mich mal um und muss feststellen, dass nun auch der Moratschek und der Papa weg sind. Vermutlich haben sie ihrerseits ebenfalls den Weg in dieses Bauerntheater hier gefunden. Ich bin jetzt eigentlich der Einzige, der noch draußen rumlungert. Der Regen hat langsam, aber sicher etwas nachgelassen, es nieselt nur noch mäßig, und dennoch lässt die geschlossene Wolkendecke keinen einzigen Sonnenstrahl durch. Was freilich zur Folge hat, dass im Vereinsheim bereits die Lichter angemacht werden. Deshalb gibt es nun plötzlich einen ganz erstklassigen Blick nach drinnen. Und weil dort natürlich alle so dermaßen hochkonzentriert den Worten unseres Landrats lauschen, bleib ich bei meiner Spähaktion völlig unentdeckt.

Dort drüben direkt am Eingang, da kann ich die Verwaltungsschnecken sitzen sehen. Mittendrin meine Susi, und sie hat den kleinen Paul auf dem Arm, der an einem Brezenstangerl rumzuzelt. Die Susi schaut wieder einmal rattenscharf aus in ihrer Jeans, den Sneakern und diesem blau-weißen Ringelshirt, und ich freu mich grad riesig, dass ich so einen erstklassigen Blick auf sie hab. Sie hat einen Strohhalm im Mund und nuckelt an einer Schorle, vermutlich Orange, und sie hat ihre Haare heut zu einem Pferdeschwanz gebunden, was sie wie einen Teenager aussehen lässt. Und ehrlich, wenn ich sie heute so anschau mit unserem kleinen Sohn auf dem Schoß, dann kann ich das beinah nicht glauben. Diese vielen, vielen Jahre, die wir uns nun kennen und meistens auch lieben, und sie ist keinen Tag älter geworden … Ganz im Gegenteil. Sie sitzt da zwischen all diesen Weibern, ist eine echt stolze Mama und schaut aus wie ein ganz junges Ding. Und ich könnte sie grade vom Fleck weg fressen. Jetzt ist mir irgendwie ganz komisch.

Dort am Tisch genau gegenüber, da hockt die Fraktion Hotelbau, darunter selbstredend der Flötzinger in seinem depperten Blaumann samt werbewirksamer Aufschrift »Gas-Wasser-Heizung Flötzinger«, mit verschränkten Armen und schief gelegtem Haupt, was wohl Interesse und Intellekt bekunden soll. Und ich könnt meinen Arsch drauf verwetten, dass hinter seinen fetten Brillengläsern längst schon die Dollarzeichen rotieren. Drüben unter den Fußballern, da kann ich den Buengo entdecken, und obwohl diese Truppe für gewöhnlich sehr trink- und lautstark sein kann, lauschen sie heute alle miteinander eher diszipliniert und einträchtig. Nur gelegentlich nimmt der eine oder andere beinah zaghaft einen Schluck Bier. Und obwohl echt alles hier ist, was auch nur ansatzweise kreuchen und fleuchen kann, und dieser Raum hier schon fast aus allen Nähten zu platzen droht, herrscht eine außergewöhnlich ruhige und ja, beinah könnte man meinen, sehr entspannte Atmosphäre dort drinnen vor. Was freilich auch meiner Anwesenheit zuzuschreiben ist, ganz klar. Einfach, weil man halt bedeutend friedlicher miteinander umgehen kann, wenn als Allererstes mal einer zeigt, wo eigentlich der Hammer hängt, gell. Und der Hammer, der hängt nun mal eindeutig bei mir, daran lässt sich auch nix ändern.

»Eine Hitz ist das da drinnen, da glaubst, du verreckst«, sagt jetzt die Oma, die urplötzlich neben mir steht, und wischt sich mit dem Ärmel über die Stirn. »Außerdem versteh ich eh kein einziges Wort nicht. Da steht bloß der dürre Landrat vorn mitsamt unserem supergescheiten Bürgermeister, und alle zwei haben's mordswichtig. Und der Rest von der ganzen Nation, der starrt sie bloß an und sauft Bier. Irgendwie hab ich mir das ganz anders vorgestellt, Franz.«

Wie wird sich wohl eine stocktaube Frau, die schon gut auf die Neunzig zugeht, eine Versammlung vorgestellt haben, wo für oder gegen einen Hotelbau entschieden wird? Womöglich mit einer Bingo-Einlage, einer Heizdeckenvorführung oder dass ihr dieser Spargel hier die Hühneraugen entfernt? Aber wer weiß das schon.

»Und die Schwarzwälder, die war auch nix Besonderes«, knurrt sie weiter, und dann will sie heim. Und zwar sofort. Weil ich hier aber wie gesagt heut eher dienstlich fungiere, muss ich notgedrungen bleiben, wo ich grad bin, und das sag ich ihr so, auch mit Händen und Füßen.

»So ein Scheiß«, sagt sie noch und wendet sich ab.

»Lenerl!«, ruft ihr die Mooshammerin noch kurz hinterher, grad wie sie durch die Vereinstür rauskommt. »Wo willst denn jetzt hin?«

Aber die Oma ist quasi schon unterwegs, stampft durch den Kies hindurch und auf die Straße hinaus Richtung Heimat.

»Was hat sie denn?«, will die Liesl jetzt wissen, stellt sich neben mich und deutet mit dem Kinn in die Richtung, wo die Oma soeben mit wehenden Fahnen in der Ferne verschwindet.

»Keine Ahnung«, sag ich und zuck mit den Schultern. »Wahrscheinlich hat sie schlicht und ergreifend den Unterhaltungsfaktor von dieser Sitzung ein bisserl überschätzt.«

»Wirklich?«, fragt die Liesl und scheint echt überrascht. »Also ich persönlich, ich hab mich bestens unterhalten. Im Grunde genommen hab ich mich schon sehr lange nicht mehr so dermaßen gut unterhalten.«

Aha.

Was zum Teufel kann da wohl dahinterstecken, wenn sich die Mooshammerin gleich so wahnsinnig gut unterhalten fühlt?

»Ja, komm, dann lass es schon raus«, geb ich ihr noch eine kleine Starthilfe, doch sie legt bereits los. Es ist einfach unglaublich, sagt sie, und dass ihre Glückssträhne wohl gar nicht mehr endet. Zuerst diese Sache mit dem Hauseinsturz, ja, besser hätt sie es ja gar nicht haben können. Die alte Bude ist weg, was bleibt, ist nur ein riesiges Grundstück mit ein bisserl Schutt drauf. Der aber mit einem Bagger in einem einzigen Vormittag erledigt sein dürfte. Und jetzt, jetzt will man in Niederkaltenkirchen ausgerechnet ein Hotel hinhauen, und trotzdem soll der Mühlbach mitsamt seinem Schneckenwegerl bleiben, wo er ist, und nicht umgeleitet werden.

»Und, Franz, fällt der Groschen?«, fragt sie abschließend. Doch ehrlich gesagt, nein, tut er nicht. Weil ich hier aber nicht den Deppen abgeben will, nick ich nur allwissend und zwinkere ihr zu.

»Genau, du Schlaumeier«, sagt sie und grinst mich von einem Ohr bis zum anderen an. »Hab ich mir schon gedacht, dass du ein cleveres Bürscherl bist, gell. Und weil ich das einzige Grundstück weit und breit habe, das zentral, idyllisch und groß genug ist, brauch ich mich jetzt nur zurücklehnen und drauf warten, dass der Bürgermeister an meine Tür klopft und mir ein passables Angebot macht. Gell, da schaust.«

Ja, da schau ich.

»Du hast gar keine Tür mehr, Liesl«, muss ich hier noch kurz einwerfen.

»Geh, Schmarrer«, lacht sie. »Und weißt du, was ich dann mach, Franz? Weißt du das?«

Nein, woher auch? Deshalb schüttle ich meinen Kopf.

»Dann nehme ich die ganze Kohle, quartier mich in der Queen Mary ein und mach eine schöne und lange Schiffsreise, gell. Und die restliche Welt, die kann mich recht fett am Arsch lecken. Und Ende Gelände. Was sagst du dazu?«

Was, bitte schön, soll man dazu noch sagen? Bei uns vom Hof jedenfalls ist sie dann erst einmal weg. Prima. Und Ende Gelände.

Kapitel 21

»Schönen guten Morgen, lieber Kollege, ich hab dir was Feines mitgebracht«, ist das Erste, was ich am nächsten Tag vernehme, und da hab ich noch die Augen zu und träum von der Queen Mary. Es ist der Rudi, der bei mir auf der Bettkante sitzt und mich anstrahlt, als säß er nicht auf der meinigen, sondern viel eher auf der von der Claudia Schiffer vielleicht.

»Wir sind keine Kollegen«, sag ich verschlafen, gähn ziemlich ausgiebig und setz mich langsam auf.

»Nicht?«, sagt der Rudi und drückt mir einen Plastikbecher in die Hand. »Dann kannst ja deinen Scheißfall recht schön allein auflösen.«

»Rudi«, sag ich und schau auf diese grüne Pampe, die ich jetzt grade in der Hand halte. »Jetzt spinn hier nicht rum und sag mir lieber, was das für ein ätzendes Zeug ist.«

»Das ätzende Zeug, von dem du da sprichst, lieber Exkollege, das ist ein Babyspinatsmoothie mit Bananen, kaltgepresstem Kokosöl und aufgegossen mit zimmerwarmem Heilwasser. Und, sollte es dich interessieren, das alles hab ich heut Morgen frisch zubereiten lassen in meinem Bioladen, damit du frisch und gesund in eine neue und vermutlich anstrengende Arbeitswoche startest. Also hör bitte auf, an mir rumzunörgeln, und sauf das Zeug endlich, bevor's schimmelig wird.«

Ist es das nicht schon? Aussehen tut's jedenfalls so. Doch

bevor ich's mir mit meinem Lieblings-Exkollegen noch total vermassle, schnauf ich einmal tief ein, halt die Luft an und lass die zähe Masse meine Gurgel runterblubbern. Das dauert ewig.

»Nein, nein, nein, nicht schummeln«, sagt der Rudi, wie ich endlich absetz und den Becher wegstellen will. »Da ist noch was drin, Franz. Also runter damit, schließlich ist das Zeug so teuer wie Gold.«

Ich merk gleich, wie mir jetzt die Tränen kommen, aber trotzdem setz ich noch mal kurz an. Zwei Schlucke, nein drei, so, leer. Ich stell den Becher auf den Kopf, mach den Mund ganz weit auf und streck meine Zunge heraus.

»Brav«, sagt der Rudi, gleich nachdem Becher und Mund seiner strengen Kontrolle standgehalten haben. Dann aber beginnt er auch schon nahtlos von seinen umfangreichen Recherchen zu erzählen. Und zwar, was diesen Kalender samt diverser Buchstaben betrifft und welche Rückschlüsse er daraus zieht. Ich aber muss jetzt erst mal ins Bad. Dringend Zähne putzen, um diese greislichen Reste aus den Backen zu waschen und ein möglichst neutrales Geschmacksempfinden zu schaffen für den baldigen Kaffee. Doch gleich nach den ersten zahntechnischen Umdrehungen, da merk ich es schon. Dieser Vorgang, der muss heute drastisch abgekürzt werden, weil ich plötzlich das dringende Bedürfnis auf die Schüssel verspür. Also kurz den Mund ausspülen, die Tür zumachen und: aaah. Und ja, ich muss noch betonen, es ist keineswegs zu zeitig dafür.

»Ja, und Franz, stell dir vor, dieser Conny«, sagt der Rudi und kommt einfach ins Bad rein.

»Sag einmal, geht's noch?«, schrei ich ihn an. »Ich hock grad am Scheißhaus.«

»Oh, ja, ich kann's riechen.«

»Raus jetzt!«

»Mein Gott, sind wir heute wieder empfindlich«, hör ich ihn noch, aber wenigstens macht er die Tür wieder hinter sich zu. Und nachdem ich endlich geduscht und frisch angezogen bin, haben wir bereits sämtliche wichtigen Informationen untereinander ausgetauscht.

»Das mit dieser Grimm, das ist der Hammer«, sagt der Rudi am Ende, grad wie ich meine Jacke überwerf.

»Ja, das ist es. Deswegen muss ich auch gleich nach Landshut reinfahren. Und dann müssen wir diese drei Typen unter die Lupe nehmen. Also die von deinem dämlichen Kalender.«

»Genau«, sagt er und reibt sich die kleinen dicken Händchen.

»Sag mal, Rudi, kann ich dein Auto haben?«

»Wieso, was ist mit deinem?«

»Kaputt.«

»Kaputt? Ja, gut, dann nimm doch den Admiral von deinem Alten. Ich weiß, er ist nicht so der Brüller, aber besser als …«

»Kaputt.«

»Auch kaputt? Allerhand.«

Und so bleibt mir am Ende gar nix anderes übrig, als den Rudi auch über das Desaster unseres hauseigenen Fuhrparks in Kenntnis zu setzen. Und nachdem ich ihm dann noch erzähle, dass mir von Amts wegen keinerlei Reparatur zusteht, weil meine Vorgesetzten ohnehin der Meinung sind, ich sollte die alte Kiste doch endlich mal verschrotten lassen und gegen einen modernen, zuverlässigen und sicheren Streifenwagen eintauschen, da weiß ich plötzlich wieder einmal, warum wir schon so lange ein echt großartiges Team sind, der Rudi und ich. Einfach, weil er prompt eine Idee hat. Dieser Autotandler nämlich, bei dem er für seine privatdetektivischen Einsätze des Öfteren mal die verschiedensten Fahrzeugtypen anmietet, der sei auf solche uralten Kisten wie die meinige unglaublich spezialisiert, sagt er. Und dort ... dort bringen wir das Vehikel jetzt hin, und der macht es dann wieder flott, und zwar zu einem Hammerpreis. Ja, lieber Rudi, ich liebe dich auch! Und so vereinbaren wir fürs Erste, dass er sich um den Wagen kümmert und ich mit dem seinen derweil nach Landshut reindüs, um mir diese Sache mit der Frau Grimm vorzunehmen. Und so machen wir's dann auch.

Sie sitzt in einem dunkelblauen Kleid dort im Frühstücksraum vom Hotel Sonne. Vor ihr auf dem Tisch steht eine Tasse Kaffee und sie selbst ist über ein Schreiben gebeugt, welches sie offensichtlich grad sehr konzentriert durchliest. Außer ihr ist kein anderer Gast anwesend. Was auch weiter kein Wunder, weil es schon gut auf elf zugeht.

»Guten Morgen, Frau Grimm«, sag ich, und es kommt mir nicht wirklich leicht über die Lippen. »Darf ... darf ich mich kurz setzen?«

Sie blickt auf, stutzt einen Moment, und dann huscht ihr flüchtig ein Lächeln übers Gesicht.

»Aber sicher doch«, sagt sie, nimmt die Lesebrille ab, faltet das Blatt Papier, das sie eben noch beschäftigt hat, und lässt es in einem Kuvert verschwinden. »Guten Morgen, Herr Eberhofer junior. Was verschafft mir die Ehre? Ist Ihnen noch was eingefallen? Hätten Sie auch gerne einen Kaffee?«

Fragen über Fragen. Also wo anfangen?

»Kaffee gerne. Eher aufgefallen als eingefallen. Und die Ehre ist ganz meinerseits«, sag ich deswegen und zieh mir einen Stuhl hervor. Und während ich mich niedersetze, gibt sie der Bedienung zu verstehen, dass ein weiteres Gedeck gewünscht wird.

»Was meinen Sie mit ›aufgefallen‹, lieber Herr Eberhofer«, fragt sie und nippt an ihrer Tasse.

Lieber Herr Eberhofer! Ja, wie zum Teufel soll man sich denn da auf ein knallhartes Verhör konzentrieren. Verdammt, ich muss mich jetzt zusammenreißen. Und ich muss mich konzentrieren. Und nicht zuletzt muss ich sehr taktvoll vorgehen. Weil immerhin die Möglichkeit besteht, dass die arme Frau Grimm hier ja doch völlig unschuldig ist, demzufolge einer Verhaftung entgeht und möglicherweise demnächst meine Stiefmutter wird. Und wenn ich sie mir so anschau, mit ihren weichen klugen Augen, der feinen blassen Haut und dieser hinreißenden Trauer in ihrem Gesicht, dann muss ich sagen, die schlechteste Wahl wär sie allemal nicht.

»Herr Eberhofer?«

»Ja, Mama«, rutscht es mir heraus, und im selben Moment möchte ich gern in ein Erdloch einwachsen, blind wie ein Maulwurf sein und einen riesigen Haufen über mir wissen. Sie hebt nur eine Augenbraue, aber nicht so, wie es der Papa immer tut in seiner warnenden Art und Weise. Nein, bei ihr wirkt es viel eher besorgt. Mein Gott, ist das peinlich. Und mein hektisches Lachen, das nun aus mir rumpelt, das macht die Sache auch nicht besser.

»Ist alles in Ordnung mit Ihnen?«, fragt sie weiter und beugt sich ein bisschen zu mir rüber.

»Ja, ja«, sag ich noch so, dann aber kommt zum Glück die Bedienung und serviert meinen Kaffee. Und die … die könnt ich echt grad küssen, weil sie mir somit wenigstens für einen kurzen Moment lang die Peinlichkeit dieser wirklich unmöglichen Situation erspart.

»Möcht denn die Frau Mama auch noch gern ein Tässchen?«, will sie aber dann wissen, und da sich noch immer kein Erdloch auftut, versenk ich den Kopf in meiner Tasse. Die Frau Grimm schüttelt den Kopf und lehnt dankend ab. Die Bedienung nickt nur schnell freundlich und geht ihrer Wege. So aber kommen wir hier nicht weiter.

»Frau Grimm«, sag ich deswegen und diesmal ist meine Stimmlage gleich ganz deutlich dienstlicher. »Der Tod von

Ihrer Tochter Saskia, der hat ja, nun, wie soll ich sagen, der hat ja nicht nur Nachteile für Sie, gell.«

Jetzt reißt sie die wunderhübschen Äuglein auf und starrt mich fassungslos an.

»Ja, zumindest, was das Finanzielle betrifft«, setz ich drum lieber nach.

»Sie meinen ... diese Erbschaft? Aber woher wissen ...?«

»Ich weiß es halt. Punkt. Sie haben über eine Million von Ihrer Tochter geerbt. Da tun sich bei mir ja minimum zwei Fragen auf, gell. Frage eins: Woher hatte Ihre Tochter überhaupt so eine unglaubliche Summe? Und Frage zwei: Wo waren Sie zum Todeszeitpunkt?«

»Das ... das hätte ich nicht von Ihnen geglaubt, Herr Eberhofer«, sagt sie, und ihre sonst so sanfte Art geht grad mächtig den Bach runter. »Grade, wo doch Ihr Vater ein solch liebens...«

»Frau Grimm, schaun S' her, das ist doch ganz einfach«, muss ich sie hier unterbrechen und nehm dabei unsere zwei Kaffeetassen zur Hilfe, einfach, um die Sache etwas anschaulicher zu machen. »Mein Vater, der steht dort, kapiert? Und das ist eben Privatleben, und darin bin ich im Grunde ein relativ umgänglicher Kerl. Meistens jedenfalls. Hier aber haben wir eine völlig andere Ausgangsbasis, nämlich: Wir müssen einen Mord aufklären. Und zwar den Mord an Ihrer Tochter, Frau Grimm. Und da bin ich halt dienstlich unterwegs. Kommissar Eberhofer sozusagen.«

Jetzt kneift sie ein bisschen bockig die Augen zusammen und nippt an der Tasse, die jedoch längst schon leer getrunken ist.

»Also gut«, sagt sie schließlich, schnauft erst mal tief durch und wischt sich eine Träne von der Wange. Danach aber wird sie gesprächig. Ja, sagt sie, das viele Geld, das hat die Saskia selbst erst geerbt. Und zwar von ihrem Vater, der vor etwa zehn Wochen verstorben ist. Der war dreiundzwanzig Jahre älter als unsere Frau Grimm hier und im Grunde ihr Exmann. Denn obwohl die beiden nicht geschieden waren, lebten sie bereits seit mehreren Jahren getrennt. Und dann, als er im Herbst letzten Jahres von seiner schweren Krebserkrankung erfahren hat, da ist er einfach zum Notar gewackelt und hat seine Tochter als Quasi-Alleinerbin eingesetzt – abgesehen von diesem Pflichtteil der Ehefrau vielleicht. Was ja auch sein allzu gutes Recht ist, nicht wahr? Durch den Tod von der Saskia aber ist die Situation plötzlich eine ganz andere geworden, gell. Denn weil es in dieser Familie sonst niemanden mehr gibt, da erbt jetzt ausgerechnet die Person den ganzen Zaster, die ihn – zumindest im Hinblick auf den Erblasser Nummer eins – ums Verrecken nicht haben sollte.

»Verstehe«, sag ich abschließend und leg meinen Schreiber zur Seite. »Ihr Verhältnis zu Ihrem Ex war eher gut, schlecht oder ich weiß nicht genau?«

Sie zuckt die Schultern.

»›Ich weiß nicht genau‹ trifft es wohl am besten, glaub ich. Sie müssen wissen, Herr Eberhofer, er hat mich verlassen. Nicht umgekehrt. Dieses Mädchen damals, das war ja kaum älter als unsere Saskia. Ja, und wie das Leben so spielt, hatte sie aber bald die Schnauze voll von diesem Greis und hat sich lieber was Schnuckeliges zugelegt.«

Jetzt lacht sie ein bitteres, zynisches Lachen, was irgendwie so gar nicht zu ihr passt.

»Ihr Alibi«, sag ich, schon einfach um das Thema zu wechseln.

»Ich habe keins«, sagt sie und schaut mir direkt in die Augen. »Ja, Sie werden lachen, aber ich habe keins. Ich war in Spanien auf meiner Finca, und zwar allein. Dort bin ich meistens allein. Sie könnten mich also praktisch für die Morde unzähliger Opfer verantwortlich machen.«

»Der Sarkasmus steht Ihnen nicht besonders«, sag ich noch so und schau sie für einen kurzen Moment eindringlich an. Sie schaut zurück und beißt sich auf die Unterlippe. Dann leg ich meine Zeche auf den Tisch, verabschiede mich förmlich und bin auch schon wieder weg.

Ich muss mich bewegen. Lauf ein bisschen durch die Straßen, die Grasgasse rauf, die Rosengasse runter, und irgendwie fühl ich mich bei jedem einzelnen Schritt hin- und hergerissen. Auf der einen Seite muss ich sagen, wenn dieses Erbe kein Tatmotiv ist, wo, bitte schön kann ich dann ein besseres finden? Und diese Art und Weise, wie die Frau Grimm mir grad eben begegnet ist, liegt meilenweit entfernt von der Frau, mit der ich im Wald war. Oder der vor den vielen Kerzen bei der Mooshammer Liesl vorm Haus. Doch genau dieser Frau dort im Wald oder eben bei den Kerzen, der würd ich alles, aber auch alles glauben und anvertrauen. Meine innersten Seelenqualen und sogar den kleinen Paul. Weil die nämlich eine Würde und Güte und Wärme ausgestrahlt hat, wie ich es wirklich nur seltenst erlebt hab. Verdammte, verdammte, verdammte Scheiße noch mal!

Dann aber läutet mein Telefon und reißt mich aus meinen Gedanken. Es ist der Rudi, der dran ist, und er sagt, mein Wagen, der wär jetzt in den allerbesten Händen. Und sein Autospezl hat die meisten Ersatzteile direkt vor Ort, sogar ein Blaulicht vom gleichen Baujahr, nur das mit dem Edding, das wird wohl eher eine heikle Sache. Am Donnerstag, spätestens Freitag aber, da ist er wieder flott und zur Abholung bereit. Na, wenn das keine guten Neuigkeiten sind!

»Bist du immer noch in München?«, frag ich am Ende.

»Logo. Aber ich kann hinkommen, wo immer du möchtest, Schatz. Weil ich mir nämlich jetzt einen Porsche ausgeliehen hab, da wirst du mit den Ohren schlackern.«

»Bleib, wo du bist«, sag ich nur noch. Und dass ich zu ihm

kommen werde. Weil dann könnten wir uns wenigstens noch diesen schwulen Conny vornehmen. Der lebt und arbeitet nämlich in München, und da bestünde immerhin noch die Möglichkeit, im Anschluss auf ein Bier in unser Stammlokal zu gehen. Dieser Gedanke gefällt auch dem Rudi, und so legen wir auf.

In seinem Porsche wirkt er natürlich wie alle anderen auch, weiß der Geier, warum das so ist. Aber immer, wenn ich jemandem in einem solchen Sportflitzer begegne, dann ereilt mich der Eindruck, der Fahrer habe das dringende Bedürfnis, die eigenen optischen Defizite eben genau dadurch irgendwie ausgleichen zu müssen. Egal. Jedenfalls strahlt mich der Rudi jetzt mit einem depperten Porschekäppi auf dem Schädel und aus seinem Fahrersitz samt Hosenträgergurt heraus an, dass es direkt lächerlich ist.

»Und, was sagst?«, will er dann auch gleich wissen. Da ich ihn aber heute schon einmal brüskiert hab, zuck ich nur mit den Schultern und leg dann das Augenmerk lieber gleich auf die Adresse von diesem Conny. Woraufhin der Rudi dann allein mit seiner Stimme die Daten an das Navi weitergibt, was sich ziemlich seltsam entwickelt.

»Bri-e-nnerstraße … nein, nicht Brenner, Bri-Bri-e-nner, zefix, Glump, geschissenes! Bri, sag ich. Bri… Bri…«

»Ich fahr schon mal vor, Rudi«, sag ich noch so und starte den Motor meines geliehenen Autos.

An der Wohnungstür vom Conny muss ich dann dreimal ausgiebig klingeln, und im Grunde ist es eher die Nachbarwohnung, die mich so hartnäckig werden lässt. Dort nämlich kommt aus dem Briefkastenschlitz plötzlich die Nachricht, dass dort drüben schon jemand zu Hause wär, ich soll nur weiterklingeln.

Und so mach ich das auch. Und siehe da, der Schlitz hatte recht.

»Ja?«, fragt ein großer Jüngling, durchtrainiert bis in die Ohrläppchen, mit dunklen, langen Haaren, hautenger Jeans und ebensolchem Hemd.

»Conny? Conny Ziegler?«, frag ich mit einem Blick aufs Namensschild.

»Nee, sorry. Der Conny, der pennt.«

»Ja, sorry, dann werden wir ihn wohl aufwecken müssen«, sag ich, indem ich meinen Dienstausweis vor seine Nase halte.

»Oh, Shit, Mann. Die Bul… äh, sorry. Nee, klar. Kommen Sie doch rein, Mann«, stammelt er noch, gibt aber wenigstens den Weg durch eine kleine Diele rüber ins Wohnzimmer frei. Und dort geh ich mal hin. Alles sehr schön hier. Modern und eher karg, aber auch nobel und sehr geschmackvoll. Gut, bis auf den Hamsterkäfig vielleicht, dort im Eck, der dieses Gesamtkunstwerk ein wenig verkackt. Aber gut.

»Und wer sind Sie dann bitte?«, frag ich den jungen Mann und zück meinen Notizblock.

»Raphael. Raphael Schäfer. Ich geh dann mal kurz den Conny wecken, okay?«, sagt er noch, und schon wird er von dieser winzigen, düsteren Diele verschluckt.

Und genau in dem Moment, wo der müde Conny samt Schlafmaske am Hirn bei mir im Wohnzimmer aufschlägt, genau da läutet mein Telefon und der Papa ist dran. So entschuldige ich mich ganz kurz und nehme ab.

»Bist du eigentlich wahnsinnig, oder was?«, kann ich ihn durch den Hörer hindurch vernehmen.

»Papa, du, es ist jetzt grad …«

»Was ist nur in deinem kranken Hirn los, Franz, dass du jetzt ausgerechnet die Frau Grimm …«

»Du, Papa, äh, wart mal kurz …«

Die zwei jungen Männer vor mir tauschen Blicke der seltsamsten Sorte, und wenn ich ehrlich bin, kann ich das durchaus verstehen. Der Papa brüllt nämlich so dermaßen in das

Telefon rein, dass ich ihn vermutlich auch ganz prima ohne dasselbe verstehen könnte. So leg ich einfach kurzerhand auf.

»Verwählt«, sag ich noch so und setz mich dann auf die Wildledercouch. »Conny Ziegler?« Die Schlafmaske nickt zögerlich, setzt sich dann aber zu mir.

»Saskia Grimm, der Name sagt Ihnen sicherlich was?«, frag ich und schau ihm direkt in die Augen, welche sich umgehend mit Tränen füllen und an die Zimmerdecke wandern. Sein Sozius aber ist sofort zur Stelle, zieht ein Kleenex aus dem Spender, drückt es ihm in die Hand, hockt sich vorsichtig auf die Sofalehne und legt den Arm um seinen Freund. Dabei übernimmt er auch den Part, mir zu antworten.

»Ja«, sagt er äußerst besorgt. »Das ist auch der Grund, warum der Conny momentan überhaupt zu Hause ist, verstehste? Normalerweise wär er ja am Arbeiten. Aber diese Sache mit der Saskia …«

»Sie kannten sie auch?«

»Na ja, eher flüchtig«, sagt er noch und steht wieder auf. »Möchten Sie ein Glas Wasser oder 'nen Smoothie? Hab ich erst heute Morgen ganz frisch gemacht.«

Auch der Conny erhebt sich nun, reißt sich die Augenmaske von seiner Stirn und wirft sie ein bisschen theatralisch auf den Boden.

»Kaffee?«, frag ich.

»Yes«, sagt der Raphael freundlich und schnappt sich dieses Teil vom Fußboden. »Mit Vanille, Zimt, Nelken, Schoki oder Ziegenmilch?«

»Milch? Zucker?«, frag ich und hoffe inständig.

»Sorry, no sugar, Baby.«

»Dann vielleicht doch Schoki«, sag ich und versuch möglichst begeistert zu nicken.

»Kommt subito«, trällert der Raphael noch und verschwindet erneut im Rachen des Flurs.

»Herr Ziegler, ich weiß, dass Sie seit eh und je mit der Frau Grimm befreundet waren …«

»Befreundet?«, unterbricht er mich aber sofort und starrt zu mir runter. »Wir waren nicht befreundet, Herr Kommissar. Wir waren wie Bruder und Schwester. Wie eine Seele in zwei Körpern. Wie ein Ehepaar, nur ohne Sex. Für das, was die Saskia und ich hatten, da gibt's eigentlich keine Beschreibung.«

Aha.

Jetzt schluchzt er ein paar Mal und wickelt seine Strickjacke ganz eng um seinen schlaksigen Körper. Und er zittert, ich seh es genau. Dann aber fängt er an zu erzählen. Vom Kindergarten und dem ersten Schultag. Von diesen wilden Buben, die wo die Saskia allesamt verdroschen hat, wenn die sich wieder mal über ihn lustig machten. Über Zettelschreiben im Unterricht bis zum Schullandheim, wo sie beide gemeinsam heimlich im selben Zimmer übernachtet haben. Vom ersten Urlaub zusammen auf Ibiza und den langen Gesprächen über die einzige, die große und nie erfüllte Liebe. Dabei laufen ihm ständig die Tränen übers Gesicht. Und erst jetzt, wo er scheinbar aufs Ende zukommt, erst jetzt bemerke ich, dass der Raphael dort drüben im Türrahmen steht, sehr gerührt zuhört und ebenfalls weint. Steht dort mit meiner dampfenden Kaffeetasse in seinen coolen Klamotten und der trendigen Langhaarfrisur und heult wie ein Kind.

»Ich …«, sag ich und muss mich kurz räuspern. »Ich muss Sie das nun beide fragen …«

»Alibi?«, unterbricht mich der Conny, und ich nicke.

»Der Raphael war in Washington. Er war geschäftlich dort bis … warte mal … vorgestern. Und so, ja, so makaber das auch sein mag, aber genau in dem Moment, wo diese furchtbare Geschichte mit der Saskia …«

»Wir haben geskypt, Herr Kommissar«, wird er nun von

253

Raphael unterbrochen, einfach weil ihm die Stimme versagt. »Und wir haben über unsere Zukunft gesprochen. Es war ein gutes Gespräch, ein sehr intensives und langes.«

»Und was ist dabei herausgekommen?«

»Ist das hier eine dienstliche Frage?«, will der Conny nun wissen und schaut mich mit seinen verheulten Augen eindringlich an.

»Ich bin nicht privat hier, meine Herrschaften. Also?«

Die beiden Augenpaare suchen und finden einander, und ich selbst schau dazwischen hin und her. Der Conny beginnt wieder zu weinen. Und auch Raphaels Stimme ist nicht wirklich standhaft, wie er nun weiterspricht.

»Wir … wir hatten einige Probleme, ehe ich nach Washington abgereist bin. Und über die haben wir an diesem Abend gesprochen. Lang und …«

»Intensiv, ich weiß«, sag ich noch so. Dann aber klingelt es kurz an der Tür, und das sorgt zumindest dafür, dass diese zwei Jammerlappen hier sich endlich schnäuzen und zusammenreißen.

»Birkenberger, Polizei«, kann ich von draußen vernehmen, und so steh ich mal auf.

»Gut, meine Herrschaften«, sag ich noch auf dem Weg in die Diele hinaus. »Das war's wohl fürs Erste. Habe die Ehre.«

Dann tret ich ins Treppenhaus und schieb erst mal den verwunderten Rudi zur Seite.

»Was soll das heißen, Franz?«, möchte er aber gleich wissen. »Wieso war's das fürs Erste?«

»Und was soll das heißen, Polizei Birkenberger, hä?«

»Mein Gott, was bist du heut wieder kleinlich.«

»Haben S' die denn gar nicht verhaftet, die zwei Schwulen da drüben?«, kann ich jetzt den Schlitz wieder vernehmen. Und so beug ich mich mal runter, hebe die Klappe nach oben und schau dort hinein. Sehen kann ich allerdings relativ wenig, außer einer ebenfalls sehr dunklen Diele und einem ziemlich geschmacklosen Perserläufer.

»Tust dich recht schön um deinen eigenen Scheißdreck kümmern, lieber Briefkasten«, sag ich noch so dort hinein, dann geh ich mit dem Rudi Seite an Seite die Treppen hinunter.

Kapitel 22

Wie ich am Abend in die Küche reinkomm, bin ich relativ entspannt, weil es mir momentan ziemlich egal ist, welches Gemüse die Oma heut für mich schnipselt. Der Rudi und ich waren nämlich nicht nur auf ein Bier in unserem Stammlokal, sondern auch auf einen astreinen Wurstsalat. Zumindest war der meine astrein. Dem Rudi seiner war so lala, selbst dann noch, wie wir unsere Teller getauscht haben. Da frag ich mich allmählich, wovon der überhaupt so zulegen kann, also rein gewichtsmäßig, wenn ihm außer seinen depperten Smoothies sowieso ums Verrecken nix schmeckt. Wobei ich sagen muss, wenn ich mir seine Visage so anschau, während er sich den grünen Dreck die Gurgel runterjagt, dann schaut Begeisterung wirklich anders aus. Ganz anders. Aber jetzt bin ich abgeschweift. Was ich eigentlich sagen wollte, dass ich in dem Moment, wo ich die Küche betrete, wirklich guter Dinge bin, was sich schlagartig ändert.

»Wieso hängst du mir ein, wenn ich mit dir red«, knurrt der Papa von seiner Eckbank rüber, da bin ich noch gar nicht richtig zur Tür drin. »Hast du überhaupt keine Manieren, oder was? Schließlich bin ich dein Vater und hätte was mit dir zu besprechen gehabt.«

»Jetzt bin ich ja da. Also?«, sag ich, quetsch mich an der Liesl und der Oma vorbei und hol mir ein Bier aus dem Kühlschrank.

»Ja, ja, jetzt bist ja da. Und was, bitte schön, soll dieses Theater mit der Frau Grimm, hä? Wieso verhörst du eine Frau, die grad ihr einziges Kind verloren hat?«

»Weil es mein Job ist«, sag ich und nehm einen Schluck Bier.

»Weil es mein Job ist«, äfft er mich nach. »Zu deinem Job würde aber auch gehören, eine gewisse Menschenkenntnis zu haben. Aber Fehlanzeige. Sonst hättest du ja wohl merken müssen, dass diese Frau nie, aber wirklich niemals in ihrem Leben jemandem etwas antun könnte. Und schon gar nicht ihrer eigenen Tochter. Also, ich jedenfalls habe es gemerkt.«

»Kannst dich ja bei uns bewerben.«

Die Liesl dreht sich nun zu uns um und schaut zwischen uns beiden hin und her. Dann hält sie einen Lappen unter den Wasserhahn, wringt ihn aus und wischt damit den Tisch ab.

»Da merkt man halt einfach, dass dir die Mutter gefehlt hat. Einfach keinerlei Sensibilität, nicht hinten und nicht vorne«, schnaubt er weiter und holt seinen Tabaksbeutel hervor.

»Magst vielleicht die Mama aus dem Spiel lassen, sei so gut«, muss ich hier loswerden, weil's jetzt echt langsam reicht.

Der Papa zündet seinen Scheißjoint an, nimmt einen ganz tiefen Zug und stößt den Rauch ruckartig aus.

»Ja, deine Mama«, sagt er nun wieder, ohne mich jedoch eines Blickes zu würdigen. »Ha, die hätte ihre rechte Freude gehabt an dir, Bub. Ihre rechte Freude, das kannst du mir glauben. Mindestens so eine Freud, wie sie deine Susi immer mit dir hat.«

»Jetzt langt's aber, Eberhofer«, mischt sich die Liesl nun ein. »Jetzt lass einmal den Franzl zufrieden. Immerhin kann der nix dafür, dass du gestern mit dem Moratschek noch versumpft bist und heut einen Mordskater hast.«

Aha.

»Das mag schon sein, aber es geht dich nix an. Außerdem hat das doch nix damit zu tun, dass der Bub so ein dermaßener Trampel ist, Herrschaftszeiten. Dabei war seine Mutter eine … eine solch empfindsame Seele, mein Gott.«

»Sagts einmal«, übernimmt jetzt die Oma das Wort. »Was ist denn schon wieder los? Was schaut er denn so grantig, der alte Depp?«

»Nix ist, Oma«, brummt der Papa aus seiner Rauchwolke heraus.

»Nix? Geht's dir nicht gut heut? Ja, das wär auch kein Wunder nicht. Nach deiner Orgie mit dem Moratschek. Mich hätt ja fast der Schlag getroffen, wie ich heut früh ins Wohnzimmer rein bin. Da hat's ja ausgeschaut wie in einer Drogenhöhle.«

Die Liesl wischt erneut die Tischplatte ab, dieses Mal jedoch noch deutlich intensiver. Fast ereilt mich der Eindruck, sie hat grad das Bedürfnis, den Dreck von Jahrzehnten wegzuputzen.

»Du, Liesl«, sagt die Oma dann weiter. »Sei so gut und putz mir kein Loch in den Tisch.«

»Trampel«, knurrt der Papa und schaut mich dabei mit zugekniffenen Augen an.

»Ja«, sag ich und steh auf. »Dann müssen meine trampeligen Gene ja wohl von deiner Seite her kommen, wenn's von der Mama nicht sein kann.«

»Du bist so blöd, das geht auf keine Kuhhaut«, zischt er noch hinter mir her, doch dann begeb ich mich auch schon nach draußen. Schnapp mir den Ludwig vom Hof und wir drehen unsere Runde. Eins-achtzehn brauchen wir dafür.

Es ist wirklich noch schlimmer, als ich es befürchtet hab. Es war ja klar, dass der Papa die Krise kriegt, wenn die Frau Grimm plötzlich unter Verdacht steht. Also praktisch grade die einzige Frau, für die er sich seit dem Tod von der Mama das erste Mal ernsthaft interessiert und geöffnet hat. Sonst war ja sein Hauptaufgabengebiet, nichts zu tun, Joints zu rauchen, die Beatles zu hören oder der Mama nachzutrauern. Dann tritt da unversehens so ein Wesen in seine überschaubare Welt und haucht ihm neues Leben ein. Und dann das. Diese Situation ist nicht lustig, das kann ich verstehen. Aber zum Geier, auch er sollte ein bisschen Verständnis aufbringen, immerhin gehört es zu meinen Aufgaben und nicht zu meinen Hobbys, jegliche Verdächtige zu verhören. Und dabei spielt es nicht die geringste Rolle, ob der oder die nun sympathisch ist oder nicht. Meistens jedenfalls. Andererseits, wenn ich mir vorstell, die Susi, die wär bei der Geburt von unserem kleinen Paulchen gestorben … Ja, keine Ahnung, welche Psychose das bei mir ausgelöst hätte.

Wie ich in meinen Saustall komme, ist die Mooshammerin drin und poliert meinen Tisch. Ich sag erst mal gar nix, stell dem Ludwig sein Futter hin und frisches Wasser und hau mich dann aufs Kanapee. Weil sie jedoch ebenfalls vorzieht zu schweigen und ich außerdem ernsthaft befürchte, dass sie gleich auch noch durch meine Tischplatte durch ist, sprech ich sie lieber mal an.

»Ist was, Liesl? Ich mein, du hast doch noch niemals bei mir herüben geputzt?«

»Ob was ist? Na, du bist ja gut. Immerhin hab ich seit Wochen kein eigenes Dach mehr über dem Kopf und bin stattdessen ständig auf fremde Leut angewiesen. Versteh mich nicht falsch, Franz, ich weiß sehr zu schätzen, dass ich hier bei euch bleiben kann. Wirklich sehr. Aber manchmal, da gehts ihr mir echt alle miteinander so tierisch auf den Nerv, das kann man gar nicht sagen. So, jetzt ist es raus.«

Ich weiß, wovon sie spricht. Mir geht's ja genauso. Besonders, wenn dann auch noch der Leopold hier aufschlägt und die Reifen durchdrehn lässt, dass der Kies nur so fliegt. Oder den Papa vollschleimt mit all seiner Fürsorge, die bei seinen quartalsmäßigen Besuchen so in ihm hochwallt.

»Ich versteh das nicht, Franz. Euch geht's doch gut, oder? Ich mein, ihr habts euer Auskommen, seids alle miteinander gesund und, was das Wesentliche ist, ihr seid wenigstens nicht allein. Wo bitte schön ist da euer Problem?«

»Unser Problem ist wohl seit jeher, dass die Mama bei meiner Geburt gestorben ist, Liesl. So schaut's aus. Das wissen wir alle und können normalerweise ganz gut damit leben. Wenn dann aber mal was passiert, was den Papa aus der Bahn wirft, so wie jetzt, dann kommt halt alles wieder hoch. Sowohl bei ihm als auch bei mir. Punkt.«

»Du hast ein schlechtes Gewissen, dass die Mama bei deiner Geburt gestorben ist?«, fragt sie nun, und ihre Stimme klingt ausgesprochen fassungslos. Was ich gar nicht verstehe. Deshalb schau ich sie an und bemerk gleich, wie ein kleines Lächeln über ihr Gesicht huscht.

»Was ist so lustig daran?«, frag ich ziemlich scharf, weil ich mich direkt ein bisschen ärger über diese Reaktion. Ich persönlich kann momentan nämlich gar nix finden, was zum Lachen wär.

»Lustig ist daran leider gar nix, Franz, da hast du freilich vollkommen recht. Aber zumindest solltest du die Geschichte so kennen, wie sie sich damals wirklich zugetragen hat. Ich war dabei, weißt. Und wenn dir kein anderer jemals reinen Wein eingeschenkt hat, dann werd ich das jetzt machen.« Danach steht sie auf, holt zwei Flaschen Bier aus dem Kühlschrank, reicht mir eine davon her, hockt sich rüber aufs Kanapee und schaut mich auffordernd an. Einen winzigen Moment lang stutze ich noch, doch dann setz ich mich einfach daneben. Und dann beginnt sie halt zu erzählen.

Es war ein unglaublich heißer Sommer in den Siebzigern, und der Papa hatte wohl bis dato außer der Schweinezucht und seinem Bulldog noch nix anderes gesehen von der Welt, wie die meisten Niederkaltenkirchner halt auch nicht. Eines

Tages aber ist so ein Hippiebus hier ins Dorf gedüst, randvoll mit blutjungen Leuten, und unter ihnen war eben auch meine Mama.

»Mein Gott, Franz«, sagt die Liesl, und ihr Blick ist nun ausgesprochen eindringlich. »Da hättest ihn sehen sollen, deinen Vater, ein fescher Kerl war das damals, das halbe Dorf war hinter dem her. Er hat sie alle haben können. Aber wie er seine Uschi kennengelernt hat, da war's sofort um ihn geschehen. Sie war aber auch eine Maus, eine zuckersüße, mit ihren wilden Tüchern um den Kopf und diesen bunten Häkelkleidchen.«

Ein Weilchen schaut die Liesl jetzt ganz versonnen auf ihre Hände runter, die ineinandergelegt in ihrem Schoß ruhen. »Na ja«, sagt sie dann endlich weiter (und ich kürze die Ausführungen von der Liesl jetzt mal ein bisschen ab), vom ersten Tag an, da waren die zwei ganz verrückt nacheinander. Die konnten ja kaum voneinander lassen. Und dann … ja, dann ist es eben passiert. Auf einmal war die Mama mit dem Leopold schwanger, und alle haben sich sehr auf dieses Kindchen gefreut. Ganz besonders die Oma. Die Geburt war schwierig und lange, und nicht nur einmal ist die Mama fast weggeblieben. Und irgendwann ist dann endlich der kleine Leopold auf die Welt gekommen. Doch er hatte einen Wasserkopf. Gut, das überrascht jetzt eher wenig. Wie dem auch sei, jedenfalls hat unser Doktor Brunnermeier hinterher dringend davon abgeraten, noch ein weiteres Kind zu bekommen. Wenigstens nicht so schnell. Weil die Risiken, die wären einfach nicht überschaubar.

»Ja, genau. Und dann bin ich gekommen, und sie ist gestorben«, sag ich jetzt, weil mir die Geschichte von da ab ja bestens bekannt ist. Doch die Liesl, die schüttelt den Kopf. »Nein, Franz«, sagt sie weiter. »Deine Eltern, die hätten sehr wohl wissen müssen, auf was sie sich da einlassen. Und wenn überhaupt jemanden die Schuld trifft an der ganzen Misere, dann sind es die beiden. Sonst niemand.«

»Aber ...«

»Nix aber. Schau, Franz, ich war bei so vielen Niederkünften dabei, hier im Dorf und drum herum. Auch bei deiner eigenen Geburt und bei der vom Leopold. Und eines kann ich dir nur sagen, deine Geburt war ein Spaziergang. Nur war deine Mama noch vom Leopold zu geschwächt, weißt du. Außerdem war sie noch viel zu jung, zu schmal und zu schnell wieder schwanger. Das hat sie einfach nicht geschafft, verstehst. Und dann diese Medizin damals ... Herrje.«

»Dann hat sie ja eigentlich doch eher der Papa auf dem Gewissen. Oder wenn man's genau nimmt, sogar der Leopold.«

»Herrschaftszeiten, seids ihr denn wirklich alle miteinander deppert? Niemand hat sie auf dem Gewissen. Sie hatte ihre Zeit, und zwar eine sehr, sehr gute. Und die war dann einfach abgelaufen, ganz egal, ob du das jetzt hören willst oder auch nicht. Herrschaftszeiten, ist das denn wirklich so schwer zu verstehen?«, sagt sie noch, trinkt ihr restliches Bier auf ex und lässt mich dann einfach hier sitzen wie einen ausgesetzten Hund. Ich steh auf, geh rüber zum Fenster und reiß es auf.

»Aber sei mal ehrlich, Liesl«, schrei ich ihr über den Hof hinterher. »Dann war es doch dem Leopold seine Schuld.«

Sie dreht sich um und lacht und zeigt mir einen Vogel.

»Liesl«, ruf ich noch, grad wie sie weitergehen will, und sie schaut noch mal zu mir her. »Merci!«

»Passt schon«, sagt sie noch kurz, dann eilt sie davon.

Und keine zehn Sekunden später läutet mein Telefon und der Papa ist dran.

»Was, bitte schön, meinst du damit?«, kann ich ihn prompt vernehmen, und seine Stimme ist keinesfalls freundlicher als grade zuvor. »Was meinst du damit, dass der Leopold schuld ist?«

Ich schnauf erst mal tief durch. Was soll ich jetzt sagen, wo er eh grad auf hundert ist und einen Wahnsinnsgroll gegen mich hegt. Soll ich seine Wut noch schüren oder einfach dafür sorgen, dass er wieder runterkommt von seinem Vulkan?

»Also?«, bohrt er nach.

»Ich bin nicht schuld an dem Tod von der Mama«, kommt es plötzlich ganz von selbst aus mir raus. »Dafür seid ihr zwei wohl schon selbst verantwortlich gewesen, gell. Aber wennst mich schon so fragst, dann hat sie der Leopold auf dem Gewissen. Ja, der Leopold mit seinem depperten Wasserkopf.«

Stille. Kein einziges Wort kommt aus der Leitung. Nur ein tiefes schweres Schnaufen. Das ist mir jetzt unangenehm. Und manchmal ärgere ich mich, dass mein Mundwerk schneller ist als mein Gehirn. Vermutlich hat er schon recht, der Papa, dass ich ein richtiger Trampel bin.

»Papa?«, frag ich und schau aus dem Fenster. Und ich kann ihn auch gleich sehen. Er hockt dort drüben auf unserem Bankerl und starrt in den Himmel mit dem Hörer am Ohr. Dann aber wandert sein Blick in meine Richtung und bleibt dort auch hängen.

»Das ist alles Geschichte, Burschi«, sagt er, und er klingt unglaublich müde dabei. »Aber … aber bitte sei so gut und lass mir die Frau Grimm in Ruh. Die ist nämlich genauso unschuldig am Tod von ihrer Tochter, wie du es bist am Tod deiner Mutter. Hörst mich?«

Ich nicke. Dann legt er auf. Ein Weilchen bleib ich noch am offenen Fenster und schau ihn an. Alt sieht er aus, wie er da so hockt mit seinen krummen Schultern und der fahlen Haut. Und einen Moment lang frag ich mich, ob er tatsächlich in Lichtgeschwindigkeit altert oder ob es eher das Resultat seiner Partynacht mit dem Moratschek ist. Was aber dann schon wieder eher wurst ist, weil jetzt mein Telefon läutet und der Rudi ist dran.

Kapitel 23

»Wie, du bist in Frankfurt?«, frag ich den Rudi, mach das Fenster zu und hau mich samt Telefon auf das Kanapee rüber.

»Ja, glaubst du im Ernst, Franz, ich leih mir so einen Wahnsinnsporsche aus, bloß dass ich die depperte Leopoldstraße rauf- und wieder runterfahr und mir zehn, fuchzehn Weiber hinterherglotzen? Nein, nein, nein, da braucht man schon eine Strecke, wo das Gaspedal glüht, gell.«

»Aha«, sag ich, nehm einen Schluck Bier und gähn dann ausgiebig.

»Ganz abgesehen davon, dass es ja hier in Frankfurt noch diesen Exfreund und Arbeitskollegen von unserer Toten gibt, diesen, warte mal … Viktor Köck, der noch dringend verhört werden muss«, sagt der Rudi jetzt weiter, und schlagartig bin ich wieder hellwach.

»Was meinst jetzt damit, Birkenberger?«, frag ich und setz mich mal auf.

»So, wie ich es gesagt habe, lieber Franz.«

»Rudi! Du kannst niemanden verhören, das weißt du genau. Weil du nämlich kein Poliz…«

»Franz? Kann … nicht … Leitung … Scheiße …«

Aufgelegt.

So ein Arschloch, ein blödes.

Es ist nämlich so, wenn er hier bei uns im Gäu ab und zu den Hilfssheriff mimt, dann ist das nicht weiter wild. Da kassieren wir zwar einen Anschiss, doch das sind wir gewohnt, und es regt uns auch nicht weiter auf. Doch wenn er dort oben, ja quasi im Ausland, seine Streifzüge macht, dann kann er schon schnell mal einen Staatsanwalt an der Backe pappen haben. Ganz klar. Und das … das sind in der Regel eher relativ humorresistente Zeitgenossen und können dir schon mal rein gesetzmäßig den Arsch aufreißen, keine Frage.

Aber andererseits hat er freilich dann auch wieder irgendwie recht, der Rudi. Weil schließlich und endlich muss in diesem nervigen Fall ja irgendwann ein Ende her. Und da ist es vielleicht gar nicht so schlecht, wenn er diesen Typen dort in Frankfurt mal unter die Lupe nimmt. Ansonsten gäb's eh nur zwei Alternativen, von denen ich die eine genauso blöd find wie die andere. Möglichkeit eins wär, ich müsste selber nach Frankfurt, und schon bei diesem Gedanken wird es mir schlecht. Nummer zwei hieße, die dortige Dienststelle zu involvieren, was einen Wahnsinnsdienstapparat zum Laufen bringen würde. Deutsche Bürokratie halt. Nein, nein, da ist es in jedem Fall besser, der Rudi scheißt auf alle Gesetze und nimmt die Sache selbst in die Hand. Gut, dann schreibe ich ihm vielleicht noch eine ganz kurze Nachricht.

Lieber Rudi, du alter Mafioso, schreib ich, mögen sie dich bei deinen illegalen Aktionen auffliegen lassen und unverzüglich abknallen.

Es dauert keine Minute, dann kommt auch schon die Antwort.

Ich dich auch, Franz! Ich dich auch!

Anscheinend steht die Leitung wieder.

Jetzt aber, wo ich mich eh grad schon mal in so einem Überlegungsfluss rumtreiben lasse, da kann ich auch gut mein Notizbuch hervorziehen. Was haben wir denn eigentlich so alles bis dato? Die Mutter des Opfers, die zwar sympathisch, aber halt auch die Alleinerbin einer beachtlichen Summe ist und obendrein kein Alibi vorweisen kann. Einen schwulen Freund, der wiederum mit seinem schwulen Freund zum Tatzeitpunkt geskypt haben will. Einen Arbeitskollegen und Ex, der grad vom Rudi auf die Hörner genommen wird. Und da, ach ja, da ist dieser Anton, der noch immer bei seiner Mutter lebt und die Tote nur gelegentlich flachgelegt hat. Und wenn man es mal ganz genau nimmt, ist der ganze Mob von diesem Hotelboykott doch auch noch nicht aus dem Schussfeld, und jeden Einzelnen davon könnte man gut und gern verdächtig nennen. Mein Gott, ist das wieder ein Scheißstress. Also wo anfangen?

Irgendwie muss mich diese ganze Nachdenkerei so dermaßen ermüdet haben, dass ich irgendwann weggenickt bin. Jedenfalls ist es stockmauernfinster, wie ich meine Äuglein öffne, und der Ludwig liegt mir zu Füßen und schnarcht den Schlaf der Gerechten. Ich schau mal auf die Uhr, die mir vier Uhr achtunddreißig anzeigt. Prima: zu früh, um aufzustehen, und zu spät, um weiterzuschlafen. Weil ich mich ja schließlich kenn wie kein zweiter. Und ich deshalb haargenau weiß, wenn ich jetzt noch mal einpenn, dann lieg ich bis mittags. Oder wenigstens bis die Oma im Morgenmantel hier aufschlägt, worauf ich aber auch keine Lust hab. So geh ich mal ins Wohnhaus rüber und setz mir einen feinen Kaffee auf. Mit dem Haferl in der Hand geh ich dann in den Hof zurück und hock mich dort aufs Bankerl. Jetzt kommt auch der Ludwig raus, verschwindet aber gleich hinten im Garten. Vermutlich geht er seiner Morgentoilette nach.

»Herrschaftszeiten«, kann ich kurz darauf die Liesl vernehmen. »Muss der blöde Köter denn genau da hinscheißen, wo ich meine Übungen mach.«

Jetzt muss ich grinsen. Und schon Augenblicke später quetscht sich die fleißige Turnerin durch die Äste des Sommerflieders hindurch und kommt direkt auf mich zu.

»Liesl«, sag ich und nipp am Kaffee. »Der Ludwig, der hat schon seit Jahren sein Örtchen da hinten im Garten. Wenn du also deine Morgenübungen immer an derselben Stelle machst, dann machst du sie praktisch genau auf seinem Scheißhaus, verstehst?«

»Ja, woher soll ich denn das wissen? Ich hab dort noch nie einen Haufen gesehen.«

»Das ist schon gut möglich. Weil wir die Tretminen nämlich jeden Tag wegmachen.«

»Ja, wunderbar. Aber dass du heut schon wach bist?«

»Und du?«, frag ich und zuck mit den Schultern.

»Der frühe Vogel fängt den Wurm«, sagt sie weiter und schaut dann auf mein Haferl in der Hand. »Also, guten Morgen erst mal. Ist noch was da?«

»Ja, ja, steht in der Küche. Guten Morgen, du alte Sportskanone«, sag ich noch so, und schon watschelt sie barfüßig ins Wohnhaus hinein. Wie sie zurückkommt, setzt sie sich an meine Seite, und kurz darauf werden wir zwei frühen Vögel dann Zeugen von einem Wahnsinnswunderhammersonnenaufgang, das kann man gar nicht erzählen.

»Schön, gell«, sagt die Liesl ganz versonnen.

»Ja«, sag ich nur, weil ich diesen Moment lieber schweigend genießen will, was mir allerdings nur sehr kurz vergönnt ist. Weil dann nämlich erscheint die Oma samt Morgenmantel in unserem Dunstkreis, und somit ist es aus mit der Ruhe. Die zwei alten Schachteln hauen nämlich gleich einen Ratsch heraus, dass es mir umgehend schwindelig wird, und da tun sich bei mir prompt zwei Fragen auf. Frage eins ist, wie kann man in aller Herrgottsfrühe gleich ein so unglaublich ausgeprägtes Kommunikationsbedürfnis haben? Außerdem würd ich ums Verrecken gern wissen (und zwar schon seit immer), warum sich die Liesl und die Oma auch ganz ohne Hände und Füße aufs Beste unterhalten können. Da ich aber wohl auf keine dieser Fragen eine verständliche Antwort erwarten kann, brech ich hier ab und geh stattdessen in meinen Saustall zurück.

Nach einer ausgiebigen Dusche schnapp ich mir mein Telefon und ruf den Birkenberger mal an.

»Heidideldei, Zuckerschnute«, sagt er gleich, wie er abnimmt, und schon wieder steht eine Frage mitten im Raum. Warum ist der nur so scheißgut gelaunt, und das quasi schon im allerersten Morgenlicht.

»Warum bist du so scheißgut gelaunt?«, frag ich deswegen und schnapp mir noch schnell den Autoschlüssel.

»Weißt du was, Eberhofer«, sagt er und ich kann deutlich hören, dass er grad sehr theatralisch durchschnauft. »Du schaffst es fast jedes Mal, einen wirklich fröhlichen Menschen in tiefste Depressionen zu versetzen. Und das mit einem einzigen Satz. Aber heute nicht, mein Freund.«

»Wird das jetzt eine Grundsatzdiskussion, oder was? Vielleicht wollte ich nur ganz einfach den Grund für deine Scheißfröhlichkeit erfahren. Ist das zu viel verlangt?«

Doch nach einem weiteren und nicht weniger theatralischen Schnaufer wird er endlich gesprächig. Und so erfahr ich, dass der Exfreund und Arbeitskollege, also dieser Viktor Köck, als Täter definitiv auszuschließen ist. Und zwar wegen einem ganz einfachen und bereits überprüften Alibi: Er war im Ausland im Urlaub. Genauer, in Griechenland. Noch genauer mit seiner neuen Flamme. Inselhopping hätten sie dort gemacht, und es ist einfach nur großartig gewesen. Allerdings sind sie schon ziemlich froh drüber gewesen, dass sie neben der deutschen auch der englischen Sprache mächtig sind, weil die Griechen momentan, was unsere Nationalität betrifft, irgendwie so gar nicht gut drauf zu sprechen sind. Und auch das mit den Bankautomaten, das war kein Spaß nicht. Aber sonst alles paletti. Und irgendwie hätten sie dabei sogar ein sehr reines Gewissen, diesem maroden Land dort den einen oder anderen Euro zugeschustert zu haben.

Aha.

»Aha«, sag ich abschließend. »Dann haben wir somit einen Verdächtigen weniger auf unserer Liste.«

»Genau so ist es«, kann ich den Rudi vernehmen, und wieder klingt es ausgesprochen fröhlich.

»Ist das der Grund für deine unverblümte Heiterkeit?«

»Eigentlich sollte dich das auch erfreuen, lieber Franz. Immerhin wär es ja deine Aufgabe gewesen, die ich dir da abgenommen hab, gell.«

Manchmal nervt er mich einfach unglaublich mit seiner dämlichen Klugscheißerei, der Herr Birkenberger. Aber meistens, ja, leider, muss ich sagen, meistens hat er irgendwie recht.

»Ja, herzlichen Dank auch. Und was steht heut auf dem Plan, wenn die Frage gestattet ist?«

»Ich fahr grad auf die A3 rauf und bin ungefähr in drei Stunden zurück. Und bei dir?«

»Keine Ahnung, vielleicht …«

»Keine Ahnung, vielleicht!«, unterbricht er mich aber sofort. »Was ist das für eine dämlich Aussage, Franz? Hast du dir denn eigentlich schon mal diesen Rössl, also diesen ominösen Stecher von der Toten, vorgenommen?«

»Rudi? Hallo … nicht … schlechte … Halloho …«

Zack, aufgelegt.

Der muss mir ja jetzt wirklich nicht sagen, wie ich meinen Job zu machen hab. Und grad wie ich in den Wagen steigen will, da kommt mir der Papa entgegen. Sein Gesichtsausdruck ist heut auch nicht besser, und die Klamotten, die er gerade trägt, unterstreichen das wirklich perfekt. Er ist nämlich von oben bis unten in tiefstes Schwarz gekleidet, also sprich, sein Beerdigungsoutfit.

»Fährst du zufällig nach Landshut rein?«, will er jetzt wissen und öffnet auch schon die Beifahrertür. Und bis ich überhaupt antworten kann, da hockt er auch schon drinnen, und zwar wie einbetoniert. Zum Hauptbahnhof will er, wie er mich großzügig wissen lässt, und dort trifft er sich mit der Frau Grimm. Heut würde nämlich der Leichnam überführt, nach Würzburg. Da hätte die ganze Familie früher gelebt und der Vater tat das auch noch bis zu seinem finalen Atemzug hin. Und weil der auch dort beerdigt wurde, hat unserer Frau Grimm nun eben der Gedanke gefallen, dass die gemeinsame Tochter ihre letzte Ruhe an seiner Seite finden soll. Weil früher irgendwann, hat sie dem Papa erzählt, da sind sie ja mal eine richtig schöne Familie gewesen.

Er erzählt mir das alles, ohne dass ich ihn dazu aufgefordert hätte. Was mich schon ein bisschen wundert. Aber mir auch wiederum aufzeigt, dass die Frau Grimm meilenweit entfernt ist von irgendeiner Mörderin. Oder aber sie ist so gerissen, dass sie uns alle miteinander komplett verblendet. Was ich mir für meine eigene Person ja vielleicht sogar grad noch vorstellen könnte. Weil es mir leider schon mal passiert ist, dass mich so ein Weibsbild komplett um den Finger wickelt, worauf ich nicht besonders stolz bin. Aber dass so was dem Papa passiert, kann ich mir beim besten Willen nicht vorstellen.

»Was bist denn so schweigsam heut?«, fragt er mich schließlich, grad wie ich so meinen Gedanken nachhäng.

»Mei, nix. Ich denk halt bloß nach.«

»Hast die Zeitung heut schon gelesen?«

»Nein«, sag ich wahrheitsgemäß.

»Die Sach mit dem Hotelbau ist durch.«

»Wie, durch?«

»Ja, durch halt. Die lassen das Schneckenwegerl zufrieden und bauen dafür bei der Mooshammerin. Und die … die macht jetzt den ganz großen Reibach, das alte Luder.«

Jetzt muss ich grinsen. Die Liesl. Da schau einer an, ganz schön geschäftstüchtig, das kleine Miststück.

Doch nachdem der Man in Black ausgestiegen ist und seine ebenfalls schwarze Begleiterin begrüßt hat, fahr ich auch schon weiter. Wobei das nicht ganz stimmt. Ein ganz kleines Weilchen bleib ich noch stehen und schau den beiden hinterher. Wie sie die Treppen hinaufgehen zum Eingang hin und sich ihre Hand unter seinen Arm schiebt, ganz zart und vertraut. Und er ihr oben die Tür aufhält und ihr ein ganz warmes Lächeln schenkt. Dann aber hupt hinter mir so ein Vollpfosten aus seinem städtischen Omnibus heraus, und deshalb tret ich aufs Gas und bin auch schon weg.

Der Rössl, der wohnt in der Nähe von Kaufbeuren in so einem Kuhdorf, und offensichtlich wurde auch dort bereits ein solches Hotel hin gebaut, wie es uns nun bald selber blüht. Und schon aus reiner Neugierde muss ich hier freilich kurz anhalten und aussteigen. Der Hotelier höchstselbst ist auch prompt zu sprechen, und er bestätigt mir meinen ersten Verdacht. Ja, sagt er, dieser wunderbare Bau hier wurde tatsächlich von der Berliner Firma erstellt, die ich auf dem Sender hatte. Und auch die tote Frau Grimm ist ihm aufgrund ihrer hervorragenden Arbeit durchaus bestens bekannt. Ob ich eine Führung haben will, möchte er wissen. Ja, warum eigentlich nicht. Schließlich kann es ja nicht schaden, schon mal im Vorfeld über die unausweichlichen Geschehnisse einige Informationen zu hamstern, gell.

Und wie ich hernach wieder in meinen Wagen steige, also eigentlich eher in dem Rudi seinen, aber wurst, da muss ich schon sagen, gar nicht so schlecht, so ein niegelnagelneues Schickimicki-Hotel. Samt Wellnessoase, Lounge, Jacuzzi, Meetingcenter und allem möglichen Pipapo. Und allem voran eine ganz erstklassige Bar mit einer Getränkeauswahl, so was hab ich in meinem ganzen Leben noch nicht gesehen. Da kann der Wolfi in Zukunft Gläser polieren bis hin zur Sehnenscheidenentzündung. Recht viele Gäste wird er nämlich dann nicht mehr haben, unser armer Wirt.

Es sind nur wenige Autominuten bis hin zum Hause Rössl, und im Grunde würde es »Häuschen« viel eher treffen. Allerdings ist der Garten wie aus dem Ei gepellt, und fast kriegt man den Eindruck, der Efeu um die Fenster herum, der wird täglich mit der Nagelschere auf Struktur getrimmt. Eine ältere Frau ist auch grade aufs Eifrigste damit beschäftigt, irgendein Unkraut auszurotten, wovon es hier eh keines gibt. Und ich denke mal, es ist wohl diese Mutter, die ihren Sohnemann nicht recht vom Rockzipfel lässt.

»Kann ich Ihnen helfen?«, fragt sie, gleich wie ich ihr den schmalen Weg entgegenkomme, und zieht sich die Gartenhandschuhe aus.

Dann geb ich mich erst mal selber zu erkennen und frage anschließend nach ihrem Namen. Und nachdem sich meine Vermutung bewahrheitet hat, frag ich auch nach ihrem Fexer.

»Der Toni?«, sagt sie und schaut mich verständnislos an. »Was wollen S' denn von dem?«

»Mei, ein paar Fragen hätt ich halt. Also?«

Dann schaut sie kurz auf die Armbanduhr und sagt, dass er in einer halben Stunde zum Mittagessen heimkommen wird. Na also.

»Was arbeitet er denn eigentlich, der Anton?«

»Der ist ein Architekt in so einem Gemeinschaftsbüro«, sagt sie ganz stolz. »In Kaufbeuren drinnen.«

»Soso, ein Architekt also. Gut, dann sind S' doch so gut, Frau Rössl, und zeigen S' mir derweil einmal sein Zimmer, gell. Er wohnt doch hier, oder nicht?«

Jetzt nickt sie leicht irritiert, und ich seh direkt, wie sich ihre Antennen einstellen.

»Haben Sie ... also, ich mein«, sucht sie verzweifelt nach Worten.

»Einen Durchsuchungsbefehl?«, helf ich ihr auf die Sprünge, und sie nickt.

»Schaun S', Frau Rössl«, sag ich weiter, setz dabei das freundlichste Gesicht auf, das ich grad im Repertoire hab, und hol mein Telefon aus der Jackentasche. »Das ist doch ganz einfach. Entweder wir machen das jetzt auf dem unbürokratischen Weg und ich bin gleich wieder fertig.«

»Oder?«, möchte sie nun gern wissen.

»Oder wir nehmen den Dienstweg, und dann haben wir hier gleich holterdiepolter fuchzehn Mann von der Spusi rumlatschen, die Ihnen jeden Grashalm einzeln umdrehen. Also Spurensicherung, verstehen S'.«

Gut, mehr gibt's dann eigentlich gar nimmer zu erzählen, weil die Frau Rössl ja nicht dumm ist und sich für die sportliche Variante entscheidet. Also mich praktisch solo. Und so betret ich auch schon dieses kleine Siedlerhäuschen aus den Fünfzigerjahren, und auch das Mobiliar dürfte zeitlich dort angesiedelt sein. Aber eines muss ich erneut zur Kenntnis nehmen, es ist alles blitzsauber und fast wie geleckt. Auf dem Herd in der Küche brutzelt irgendwas sagenhaft Gutes, zumindest ist der ganze Raum von diesem würzigen Duft erfüllt. Die Frau Rössl begleitet mich auf Schritt und Tritt, und erst vor dem Zimmer ihres Sohnes fordere ich sie zum Rückzug auf. Und so schließ ich die Tür hinter mir, kann aber durch die gerillte Scheibe hindurch freilich erkennen, dass sie davor stehen bleibt, grad als wär sie dort angewurzelt. Auch hier drin ist alles tiptop, man könnte glatt vom Boden essen. Allerdings, und das find ich durchaus befremdlich, ist der Raum hier eindeutig ein Jugendzimmer und meiner Meinung nach den Ansprüchen eines erwachsenen Mannes in keinem Fall würdig. Aber gut. Ich öffne mal ein paar Schubläden und auch die Schranktür. Alles picobello, keine Frage. Und später, wie ich von draußen her ganz aufgeregte Stimmen vernehm, da bin ich längst fertig und auch fündig geworden.

»Was tun Sie hier?«, knurrt mich ein sehr gepflegter Herr an, den ich stark für unseren Anton halte.

»Der hat deine Schmuddelhefterl gefunden, Toni«, sagt nun die Frau Rössl und reißt mir meine Funde aus der Hand. Und dem armen Toni, dem ist das wohl irgendwie peinlich, jedenfalls wird er rot wie ein Ferrari und starrt seine Mutter ganz seltsam an. Wie ein Schulbub, der grad beim Spicken erwischt wird. Und ich … ich fordere prompt meine Beute zurück.

»Sorry, Gnädigste«, sag ich, wie ich mir die Pornos zurückhol. »Aber das sind Beweisstücke.«

Von der Küche her riecht es jetzt plötzlich ziemlich angebrannt, und ich bin wohl nicht der Einzige, der das bemerkt. Jedenfalls gibt sie nun kampflos auf und eilt den Flur entlang Richtung Brandherd. Und so nutze ich diese unerwartete Gelegenheit und schließ mich kurzerhand mit dem Anton in sein Zimmer ein. Und obwohl er einigermaßen überrumpelt scheint, wirkt er doch auch gleich wesentlich entspannter, als er es zuvor in Anwesenheit seiner Mutter war. So sitzen wir uns nun in diesem Kinderzimmer gegenüber, er auf der Bettkante und ich an seinem Schreibtisch, der bis auf eine kleine Stehlampe völlig leer ist, und schauen uns an. Dann zieh ich aus meinem Pornostapel, der wirklich gar nicht so einfach zu finden war, einige Fotos hervor. Nacktaufnahmen, Hochglanz, DIN-A4. Und ehrlich gesagt ziemlich heiß. Und die halt ich ihm dann unter die Nase.

»Na und?«, fragt er bockig und zuckt mit den Schultern.

»Das ist die Saskia Grimm«, sag ich und schau ihn eindringlich an.

»Ja«, bockt er weiter und zuckt ein weiteres Mal.

»Ja. Und die ist jetzt tot, Herr Rössl. Ermordet, verstehen S'.

Und meine Aufgabe ist es jetzt, den Mörder zu finden, deshalb bin ich hier. Also, Sie haben Nacktfotos von unserer Toten in Ihrem Zimmer versteckt, und wie wir wissen, hatten S' mit ihr wohl auch was am Laufen.«

»Nicht so laut!«, ruft er und rumpelt zur Tür, die er dann einen winzigen Spalt öffnet. »Ich komm gleich, Mama.«

»Das Essen wird kalt«, kann ich durch den Türspalt hören.

»Ich sag doch, ich komm gleich«, sagt er noch und macht die Tür wieder zu.

»Wie alt sind Sie, Herr Rössl?«, frag ich jetzt, weil ich kaum glauben kann, was da grad passiert.

»Ich weiß schon, was Sie mir damit sagen wollen. Ich bin zu alt und ich muss mich unbedingt endlich von meiner Mutter lösen und so weiter und so fort. Was glauben Sie eigentlich, wie oft ich das höre? Aber sie ... sie ist einfach noch nicht so weit, verstehen Sie?«

»Nein«, sag ich, weil ich's wirklich nicht tu.

Und wenn ich jetzt so dran denk, wie oft es mir auf den Senkel geht, dass der Papa und die Oma so nah an mir drankleben, dann muss ich nach dieser Erfahrung hier echt sagen, ich lebe auf einer einsamen Insel. Auf einer sehr einsamen sogar.

»Toni«, tönt's nun durch die Tür, und so latscht er ein weiteres Mal artig hin und verspricht sein baldiges Erscheinen drüben am Esstisch.

»Wir können die Geschichte hier unglaublich abkürzen«, schlag ich mal so vor, damit das Elend ein Ende nimmt, und ernte damit großes Interesse.

»Wie?«, fragt er nur knapp. Und so hole ich mal mein Notizbuch hervor, reiße eine Seite heraus und notier ihm den genauen Todeszeitpunkt von unserem Opfer.

»Als Architekt sind's ja wohl viel unterwegs. Drum schlag ich vor, Sie gehen jetzt mal Ihren umfangreichen Terminkalender durch und teilen mir dann mit, wo Sie zu diesem Zeitpunkt genau waren und ob's im Idealfall irgendwelche Zeugen dafür gibt. Und ehrlich gesagt, Herr Rössl, ich weiß nicht so recht, ob ich Ihnen eher wünschen soll, dass Sie in dieser Sache schuldig oder unschuldig sind.«

Er weiß genau, was ich damit mein. Nimmt den Zettel entgegen, den ich ihm überreich, und nickt.

»Aber zu dieser Zeit, da waren wir gar nicht mehr beisammen, Herr Kommissar«, sagt er ganz leise, grad wie ich schon so am Gehen bin. »Das war schon etwa zwei Wochen vorher, wissen S'. Da hat sie einfach mit mir Schluss gemacht, die Saskia.«

Aha. Wird dadurch sein Motiv jetzt größer oder doch eher kleiner? Keine Ahnung. Und nachdem ich dann erst mal relativ ruckartig die Zimmertür aufgerissen und der Frau Rössl unmissverständlich klargemacht hab, dass sie sich endlich verpissen soll, da setz ich mich noch mal kurz auf diesen Jugendstuhl nieder.

»Hat sie Ihnen denn auch gesagt, warum?«, frag ich und schau den Anton dabei an, der jetzt urplötzlich wirkt wie ein einziges Häufchen Elend.

»Ja«, sagt er kaum hörbar und nickt. »Ich war ziemlich fertig, müssen Sie wissen. Denn obwohl wir uns ja nur einmal die Woche gesehen haben und es im Grunde ja mehr … wie soll ich sagen, ja mehr was Körperliches war … Ich hab sie wirklich gemocht, die Saskia. Sehr sogar. Und wenn die Umstände anders gewesen wären, dann … dann wär vielleicht echt was Festes draus geworden.«

»Herr Rössl, warum hat sie Schluss gemacht? Das könnte vielleicht wichtig sein.«

»Die Liebe, Herr Kommissar«, erzählt er gleich weiter, nun aber klingt es beinah sarkastisch. »Die große Liebe hat sie getroffen, meine kleine Saskia. Als ob's die geben würde, ha!

Jeder träumt davon, und dabei gibt es sie gar nicht, ist das nicht ein Jammer? Es gibt keine große Liebe, Herr Kommissar. Keine, die aus dem Nichts heraus über einen kommt und plötzlich da ist. Wie soll das auch gehen? Es gibt nur eine tiefe Liebe. Die alles überdauert und alles übersteht. Und die muss wachsen. Dafür aber wird sie von Jahr zu Jahr besser. Meine Eltern hatten so eine Liebe, ich hab es erlebt.«

»Schön, also zumindest für Ihre Eltern. Aber noch mal ganz kurz, die Saskia, die war frisch verliebt. Und das hat sie Ihnen so einfach erzählt?«, frag ich, weil ich das schon ziemlich mutig finde. Also ich persönlich würde das zwar auch so machen, aber viele trauen sich das ganz einfach nicht. Die sagen lieber was von Freiheit und Auszeit oder dass man sich halt auseinandergelebt hat. So was in der Art eben. Aber nein, sagt er weiter, sie hätten ein sehr offenes Verhältnis zueinander gehabt. Gleich von Anfang an, wie er sie bei den Bauarbeiten von diesem Hotel betreut hätte. Und so halt auch am Ende, da wollte sie einfach ganz offen und ehrlich zu ihm sein. Sie hat ihm von der großen Liebe ihres Lebens erzählt, und er hat zugehört und sie angelächelt. Er hat ihr auch nicht gezeigt, wie sehr ihn das schmerzt.

»Hat sie einen Namen gesagt?«, will ich dann noch wissen.

»Nein«, sagt er abschließend und schüttelt den Kopf. »Einen Namen weiß ich leider keinen. Aber, und das könnte Ihnen vielleicht noch helfen, sie hat gesagt, dass noch ein schwieriger Weg vor ihr liegt. Dass sie jemanden damit sehr verletzen muss, den sie sehr mag, oder so. Aber ich glaub, da hab ich schon gar nicht mehr richtig zugehört.«

Kapitel 24

Es ist schon später Nachmittag, wie ich im heimatlichen Hof eintreff, und der Rudi ist bereits da. Er hockt in der Küche und lässt sich von der Oma mit Kaffee und Kuchen verwöhnen.

Ein Kirschkuchen mit Schokoladenteig und obendrauf ganz fett Sahne. Ich hol mir mal einen Teller.

»Drei Stunden vierzehn hab ich gebraucht, Franz«, sagt der Rudi trotz vollem Mund, während ich mir Kaffee einschenk. »Was sagst dazu? Also wenn diese Drecksbaustellen nicht gewesen wären, dann hätt ich wahrscheinlich bloß zweieinhalb gebraucht. Drei-Komma-vier-Liter-Sechszylinder mit satten dreihundertzwanzig PS. Bums. Und in fünf Sekunden auf hundert, da fällt dir nix mehr ein.«

»Magst noch ein Stückerl?«, will die Oma jetzt wissen und der Rudi nickt.

»Freilich mag er noch ein Stückerl, der Rudi«, muss ich hier kurz einwerfen. »Schließlich muss er ja aufpassen, dass seine Fettvorräte nicht den Bach runtergehen.« Jetzt schaut er auf seinen Ranzen runter, der meiner Meinung nach durchaus schon die eine oder andere Erinnerung an eine Buckelpiste aufkommen lässt.

»Ja«, sagt er und trommelt auf sein Wamperl. »Mein Bauch und ich, wir haben uns ein bisschen auseinandergelebt, gell.«

So wie's ausschaut, findet er das auch noch lustig. Aber

wurst. Ich nehm mal meinen ersten Bissen und merke es gleich. Von Schokolade keine einzige Spur.

»Ja«, lacht jetzt die Oma, die mich offensichtlich grad beobachtet hat. »Kein Schokoteig heut, Bub. Dafür Vollkorn mit Kirschen aus unserm Garten. Alles gesund. Und sogar der Rahm, der ist fettarm. Ein Diätrahm sozusagen.«

Jetzt lacht auch der Rudi. Ja, wirklich witzig, die beiden.

Um dem tristen Mahl wenigsten irgendwas Positives abzugewinnen, erzähl ich dem Rudi von meinen aktuellen Ermittlungen, was den Rössl angeht.

»Eine arme Sau ist das, wennst mich fragst«, sagt er am Ende und bei seinem dritten Stück Kuchen. »Aber andererseits kommt er mir grad eben aus diesem Grund auch durchaus als Mörder in Betracht.«

»Nur weil er noch bei seiner Mutter lebt, oder was?«, muss ich hier nachfragen.

»Nicht weil er bei seiner Mutter lebt, lieber Franz. Sondern weil er mit ihr lebt. Aber was mich noch viel mehr davon überzeugt, ist die Tatsache, dass unsere Saskia dieses Verhältnis so abrupt beendet hat. Und wie du ja selber grad gesagt hast, hat ihm das schon sehr zugesetzt.«

Dann geht die Tür auf und die Mooshammerin schaut kurz herein.

»Heiratest mich, Liesl?«, frag ich und zwinkere ihr zu. »Hab gehört, du wirst jetzt eine gute Partie.«

»Ja, mein Marktwert steigt grad enorm«, grinst sie mir her. »Du, Lenerl, ich radl kurz zum Friedhof rüber. Magst mitfahren?«

Und freilich mag die Oma. So schnell kann man gar nicht schauen, da lässt sie alles liegen und stehen, nimmt die Schürze ab und saust in die Diele hinaus.

»Ich weiß nicht so recht, Rudi«, sag ich, wie endlich die Tür ins Schloss fällt. »Der Rössl, der ist vielleicht eine arme Sau, steht unter dem Pantoffel von seiner Mami und hat Pornos in den Fußbodendielen versteckt, aber irgendwie kann ich mir nicht vorstellen, dass er zu einem Mord fähig ist.«

»Ach, kann er sich nicht vorstellen, der Herr Eberhofer. Das ist aber kein Wunschkonzert, Franz.«

Jetzt hat er wieder seinen weibischen Tonfall drauf, wo ich jedes Mal die Krätze krieg. Wobei er freilich schon irgendwie recht hat. Der Rössl mit seiner kranken Geschichte, der würde jedem Richter sein Amt wirklich ausgesprochen leicht machen, keine Frage. Und trotzdem kann ich nicht recht glauben, dass er fähig wär, einen Menschen zu ermorden, noch nicht mal im Affekt.

Aber, lieber Gott, wie kann ich das dem Rudi nur verklickern?

Doch nun läutet mein Telefon, und wenn man vom Teufel spricht …

»Herr Rössl?«, frag ich in die Muschel und stell lieber gleich mal auf laut. So kann der Rudi wunderbar mithören und ich muss ihm hinterher nicht alles wiederholen. »Sie rufen jetzt sicherlich an, um mir mitzuteilen, dass Sie ein wunderbares Alibi haben.«

Der Birkenberger verdreht nun die Augen in alle Richtungen.

»Kreative Gartengestaltung«, kann ich den Rössl vernehmen und weiß nicht im Mindesten, wovon er grad spricht. Dem Rudi geht's wohl genauso, jedenfalls zeigt er mir einen Vogel.

»Kreative Gartengestaltung«, wiederhole ich blödsinnigerweise seine seltsamen Worte.

»Genau«, sagt er weiter. »VHS Kurs in Kaufleuten. Meine Mutter und ich waren dort von sieben bis neun. Außer uns waren da noch fünf Frauen und ein älteres Ehepaar. Und mit vier von denen sind wir anschließend noch zum Giovanni auf ein Glas Wein. So gegen elf waren wir dann wohl zu Hause.«

»Ja, gut, das lässt sich ja alles relativ einfach überprüfen«, sag ich und wundere mich noch nicht mal drüber, dass mir dieses Alibi mehr als glaubhaft erscheint.

»Ja, natürlich«, sagt unser Anton und klingt nun durchaus erleichtert. »Aber noch was anderes, Herr Kommissar. Ich glaub, mir ist da noch was eingefallen.«

»Ja?«

»Ich hab Ihnen doch gesagt, dass die Saskia was von einem sehr schweren Schritt erzählt hat. Dass sie jemanden verletzen muss, der ihr sehr wichtig ist …«

»Ja, weiter.«

»Mir ist noch eingefallen, dass es ein Mann sein muss. Es wird IHM das Herz brechen, hat sie gesagt. Hilft Ihnen das irgendwie weiter?«

Es wird IHM das Herz brechen. Und ob mir das weiterhilft.

Ja, auf jeden Fall, sag ich, bedank mich noch artig, und dann häng ich ein.

»Der Conny?«, fragt der Rudi jetzt und teilt somit meinen Gedanken. Und das ist wieder so ein Moment, wo ich ganz genau weiß, warum ich diese Nervensäge schon so viele Jahre lang ertrage.

»Ich wüsste keinen anderen Kerl in ihrem Leben, der ihr sonst noch wichtig gewesen wär«, überleg ich jetzt mehr so vor mich hin.

»Aber der ist doch schwul, verdammt. Warum sollte sie ihm das Herz brechen, wenn sie sich verliebt?«

Ja, keine Ahnung. So sitzen wir ein Weilchen und grübeln vor uns hin. Erst wie die Oma und die Liesl zurückkommen, erst da nimmt unser intensives Brainstorming quasi ein abruptes Ende.

»Eine Hitz ist das heut, das kann man kaum glauben«, sagt die Liesl, sobald sie zur Tür drinnen ist. »Da soll sich noch einer auskennen, erst schwemmt's dich tagelang weg, dass ganze Häuser einfallen, und dann brennt der Planet runter, dass man direkt einen Vogel kriegt. Kommt alles von dieser Scheißumweltverschmutzung, und ich frag mich ehrlich, wann fangen die Leut endlich an, einmal umzudenken.«

Kurz darauf hocken der Rudi und ich dann auf dem Bankerl draußen, und ich versuch mal umzudenken. Und ihm geht's wohl genauso, jedenfalls hat er plötzlich einen Plan.

»In welchem Stockwerk wohnt denn dieser Conny?«, will er zunächst noch kurz wissen.

»Im ersten, warum?«

»Balkon?«

»Ja, ich glaub schon.«

»Dann komm«, sagt er noch, holt seinen Autoschlüssel hervor, und wir begeben uns zu seinem Porsche.

Es ist wieder der Raphael, der mir ein winziges Stündchen später die Wohnungstür öffnet. Und ich muss schon zugeben, so eine Fahrt mit dreihundertzwanzig PS und einer Beschleunigung, dass dir die Augenlider flattern, die hat schon was.

»Hallo«, begrüßt er mich freundlich, wenn auch bei Weitem nicht so aufgekratzt, wie er es das letzte Mal war. »Soll ich … äh, soll ich den Conny aufwecken?«

»Nein, momentan nicht«, sag ich, grad wie ich durch die winzige Diele ins Wohnzimmer gehe.

»Einen Kaffee mit Schoki?«, fragt er, und das ist mein Stichwort.

»Gern«, sag ich und nicke. Und schon stemmt er sich lächelnd von der Wand ab, an der er grad noch gelehnt ist, und macht sich auf den Weg in die Küche. Und während nebenan nun die Kaffeemaschine ihr Werk tut, öffne ich die Balkontür und setz mich danach aufs Sofa. Schöne Bilder an den Wänden. Sind das Fotos? Die sind mir neulich gar nicht aufgefallen. Ich steh wieder auf und geh einmal hin. Ja, es sind Fotos. DIN-A4, Hochglanz. Wunderbare Aufnahmen, wirklich. Auf den meisten ist der Raphael drauf. Mitten in einem Wald, wo nur ganz wenig Licht von oben her reinfällt. Oder hier auf dem Standstreifen einer Autobahn, witzig. Und dort … dort sitzt er in einem Kettenkarussell. Auf einem der Bilder ist auch die Saskia mit einer riesigen Eistüte drauf. Auch der Conny ist auf einem Bild, und davon mach ich mir nun selbst schnell ein Foto und schick's gleich mal dem Rudi. Auch ein paar andere Leute hängen dort an der Wand, die ich aber alle gar nicht kenn. Gut, ein paar Bilder, die sind dann schon eher aus der Schmuddelecke, aber die sind eh ganz hinten im Eck.

»Schöne Bilder, nicht wahr?«, kann ich plötzlich den Raphael wieder vernehmen, der mit meiner Tasse nun im Türrahmen steht. »Ja, da ist er echt talentiert, der gute Conny.«

Hör ich da einen seltsamen Unterton raus?

Dann kommt er auf mich zu, überreicht mir meinen Kaffee und lässt sich ziemlich relaxed auf einen Sessel plumpsen. Und auch ich nehm wieder Platz.

»Heiß heute«, sagt er grad noch, und schon reißt er sich das T-Shirt vom Leib. Das ist mir aber jetzt unangenehm. Ich sitze hier mit einem Schwulen mit nacktem Oberkörper, und obwohl ich nicht will, kann ich gar nicht aufhören, diesen Wahnsinnsbody anzustarren.

»Ja, Herr Schäfer«, sag ich, weil's langsam echt reicht. »Mir ist es auch heiß, unglaublich sogar, und trotzdem zieh ich mich hier nicht aus.«

»Meinetwegen gerne.«

»Na gut, warum ich eigentlich da bin, es gibt ein paar Ungereimtheiten, was diesen Mordfall betrifft. Zum Beispiel wüsste ich gerne, wann und wo Sie selber die Saskia kennengelernt haben?«

Jetzt schnappt er sich sein Shirt vom Fußboden, steht auf und zieht es sich wieder an. Dann geht er zur Balkontür rüber und schaut hinaus. Die Birke vor seinem Fenster steht still und starr. Es geht kein einziges Lüftchen.

»Das ist nicht weiter spektakulär, wie wir uns kennengelernt haben«, sagt er und verschränkt dabei die Arme vor seiner Brust.

»Das würd ich schon gern selbst entscheiden.«

»Der Conny hat uns bekannt gemacht«, erzählt er weiter und zuckt mit den Schultern. »Wir waren irgendwo Sushi essen und hinterher noch ein bisschen tanzen in so 'nem Club. Das war irgendwie ganz cool. Der Conny … der tanzt nämlich nicht gerne, und im Grunde kann er's auch nicht.«

»Und da haben Sie dann mit der Saskia abgerockt?«

»Ja, und? Ist das verboten?«, fragt er und dreht sich dabei um – und für meine Verhältnisse tut er beides zu schnell.

»Wie oft haben Sie sich denn getroffen mit der Saskia? Ich mein, ohne dass euer Conny davon was gewusst hat?«

Nun fällt sein Kopf schwer nach vorne und er starrt auf den Fußboden runter. Und ein ganz zaghaftes, wirklich nur zu ahnendes Schulterzucken lässt mich seine momentane Ratlosigkeit dennoch spüren.

»Mein Gott«, tönt es jetzt plötzlich vom Türrahmen her, wo der Conny nun steht mitsamt seiner depperten Schlafmaske am Hirn. »Wo bitte ist das Problem? Die beiden hatten eine kurze Affäre. Na und? Das ist doch wohl ziemlich normal in der heutigen Zeit.«

Und so schau ich mal zum Raphael rüber, der sich mittlerweile zu ihm umgedreht hat und ihn mit fest zusammengekniffenen Augen anstarrt.

»Ist doch wahr, Liebling«, sagt der Conny nun, während er auf ihn zugeht und dann den Arm um ihn legt.

»Herr Ziegler«, muss ich aber jetzt wieder das Zepter übernehmen. »Diese Affäre zwischen den beiden, wie haben Sie davon erfahren?«

»Wie hab ich davon erfahren?«, murmelt er und legt sich dabei die Hand an die Schläfen, grad so, als müsste er ganz intensiv drüber nachdenken. Doch am Gesichtsausdruck vom Raphael daneben kann ich schon relativ gut ausmachen, dass diese Szene ja geradezu lächerlich ist.

»Ich glaube … ja, doch, sie hat's mir selber gesagt. Aber wie gesagt, es war ja auch wirklich keine große Sache.«

»Was aber eine große Sache ist, Herr Ziegler«, fang ich hier mal zu lügen an und zieh mein Telefon hervor. Dann wähl ich die Nummer vom Birkenberger. »Dass es einen Zeugen gibt, der Sie in der Tatnacht gesehen hat, verstehen S'. Und zwar bei uns in Niederkaltenkirchen. Was sagen Sie jetzt?«

Der Rudi konnte die letzten Sätze freilich schon mithören und dürfte somit geimpft sein. Deshalb ist er auch gleich auf der Höhe, wie ich nun den Lautsprecher anschalte. Der Conny dagegen, der macht grad den Eindruck, als sei er überall sonst, nur nicht auf der Höhe. Und auch der Raphael scheint grad irgendwo auf fremden Planeten zu weilen.

»Hören Sie mich?«, frag ich dann ins Telefon.

»Einwandfrei«, können wir dann alle den Rudi ganz prima vernehmen.

»Würden Sie dann bitte die Person beschreiben, die Sie an besagtem Tag am Haus des Brandopfers gesehen haben wollen?«, sag ich noch so, und schon legt er los, der Birkenberger. Und da er ja nicht wissen kann, was unser Conny zu diesem Zeitpunkt getragen hat, beschränkt er sich komplett auf die körperlichen Merkmale. Das aber macht er perfekt.

»Was sagen Sie dazu, Herr Ziegler?«, frag ich und steck mein Telefon wieder weg.

»Ich sag jetzt gar nix mehr. Sie können mich ja einfach verhaften, Herr Kommissar.«

Nein, das kann er nicht, der Herr Kommissar. Weil seine Ermittlungsmethoden wieder mal fragwürdig waren, wie der Richter Moratschek umgehend und glasklar feststellen würde. Und so bleibt mir vorerst gar nix anderes übrig, als mich zu verabschieden und vom Acker zu machen. Im Grunde tut er mir ja schon fast leid, der Conny. Da verliebt er sich Hals über Kopf in dieses knackige und aufgedrehte Bürschchen und will in seiner ganzen Euphorie das Glück mit seiner besten Freundin teilen. Und was machen die zwei wichtigsten Menschen in seinem Leben? Die fallen übereinander her, und er steht da und ist am Ende der Depp. Aber es hilft alles nix. Weil Mord ist Mord und deshalb strafbar.

Kaum, dass ich unten zur Haustür raus bin, kommt unser eigentlicher Plan zum Einsatz. Der Rudi macht mir eine astreine Räuberleiter, und ruckzuck steh ich auf diesem Balkon, wo ich zuvor noch die Tür aufgemacht hab. Die Sicht ins Wohnzimmer rein ist ziemlich brillant, und so kann ich die zwei zurückgelassenen Burschen richtig gut sehen. Sie stehen dort mitten im Raum und halten einander aufs Innigste umarmt. Der Conny weint grad Rotz und Wasser, und der Raphael, der wird nicht müde, über dessen Hinterkopf zu streichen und ihm ganz leise ins Ohr zu summen. Eine ganze Weile lang geht das so. Und ich befürchte schon fast, dass ich mir hier ein Nachtlager aufschlagen muss. Zwischenzeitlich ruft der Rudi immer mal wieder in gemäßigter Lautstärke nach oben, was denn so abgeht. Und ich leg jedes Mal den Zeigefinger auf meinen Mund, damit er weiß, dass er endlich das Maul halten soll. Irgendwann aber, gefühlte Lichtjahre später, lassen die beiden dann voneinander ab, stehen aber immer noch beisammen und sehen sich tief in die Augen.

»Conny, mein Liebster«, sagt der Raphael dann, und es klingt wirklich sehr zärtlich. »Mach ein Ende. Bitte. Geh zur Polizei und leg ein Geständnis ab.« Der Conny schaut ihn an und nickt immer noch weinend. Dann dreht er sich ab und schnäuzt sich ausgiebig. Und ich … ich halte dem Rudi meinen Daumen nach oben und er macht dort unten die Säge.

Danach ist eigentlich alles ganz einfach. Weil, nachdem ich erneut vor ihrer Wohnungstür steh und einfach kurzerhand vorgeb, mein Notizheft verloren zu haben, lassen mich die beiden freilich umgehend eintreten und werden anschließend auch ziemlich hurtig gesprächig. Und so erfahr ich, dass dieser unglückliche Todesabend eigentlich ganz anders geplant war. Zumindest aus der Sicht von unserem Conny heraus. Der hatte nämlich zuvor seinen Raphael zum Flughafen gefahren, weil der ja beruflich nach Washington musste. Und dann, wo er eh grad schon mal in unserer Richtung war, also Richtung Niederkaltenkirchen, mein ich, da hat er kurzerhand beschlossen, die Saskia zu besuchen. In letzter Zeit hatten sie sich nämlich kaum mehr gesehen, was von beiden Seiten her wohl dem Raphael zuzuschreiben war, was er aber zu diesem Zeitpunkt freilich noch nicht wusste. Und zunächst einmal, da hat sich die Saskia ja sehr gefreut über diesen unerwarteten Besuch. Aber schon bald, da hat sie einen ernsten Tonfall bekommen und hat dem Conny gesagt, dass sie was auf dem Herzen hat. Ja, und dann war es raus.

»Erst hab ich ja noch gelacht«, sagt er jetzt, und es klingt durchaus sehr bitter. »Ich hab doch geglaubt, die verarscht mich bloß ein bisschen.«

»Hat sie aber nicht«, sag ich und er schüttelt den Kopf.

»Nein, hat sie nicht«, schluchzt er jetzt. »Und dann, als ich gemerkt hab, dass es ihr Ernst ist, da wollte ich einfach mit ihr reden. Saskia, hab ich gesagt, du hast doch alle paar Wochen eine neue große Liebe. Erst war es der Viktor, dann dieser Anton, und jetzt bildest du dir ein, es wär der Raphael.«

Der schaut jetzt ganz betreten zu Boden, und ich vermute ehrlich, darin würde er grad zu gern versinken.

Doch sie hat nur den Kopf geschüttelt, erzählt der Conny nun weiter. Nein, hat sie gesagt, dieses Mal ist es was anderes. Und dass es ihr unglaublich leidtut, ihn nun so verletzen zu müssen, aber sie kann auch nicht raus aus ihrer Haut.

»Dann haben Sie den Schürhaken genommen und …«

»Nein«, unterbricht er mich aber sofort. »Sie hat den Schürhaken genommen. Die Situation hat sich irgendwie zugespitzt, müssen Sie wissen. Wir haben uns nur noch angebrüllt und gegenseitig beschimpft. Dann hat sie plötzlich gesagt, ich soll mich verpissen. Aber das wollte ich nicht. Ich wollte doch, dass … Ach, Scheiße! Jedenfalls hat sie plötzlich diesen Haken von der Wand genommen und hat geschrien, dass ich sofort abhauen soll.«

»Und Sie haben ihr den aus der Hand gerissen und …«

»Zugeschlagen. Ja«, sagt er noch und steht auf. »Können wir jetzt gehen?«

Ja, können wir. Das heißt, zuvor möchte ich vom Raphael noch gern wissen, wieso er seinem Freund ein falsches Alibi verpasst hat.

»Ich hab's echt nicht gewusst, Herr Kommissar«, sagt er.

»Das stimmt«, bekommt er prompt Unterstützung. »Wissen Sie, er hat eh immer Probleme mit der Zeitverschiebung. Und als er an diesem Abend gefragt hat, wie spät es jetzt bei uns ist, da hab ich einfach zwei Stunden abgezogen und fertig.«

»Also doch!«, sagt der Briefkasten von vis-à-vis noch, wie wir anschließend ins Treppenhaus rausgehen. Und unten auf der Straße, da wartet der Rudi, und der hat inzwischen einen Streifenwagen angefordert. Was ja auch irgendwie klar ist, schließlich kann ich einen Mörder unmöglich auf meinem Schoß in die U-Haft reinfahren. Nein, das geht auf gar keinen Fall.

Kapitel 25

»Komisch«, sag ich noch so, wie der Rudi und ich schließlich an seinem Porsche lehnen und dem wegfahrenden Streifenwagen hinterherschauen. »Ich versteh das nicht. Man müsste doch meinen, ein Mensch weiß, ob er auf Männer oder auf Frauen steht.«

»Nein, nein, nein, Franz«, widerspricht der Rudi aber sofort. »Da täuschst du dich sakrisch. Ich hatte da nämlich mal eine Observierung, wo ein Kerl mit einem Mann zusammengelebt hat. Davor war der aber verheiratet und hatte drei Kinder. Und dann wie aus heiterem Himmel hat er auf einmal seinen Lebensgefährten, der quasi auch mein Auftraggeber war, mit seiner Sekretärin beschissen. Und ich könnt wetten, der weiß bis heut nicht, ob er eher zu Männlein oder Weiblein tendiert.«

»Aber das muss doch ein unglaublicher Stress sein«, sag ich so mehr zu mir selbst.

»Finden Sie?«, können wir plötzlich hinter uns vernehmen und drehen uns gleichzeitig um.

Es ist der Raphael, der grad mit zwei Reisetaschen auf uns zukommt, während hinter ihm die Haustür ins Schloss fällt. »Eigentlich ist es kein Stress, eher abwechslungsreich und auch irgendwie prickelnd. Außer man hat sich tatsächlich in zwei Menschen gleichzeitig verliebt, aber das ist ja auch bei Heteros stressig, oder?«

»Sie waren wirklich verliebt in die Saskia?«, frag ich jetzt ein wenig kleinlaut.

»Das war ja das Groteske an dieser Sache«, sagt er weiter, schaut an uns vorbei und verliert sich dort in der Ferne. »Ich hatte ja zuvor ein paar Mädchen und hab dann aber ziemlich schnell gemerkt, dass das eben einfach nicht mein Fall ist. Mit Jungs, da ging's mir richtig gut. Bis … ja, bis dann eben die Saskia in mein Leben knallte. Da war plötzlich alles irgendwie komplett anders.«

Ein paar Augenblicke lang sagt jetzt keiner mehr was. Der Raphael steht vor uns mit seinen Taschen und starrt in die Ferne, der Rudi starrt auf den Boden und ich starr zwischen den beiden hin und her.

»Und wie geht's jetzt weiter?«, frag ich, allein schon um irgendetwas zu tun.

»Hier«, sagt der Raphael dann und drückt mir eine der Reisetaschen in die Hand. »Die ist für den Conny. Keine Ahnung, was er davon behalten darf und was nicht. Es sind einfach seine Lieblingssachen.«

»Werden Sie ihn nicht besuchen?«, will der Rudi nun wissen.

»Nein, momentan nicht. Es muss erst ein bisschen Abstand her. Ich … ich glaub, ich hab ihm sein kleines Herz zerbrochen«, sagt er weiter und man merkt deutlich, wie er mit den Tränen kämpft. »Und ich … ich muss auch erst mal alles sacken lassen. Denn ob Sie das nun glauben oder nicht, aber ich habe grad die einzigen zwei Menschen verloren, die mir jemals wichtig waren. Und das durch meine eigene Schuld, verdammte Scheiße.«

»Verstehe«, sag ich.

»Ach, tun Sie das?«, fragt er, hält seinen Kopf schief und schaut mich eindringlich an. Ich zuck mit den Schultern. Was soll ich auch tun?

»Eins würde mich aber noch interessieren, Herr Schäfer«, muss ich jetzt trotzdem noch fragen. »Seit wann haben Sie es denn gewusst?«

»Dass es der Conny war?«

Ich nicke.

»Das war schon, nachdem Sie neulich bei uns auf der Matte gestanden haben. Da hab ich ihn einfach gefragt. Conny, hab ich gesagt, ist da was dran an dieser Geschichte? Dann hat er mir in die Augen geschaut und ist total zusammengebrochen.«

Und wieder entsteht eine Pause.

»Wo kann ich Sie denn erreichen?«, frag ich dann noch rein dienstlich gesehen, und prompt zückt er seine Visitenkarte.

»Bin bei meinen Eltern im Saarland. Meine Handynummer steht drauf«, sagt er noch so, und dann winkt er ein Taxi heran, das gerade in unsere Richtung fährt.

Am nächsten Vormittag, gleich wie ich in mein Büro reinkomm, da hockt der Max drin mitsamt seiner Schnecke. Im Gegensatz zum letzten Mal aber sind sie nicht mit Knutschen, sondern am Computer beschäftigt. Der Schreibtisch ist voll, das kann man kaum glauben, und ich frag mich echt, was diese Stapel hier denn so bedeuten.

»Was ist das alles?«, frag ich deswegen gleich nach der obligatorischen Begrüßung und deut dabei auf die Akten.

»Ah, gut, dass du da bist«, sagt der Max daraufhin und steht gleich mal auf. »Das hier, das sind alles deine blöden Anzeigen, die ich für dich bearbeiten sollte, weißt schon. Schau, das sind die von denen, die fürs Hotel sind, und diese dann praktisch von den anderen.«

»Und was soll ich jetzt damit? Ich mein, die Angelegenheit ist doch jetzt eh Geschichte, oder? Das Hotel wird gebaut und Punkt.«

Der Max zuckt mit den Schultern.

»Ja, keine Ahnung, Mann. Ich weiß bloß, dass es ein ganzer Haufen Arb…«

Ich pack den ersten Stapel und hau ihn in den Aktenvernichter.

»Arbeit war«, sagt der Max jetzt noch und schaut dabei auf den Schredder wie eine Mutter auf ihr weinendes Kind. Dann geht die Tür auf und der Bürgermeister kommt rein.

»Einen wunderbaren guten Morgen, liebe Mia und meine Herren«, sagt er und kommt prompt auf mich zu. Und nachdem er mir anerkennend auf den Oberarm getrommelt und kundgetan hat, wie unglaublich stolz er wieder mal auf mich ist, drückt er mir ein Blatt Papier in die Hand.

»Hätt ich fast vergessen, Eberhofer. Das ist die Liste aller Mitglieder unserer ominösen Vereinigung, wie Sie so schön gesagt haben. Wissen S' schon, die haben Sie mal bei mir angefordert. Und ich, ja, ich hab sie zwar geschrieben, aber dann wohl wieder vergessen. So wie Sie selber vermutlich auch, gell.«

Die blöde Liste wandert ebenfalls in den Schredder. Und grad wie ich den Rückzug antreten will, da bittet mich ausgerechnet der Max noch um ein Vieraugengespräch.

»Gut«, sag ich und deute zur Tür. »Dann gehen wir nach draußen, ich brauch eh grad dringend einen Kaffee.« Ja, sagt der Max, wie wir kurz darauf mit unseren dampfenden Haferln vor der Rathaustür stehen, und irgendwie ereilt mich der Eindruck, er weiß gar nicht so recht, wo er ansetzen soll. Plötzlich aber sprudelt's aus ihm raus. So wie's ausschaut, kann er diesen Job hier gar nimmer lang machen, erzählt er. Weil seine Eltern, die hätten nämlich beschlossen, im Zuge dieses Hotelbaus ihr Sortiment komplett zu überdenken. Mehr so mit Bio und auch Gemüse. Ein paar Smoothies vielleicht, und bei Letzterem wird mir schlagartig schlecht. Ja, und weil er ja jetzt seine depperte Wiese hinter dem Haus, die bislang ja nur Brachland war, nicht zu einem Wahnsinnspreis für das Hotel verkaufen kann, da hat er kurzerhand umdisponiert, der schlaue Herr Simmerl.

»Da soll ein kleiner Biergarten hin, hat der Papa gesagt. Mit einem Imbiss auf Käfer-Niveau und lauter so Schicki-micki-Fraß halt«, erzählt er weiter, und ich kann gar nicht recht ausmachen, ob ihm diese Ideen nun gefallen oder eher nicht. »Aber wurst. Jedenfalls brauchen sie mich dann dort und zahlen auch ganz ordentlich. Und solang ich kein Fleisch anfassen muss, haut das schon irgendwie hin.«

»Weiß der Bürgermeister davon?«, will ich am Ende noch wissen. Nein, sagt er, davon weiß außer mir noch keiner was. »Außerdem, Franz, wenn ich ehrlich bin, wird mir die Nummer hier auch allmählich zu groß. Ich mein, es ist ja jetzt schon der Teufel los, hier bei uns in Niederkaltenkirchen. Aber was glaubst, was da erst los ist, wenn dieses depperte Hotel erst mal da steht mit den ganzen Touris.«

Ja, das kann schon gut sein, gell. Und da braucht es halt dann schon eher einen erfahrenen Bullen wie mich statt nur so einen halbwüchsigen Hilfssheriff, ganz klar.

Und grad wie ich kurz danach beim Simmerl reinkomm, hat der freilich gleich das unbändige Bedürfnis, mich über seine Expansion bis ins kleinste Detail zu informieren, während er meine Leberkässemmeln eintütet. »Schau«, sagt er und deutet mit dem Kinn Richtung Schaufenster. »Ein Info-taferl hab ich schon reingestellt.« Und so geht halt mein Blick mal in Richtung Fenster. Und was kann ich da sehen? Mein alter Radlerfreund, der Herr Fürstenberger, steht samt Radl und Bügelfaltenjeans genau davor und ist wohl grad dabei eben genau diese Info zu lesen. Also geh ich mal raus.

»Hey«, ruft mir der Simmerl noch hinterher. »Ich krieg noch drei sechzig.«

»Schreib's auf«, ruf ich retour, und schon bin ich draußen.

In Kürze erhalten Sie hier feinste Delikatesswaren in reinster Bio-Qualität. Außerdem eröffnen wir eine Theke für unsere veganen und vegetarischen Freunde.

Da schau einer an.

»Da schau einer an«, sag ich, und jetzt fallen mir die Hosenbeine vom Fürstenberger ins Auge, die mithilfe von Wäscheklammern wohl daran gehindert werden sollen, in die Kette zu flattern. Das letzte Mal hatte ich selber diese Montur bei meiner Kommunion.

»Ja, ja«, entgegnet er mir. »Der Simmerl, der kriegt seinen Kragen wohl auch nicht voll, oder?! Aber der denkt doch nicht ernsthaft, dass ein passionierter Vegetarier wie ich sein Tofu in einem Laden kauft, wo Schweinebeine von der Decke baumeln?«

»Nicht?«

»Nein.«

»Aha.«

»Haben Sie jetzt Ihren Mörder?«, will er dann noch wissen und schaut mich erwartungsvoll an. Und so schau ich zurück.

»Ja, Herr Fürstenberger, den haben wir.«

»Dann hab ich ja wohl noch mal Glück gehabt«, sagt er weiter und ein kleines Grinsen huscht über sein sonst doch so ernstes Gesicht. »Aber unter uns, Herr Eberhofer, wenn ich schon einen Mord beginge, dann hätte ich da jemand ganz anderen auf dem Radar, das dürfen Sie mir glauben.«

Dann schwingt er sich aufs Rad und tritt von dannen. »Und wenn ich irgendwann wieder rauskäm, dann hätte ich ein ganzes Haus nur für mich«, ruft er noch so im Wegfahren und lacht. »Nur für mich ganz alleine. Und der blöde Köter, der würde auch nicht mehr in den Garten scheißen.«

Dann ist er weg. Apropos Köter, verdammt, ich muss dringend nach Hause.

Und wie ich heimkomm, da ist eine Unruhe bei uns am Hof, das kann man gar nicht glauben. Die Oma und die Liesl, die sausen durch die Küche, mischen Kuchenteig, schlagen Sahne und hobeln Schokolade. Drüben auf der Eckbank hockt der Papa, schält tonnenweise Kartoffeln, und auch im Radio laufen irgendwelche Oldies grad zu Höchstformen auf. Was ist denn da wieder los? Zunächst einmal aber muss ich den Flieger einmal dazu bringen, die Sonne ein bisschen leiser zu grüßen, was wenigstens dazu führt, dass ich anschließend eine Frage stellen kann.

»Lass mich raten«, sag ich und schau der Liesl über die Schulter hinweg in ihre Schüssel. »Der Leopold kommt aus Thailand zurück?«

»Du bist ja ein richtig pfiffiges Kerlchen«, sagt sie, rührt aber unbeirrt weiter.

»Ja«, sagt der Papa und legt eine geschälte Kartoffel zu ihresgleichen. »Zeit wird's. Morgen Mittag kommen sie an, der Leopold mit seinen zwei Mädels. Franz, bist so gut und holst sie vom Flughafen ab?«

»Nein, so leid's mir auch tut, aber da muss ich dich leider enttäuschen, meine Kiste ist noch in Reparatur.«

Aber nur einige Augenblicke später düst auch schon ein Streifenwagen in unseren Hof hinein, und zwar samt Blaulicht und Sirene. Und durch das Megafon hindurch kann ich dem Rudi seine Stimme vernehmen.

»Achtung, Achtung, hier spricht fast die Polizei. Herr Eberhofer, legen Sie die Waffe nieder und verlassen Sie das Haus. Ihr runderneuerter Dienstwagen möchte umgehend zum rechtmäßigen Besitzer wechseln.«

Jetzt muss ich grinsen. Und der Papa grinst erst. Und sogar die Liesl. Die Einzige, die unbeirrt weiterknetet, ist die Oma. Also geh ich mal raus. Der Wagen sieht aus, als wär er grad vom Band gelaufen, wirklich unglaublich. Und innen drinnen, da riecht er auch komplett anders. Nicht nach Lederjacke und Leberkäs wie sonst, nein, eher vielleicht nach Moschus und Lavendel. Wahnsinn.

»Ja, mein Autotandler ist eine Wucht, Franz. Der hat ihn dir sogar noch ein bisschen frisiert«, sagt der Rudi und ich verstehe nicht recht. »Ja«, sagt er weiter und verdreht dabei die Augen. »Ein bisschen mehr Feuer unter der Motorhaube halt, kapiert.«

»Das ist ein Dienstfahrzeug, Rudi, und somit Eigentum des Freistaats. Was glaubst du eigentlich, wie viel Freiheiten du dir noch rausnehmen kannst?«, sag ich, kann aber leider gar nicht so entsetzt klingen, wie ich eigentlich möchte. »Du, was ich dich eh noch fragen wollte, wo hattest du eigentlich einen Dienstausweis her, wie du diesen Viktor dort in Frankfurt vernommen hast? Ich denk, der wird dir ja nicht Rede und Antwort gestanden haben, ohne dass du dich ausweisen konntest, oder?«

»Nein, freilich nicht«, sagt er, lacht und zückt seinen Geldbeutel aus der Hosentasche. Daraus zieht er dann einen Ausweis nach dem anderen. »Hier LKA, CIA, FBI …«

»Du hast …?«, jetzt fehlen mir direkt die Worte. Stattdessen starr ich auf all diese Lappen, die er mir jedoch prompt wieder aus den Fingern reißt.

»Ich bin Privatdetektiv, Schatzilein. Schon wieder vergessen?«

»Um wie viel geht er denn jetzt schneller?«, frag ich und schau wieder zum Wagen zurück. Allein schon, um das Thema zu wechseln.

»Zweihundertzwanzig bin ich jetzt grad gefahren«, sagt er, wie er mir beinah feierlich den Autoschlüssel überreicht.

»Zweihundertzwanzig«, sag ich und steig einmal ein. »Sapralott, das schreit ja geradezu nach einer Spritztour.« Und grad wie der Rudi breit grinsend ums Auto rumgeht und die

Beifahrertür anvisiert, da tret ich aufs Gaspedal, und schon fliegt der Kies. Und im Rückspiegel kann ich nun haargenau sehen, wie er grad zum Rumpelstilzchen mutiert und in den Fußboden stampft. Herrje. Im Grunde sind wir ja ein großartiges Team, der Rudi und ich. Dreamteam quasi. Das weiß ich schon selbst. Und trotzdem ist es mir manchmal eine tierische Freude, ihn zum Kasperl zu machen. Keine Ahnung, warum. Der Wagen jedenfalls läuft wie geschmiert und tatsächlich zweihundertzwanzig. Außerdem riecht er wie ein Duschgel. Besser geht's ja wirklich kaum.

»Eberhofer, nicht so schüchtern«, sagt der Moratschek, wie ich ein Viertelstündlein später vorsichtig seine Bürotür öffne. »Kommen S' rein, Sie Superbulle, und hocken S' sich nieder. Mögen S' einen Kaffee?«

Mei, warum eigentlich nicht, gell. Und schon saust er an mir vorbei und in den Flur hinaus, dass seine richterliche Robe nur grad so flattert.

»Einen Mordsfisch haben S' da wieder an Land gezogen, Respekt«, sagt er kurz drauf und drückt mir meinen Becher in die Hand.

»Nein, Moratschek, eigentlich glaub ich viel eher, das ist ein ganz armes Würstchen, dieser Ziegler. Werden Sie die Verhandlungen leiten?«

»Das wissen die Götter, wieso?«

Ich zuck nur mit den Schultern und nehm einen Schluck Kaffee.

»Wie auch immer, Eberhofer. Er war ja geständig, und das hilft ihm auf alle Fälle schon mal weiter. Außerdem können Sie ja in der eigenen Aussage Ihren Senf so dazu geben, dass es für dieses Würstchen nicht ganz so schlimm wird, gell«, schlägt er nun vor, öffnet seine Schreibtischschublade und fingert daraus eine Dose hervor. Doch noch ehe er seine Na-

senlöcher wieder einmal mit diesem widerlichen Tabak ver-
klebt, da verabschiede ich mich auch schon, leer meinen Becher und mach mich lieber auf den Weg. Und kurz bevor ich
die Treppe runtersause, da kann ich noch einige Nieser vernehmen. Und zwar welche von der heftigsten Sorte. Ja, sehr
zum Wohlsein, eure Richterliche Eminenz!

Wie ich hinterher die B 299 rausfahr, da werd ich gleich zweimal hintereinander geblitzt, und das ist halt ärgerlich. Weil
das bedeutet am Montag in die VPI Landshut reinzufahren
und zu hoffen, dass der diensthabende Kollege kein Arschloch ist, die Fotos einfach löscht und diese Angelegenheit somit aus dem System verschwindet. Da sich aber die Quoten
dort in Sachen guter Bulle, böser Bulle ziemlich genau auf
fuchzig zu fuchzig belaufen, da hilft eben wohl wirklich nur
hoffen und beten. Aber gut.

Der Rudi ist schon weg, wie ich heimkomm, dafür sind alle
anderen noch da und immer noch aufs Eifrigste beschäftigt.
Der Papa zum Beispiel, der bastelt grad aus einem alten Kar-
ton, wo mal eine Waschmaschine drin war, ein Plakat. Aha.
Das schau ich mir mal näher an. »Herzlich willkommen daheim« steht dadrauf, und außerdem sind lauter blau-weiße
Rauten draufgepinselt, die jedoch alles andere als professionell ausschauen. Was ihn aber keinesfalls daran hindert, weiterhin den Filzstift über diese Schachtel sausen zu lassen.
Dabei ist er auch sehr konzentriert und hat seine Zunge in
den rechten Mundwinkel gepresst. Und das schaut einfach
zu deppert aus. So geh ich mal lieber zum Weibsvolk rüber.
Die Liesl, die hängt grad Brezen an knallbunte Bänder, die die
Oma zuvor noch zusammenflechtet.
    »Kommt auch noch eine Blaskapelle, oder was?«, frag ich
und schnapp mir ein Bier aus dem Kühlschrank.

»Ja«, sagt die Liesl. »Das Turbogebläse aus Sandlkofen. Die kommen Punkt zwölf, exakt zu den Weißwürsten, und ein paar Goaßlschnalzer kommen auch.«

»Ja«, setzt jetzt die Oma noch eins drauf. »Die waren nämlich miteinander im Angebot, weißt. Zahl einen, kriegst zwei.«

Hab ich eigentlich schon erwähnt, dass die akustischen Defizite von der Oma nicht auf die Mooshammerin zutreffen?

»Jetzt hast ja wieder ein Auto«, sagt der Papa immer noch malenderweise. »Also sei so gut, Burschi, und sei um drei viertel elf am Flughafen draußen. Wir haben dir auch schon ein paar Luftballons aufgeblasen und der Blumenstrauß für die Panida, der steht drüben in der Speis.«

Ja, so weit kommt's noch, dass ich mit einem Blumenstrauß und ein paar depperten Ballons dort am Flughafen rumsteh und auf die alte Schleimsau warte.

Es sind nicht ein paar Luftballons, es sind hundert. Und der Blumenstrauß ist so dermaßen groß, dass ich die drei Urlauber erst gar nicht sehe. Dafür sieht mich der Leopold umso schneller.

»Ja, Bruderherz«, ruft er schon von Weitem. »Das ist ja vielleicht eine Freud.«

Ja, die Freud, die ist ganz auf meiner Seite. Und dass ich jetzt hier nicht gleich das Kotzen kriege, ist einzig und allein den zwei Mädels zu verdanken. Die Panida nämlich, die springt mich gleich direkt an und gibt mir einen fetten Schmatzer auf die Backe, dass der Leopold nur noch so schaut. Und meine kleine Sushi, die will umgehend runter von seinem Arm und stattdessen auf meinen.

»Onkel Franz«, ruft sie wirklich unglaublich laut, und schon wandert ihr Blick hinauf in den Himmel. Sie klatscht ein paar Mal in die Hände und sehr offensichtlich freut sie sich über all diese bunten Ballons. »Sind die alle für mich?«, fragt sie dann und strahlt übers ganze Gesicht. Ich nicke.

Dann ruft sie ihren Eltern was zu, das ich nicht verstehe und mich deshalb ziemlich beeindruckt.

»Ja, ja«, lacht der Leopold. »Die sind alle für dich, Mäuschen.«

»Sie spricht Thailändisch?«, frag ich deswegen nach.

»Ja«, antwortet der stolze Vater und zwickt die kleine Maus in die Wange. Und zwar sehr, sehr liebevoll, das muss ich schon sagen. Trotzdem will sie nicht zurück auf seinen Arm, sondern lieber bleiben, wo sie grad ist.

Das mit dem ganzen Gepäck, diesen Ballons und den Blumen stellt sich anschließend als eine logistische Herausforderung raus, das kann man kaum glauben. Weil nämlich die kleine Sushi genauso wenig ihre Ballons zurücklassen will wie ihre Mama die Blumen. Da in meinen Kofferraum dann aber nur zwei der fünf Koffer passen, müssen wir für diese dann ein Taxi nehmen. Und nachdem die Oma eine gute Stunde später dem Taxifahrer die Hälfte vom Fahrpreis wegdiskutiert und ihm stattdessen ein Paar Weiße angeboten hat, wird die Stimmung allmählich auch ziemlich entspannt. Na gut, bis auf das Turbogebläse vielleicht, die in einer Lautstärke blasen, dass man sein eigenes Wort nicht versteht. Bei der Schwarzwälder aber sind sie auch schon wieder weg mitsamt den Goaßlschnalzern, weil dieses Two-for-One-Angebot, das hat zum Glück nur für eine Stunde gegolten. Und das ist schön.

»Heut ist Freitag«, kann ich auf einmal hinter mir hören, und so dreh ich mich um. Die Susi steht da mit dem kleinen Paul auf dem Arm und in einem kurzen Sommerkleid mit lauter Schmetterlingen drauf. Und selbige hab ich prompt in meinem Bauch. »Sei ehrlich, Franz, hast dran gedacht, oder hast es wieder vergessen?«

Ich rück auf der Bierbank ein bisschen zur Seite und sie setzt sich daneben. Dann nehm ich ihr erst mal das Paulchen ab.

»Freilich hab ich dran gedacht«, sag ich vielleicht nicht so ganz wahrheitsgemäß. Aber wie bitte sollte man da an irgendwas anderes denken, wenn man mit drei Menschen, fünf Koffern, hundert Ballons und einem Riesenblumenstrauß auf dem Flughafen rumdümpelt?

»Schön, dass ihr da seids, ihr zwei«, sag ich noch so, dann zupft die kleine Sushi an meinem T-Shirt.

»Wer ist dahas?«, fragt sie und starrt auf den Paul, der sie prompt ganz breit angrinst.

»Das ist dein Cousin, Sushi«, sag ich und heb sie auf meinen freien Schenkel. »Das ist der Paul.«

»Hallo Paul«, sagt die Sushi und hält ihm ihr angebissenes Brezenstangerl vor den Mund, wo er auch gleich zu zutzeln anfängt.

»Du schönste aller Schwägerinnen«, ruft der Leopold jetzt und eilt dann auch schon auf uns zu. »Susilein, komm und lass dich umarmen.«

Ja, das mit dem Umarmen, das ist dann eh so eine Sache, gell. Das zieht sich nämlich über den ganzen Nachmittag hin. Ständig liegen irgendwelche Menschen in irgendwelchen Armen, und so viel Harmonie ist jetzt fast zu viel für meine Person. Und weil sowieso grad alle untereinander und miteinander irgendwie beschäftigt sind, fällt's gar nicht weiter auf, wenn ich mich mal vom Hof aus nach hinten in den Garten verzupf. Einige Schritte später aber merke ich es gleich. Ich bin wohl nicht der Einzige, der mit diesem Gedanken unterwegs ist. Nein, der Papa hockt nämlich dort in seinem Lehnstuhl unter den alten Obstbäumen und raucht seinen Joint. Und weil es jetzt einfach nur blöd wär, einen U-Turn hinzulegen, da gesell ich mich halt kurz zu ihm.

»Hat er schon eine rechte Freud gehabt, der Leopold«, sagt er und nimmt einen ganz tiefen Zug.

»Ist ja wohl auch das Mindeste bei diesem ganzen Aufwand«, muss ich hier loswerden. »Wie ich damals von Mallorca zurückgekommen bin, da hat's bloß einen Sandkuchen gegeben.«

»Warst ja auch bloß eine Woch lang weg«, brummt er aus seinem Sessel heraus.

»Ja«, sag ich und dreh mich auch schon wieder ab. »Und einen Wasserkopf hab ich auch keinen gehabt.«

»Einen was?«, kann ich im Weggehen noch hören. Und dann ein sehr brummiges Lachen.

Später beim Abendessen, und ausgerechnet wie alle zwei meiner Backen voller Kartoffelknödel sind, da schaut der Doktor Brunnermeier über den Zaun. Und auch er heißt den Leopold samt Familie herzlich willkommen und tut kund, dass er grad auf dem Weg zu einem Schachspiel ist. Spannende Sache, sagt er. Er und sein Komplize, sie sitzen nämlich schon den dritten Abend an dieser Partie. So, jetzt hab ich endlich runtergeschluckt.

»Eberhofer«, ruft er dann noch, und freilich schauen wir alle drei hin. »Schaun S' einmal wieder bei mir vorbei wegen Ihren Werten, gell.«

Gut, diese Info dürfte nun eindeutig mir zuzuordnen sein. Deswegen heb ich nur kurz den Daumen nach oben, und so schwingt er sich wieder auf sein Radl und radelt von dannen, unser Herr Doktor.

Nach all diesen köstlichen Schmankerln heut hat der Leopold plötzlich eine ganz wunderbare Idee. Nein, wirklich. Wenn jetzt dann nämlich der Abwasch gemacht ist und die Kinder im Bett sind, dann könnten wir doch alle miteinander ein wahnsinnig tolles Spiel machen, schlägt er so vor. Und zwar eins, wo er in Thailand auch immer gespielt hat und das echt unglaublich spannend und unterhaltsam ist. Die Susi und ich, wir schauen uns an.

»Ich wüsste auch ein Spiel, das unglaublich spannend und unterhaltsam ist«, sag ich und schau ihr ganz tief in die Augen.

»Ich bring den Paul ins Bett«, flüstert sie in mein Ohr. Und schon ist sie weg.

Glossar

Bazi   Ein Schlitzohr, Schlawiner oder elendiger Hundling. Also vielleicht die Koseform von einem Saukerl, wenn man so will.

ein Gestell machen   Sich (blöd) anstellen, ein Theater machen, ungeschickt sein.

Gscheithaferl   Ein Gscheithaferl ist entweder jemand, der ständig seine Waffel offen hat und seine überschaubaren Weisheiten in die Welt hinausposaunt, auch wenn die es ums Verrecken nicht hören will. Oder aber es ist einer, der schwer auf der Leitung steht und vom Tuten und Blasen sowieso keine Ahnung nicht hat. Häufig, aber nicht gezwungenermaßen immer, kann man beide Eigenschaften bei ein und derselben Person vorfinden, was dann besonders unangenehme Zeitgenossen hervorbringt.

Gscheitschmatzer   Hier ist der erste Teil vom Gscheithaferl gut zu übernehmen. Der zweite eher nicht. Weil es unter den Gscheitschmatzern durchaus den einen oder anderen Kollegen gibt, der echt was in der Birne hat. Leider aber verspürt der dann dank seiner Eitelkeit stets das Bedürfnis, seinen Wissensvorsprung mit anderen zu teilen, was aber dann auch wieder eher nervt. Siehe Lehrer.

Haftlmacher Also, wenn jemand aufpasst wie ein Haftlmacher, dann ist er schwer auf der Hut, konzentriert bis zum Dorthinaus, quasi Adlerauge, sei wachsam! Ins Deutsche könnte man das auch prima mit »Aufpassen wie ein Luchs« oder so übersetzen. Hört sich halt nur nicht so geschmeidig an, wie ich find.

jemanden ausrichten Jemanden schlecht machen, üble Nachrede, Verleumdung bis hin zum Rufmord, könnte man beispielsweise sagen. Es gibt ja Leut, die machen das völlig ungeniert, und zwar täglich, und laufen trotzdem noch immer ungestraft durch die Gegend.

schiach Unattraktiv, nicht hübsch, eher hässlich, also zumindest, wenn es um Lebewesen geht. Wenn ich dagegen eine schiache Grippe hab, dann hab ich eine echt schlimme. Auch das Wetter kann schiach sein, wenn's zum Beispiel wieder mal Kuhfladen regnet.

umeinander stopseln Wenn man umeinander stopselt, dann ist man zumindest für den Moment mit der aktuellen Situation wenigstens leicht überfordert. So muss man praktisch erst mal seine Gedanken ordnen und gegebenenfalls nach einer Erklärung, im schlimmeren Fall nach einer Ausrede suchen und versucht eben durch dieses Gestopsle irgendwie an Zeit zu gewinnen. Politiker können das prima, dieses Rumstopseln, und da fällt's ja kaum noch jemandem auf.

Zwiderwurz   Ein Zwiderwurz ist ein mürrischer Mensch. Wobei es da freilich einige Unterschiede gibt. Der eine, der ist eher selten mürrisch, der andere öfters. Manch einer ist es sogar immer. Oder wenigstens immer öfter, was aber nicht selten seinen unerfreulichen Lebensumständen geschuldet ist. Arbeit kann da meinetwegen der Auslöser sein. Oder auch die Ehe. Da kann man nix machen, da steckt man nicht drin. Im Grunde aber kann man einen Zwiderwurz in drei Kategorien einteilen: Nämlich den Vollzeit-Zwiderwurz, den Teilzeit-Zwiderwurz und den Gelegenheits-Zwiderwurz. Ja, so einfach ist das.

Ein umfangreiches Glossar gibt's für den findigen Leser auf Rita Falks Homepage unter www.rita-falk.de

Aus dem Kochbuch von der Oma, anno 1937

Leberkäs-Cordon-bleu

Schinken und Käse zwischen zwei dünnere Scheiben Leberkäs legen und ein wenig andrücken. Anschließend von allen Seiten in Mehl, einem verschlagenen Ei und am Schluss in Semmelbrösel wenden. In Butterschmalz gut auf beiden Seiten knusprig anbraten und Kartoffelsalat dazu reichen.

Also bei mir persönlich müssen jetzt die Leberkässcheiben nicht allzu dünn sein. Ganz im Gegenteil. Auch eine zweite Scheibe Schinken oder Käse ist niemals verkehrt. Nur aufpassen, dass der Brunnermeier nicht zufällig in der Nähe ist, während man genießt und schweigt, gell.

Gemüsecurry (nicht aus dem Jahre 1937 ...)

1 Zwiebel in Ringe schneiden und in etwa 2 Esslöffeln Sonnenblumenöl in einer Pfanne kurz anbraten. 1 Blumenkohl in Röschen aufteilen, 2 Zucchini und 4 Karotten in Scheiben schneiden und alles gut andünsten. 2 gehackte Knoblauchzehen sowie jeweils 2 Teelöffel Kreuzkümmel, gemahlenen Koriander und Ingwer, außerdem je 1 Teelöffel Kurkuma und gehackte rote Chilischoten dazugeben und noch mal kurz braten. Etwa 400 Gramm gehackte Tomaten und 300 ml Kokosmilch dazugeben und gründlich unterrühren. 400 Gramm Kichererbsen aus der Dose abspülen, abtropfen und hinzufügen. Mit Salz, Pfeffer und Kräutern abschmecken. Zugedeckt etwa 20 Minuten leicht köcheln lassen. 150 Gramm Naturjoghurt und 2 Esslöffel Mango-Chutney einrühren und nur noch leicht erhitzen, nicht mehr aufkochen lassen.

Zum Curry serviert man Basmatireis.

Was soll ich dazu nur sagen? Die Susi ist ganz wild drauf. Der Rudi auch. Und irgendwie muss ich schon zugeben, bei all dem gesunden Zeugs, was da drin ist, da schmeckt es gar nicht so schlecht. Zumindest nicht, wenn's zuvor eine feine Leberknödelsuppe gibt. Oder hinterher vielleicht ein Stückerl Apfelkuchen mit Sahne, oder zwei.

Nudelsalat

400 Gramm Spiralnudeln nach Packungsanweisung kochen,
abgießen und in diesem Fall auch gut abschrecken. Zwischenzeitlich 3 Paprikaschoten waschen, putzen und in kleine Würfel oder Streifen schneiden, 2 Frühlingszwiebeln waschen,
putzen und in feine Ringe schneiden. 250 Gramm gekoch-
ten Schinken und 150 Gramm mild-würzigen Käse in kleine
Würfel schneiden. 5 bis 7 Cocktailtomaten vierteln. 1 Knob-
lauchzehe sehr fein hacken und mit 100 ml Olivenöl, 50 ml
weißem Essig, je 1 Teelöffel Honig sowie mittelscharfem
Senf, einem Spritzer Zitrone, Salz und Pfeffer kräftig ver-
mischen. Wer mag, gibt ein bisschen Ketchup dazu. Nun werden alle Zutaten in eine Schüssel gegeben und gut vermengt.
Mindestens 1 bis 2 Stunden ziehen lassen. Selbstverständlich
können auch Reste wie Radieschen oder Essiggurken unter-
gemischt werden. Ein Nudelsalat ist eine sehr beliebte Grillbeilage.

*Ein Nudelsalat ist eine sehr beliebte Grillbeilage. Dass ich
nicht lach! Das ist ja beinah schon die Degradierung des Nudel-
salats schlechthin. Weil, ein Nudelsalat ist nämlich ein Traum.
Jedenfalls dieser. Ich mag ihn zum Schnitzel, zu Bratwürsten
oder Wienern. Zum Leberkäs und zum Fisch. Und zu einem
fetten Steak mag ich ihn sowieso. Punkt. Und das mit dem
Ketchup, das ist freilich ein Muss.*

Rhabarber-Erdbeer-Marmelade

3 Pfund Rhabarber waschen und in 1 bis 2 cm große Stücke schneiden. 1 Pfund Erdbeeren pürieren. Anschließend den Rhabarber mit 3 Päckchen Vanillezucker unter großer Hitze etwa 15 Minuten weich kochen und das Rühren nicht vergessen. Dann erst werden die pürierten Erdbeeren dazugegeben und alles wird erneut zum Kochen gebracht. Jetzt 2 Pfund Gelierzucker dazugeben und erneut unter großer Hitze knappe fünf Minuten kochen lassen. Man darf auch gern ein Stamperl Schnaps dazuschütten. Anschließend die Marmelade sofort in kalt gespülte Gläser füllen und gut verschließen. Die Gläser für ein paar Minuten auf dem Kopf stehen lassen. Die Gläser nach ein paar Minuten dann wieder umdrehen und abkühlen lassen. Möchte man es lieber süßer, einfach die Menge des Gelierzuckers erhöhen.

Zum Frühstück auf einer frischen Semmel ist die Marmelade sehr fein.

Auch ganz ohne Semmel und direkt aus dem Glasl ist die Marmelade sehr fein. Wenn man es noch schafft, dann holt man sich einen Löffel. Wenn nicht, Ärmel hoch und rein mit dem Finger. Sagenhaft, wirklich. Besonders, wenn ein Stamperl mit drin ist. Doch auch in diesem Fall ist es deutlich von Vorteil, wenn der Brunnermeier mit Abwesenheit glänzt.

Kaiserschmarrn

4 Eier trennen und das Eiweiß zu steifem Schnee schlagen.
Das Eigelb, 30 Gramm Zucker, 1 Prise Salz, 1 Beutel Vanillezucker und gegebenenfalls 1 Fläschchen Aroma (Rum oder
Butter) schaumig rühren. 375 ml Milch und 125 Gramm
Mehl nach und nach dazugeben. Nun den Eischnee vorsichtig unterheben. Etwas Butter in einer Pfanne erhitzen und
den Teig von beiden Seiten darin anbacken und dann verzupfen.

Mit Puderzucker bestreuen und servieren. Dazu wird ein feines Kompott gereicht.

*Das mit dem Kaiserschmarrn ist ja so eine Sache. Weil, so gern
ich ihn mag und so viel ich davon auch in mich reinschaufeln
kann, hinterher brauch ich immer was Deftiges. Einen Brat-
hering meinetwegen. Oder vielleicht einen Teller Gulasch-
suppe. Wenigstens aber ein Packerl Chips, extrascharf, versteht sich von selbst. Anschließend ist mir dann freilich schlecht.
Stundenlang im schlimmsten Fall. Das ist dann wohl auch der
Grund, warum ich vielleicht doch nicht so abfahr drauf, wenn
die Oma einen Kaiserschmarrn macht.*

jetzt haben wir ja schon so allerhand miteinander erlebt, gell. Den einen oder anderen Mord meinetwegen. Oder aber auch die depperten Zickereien vom Rudi. Gut, momentan sitzt er mir in Anbetracht unserer grandiosen Aufklärungsrate mit verschränkten Armen gegenüber und strahlt wie ein Atomkraftwerk. Grad hat's einen Anruf vom Moratschek gegeben, mit einer Lobeshymne, dass dir die Augen tränen. Und auch der Bürgermeister hat noch mal kurz seinen Schädel zur Bürotür reingestreckt, ein bisserl hysterisch mit den Augen gezwinkert und gleich beide seiner Daumen so nach oben gestreckt. Wahrscheinlich findet er das cool. Keine Ahnung. Die Oma kocht momentan auch wieder auf, dass ich nur mit einem Schnapserl einschlafen kann … oder zwei. Und das mit der Susi nimmt langsam aber sicher wieder Fahrt auf, wenn du weißt, was ich meine.

Nur die Rita, die nervt. »Jetzt komm schon, Franz«, sagt sie ständig. »Was gibt's Neues in Niederkaltenkirchen?« Doch was denkt sich die Rita da bloß? Als ob die Toten in Niederkaltenkirchen grad so auf der Straß' liegen würden. Wirklich.

Aber nein, da sind Leut dort draußen, sagt sie immer wieder, die lechzen ja schon direkt nach Neuigkeiten. Leut. Also praktisch solche wie du. Genau. Und du bist ja praktisch nicht ganz unwichtig an dieser ganzen Geschichte hier, wie wir ja längst alle wissen. Der Simmerl weiß es. Und der Flötzinger ebenfalls. Sogar der Leopold hat's langsam kapiert, ob du's glaubst oder nicht. Das ist schön, und trotzdem kann ich nicht so mir nix, dir nix einen Mord herzaubern. Irgendwie logisch, oder?

Zefix.

Aber plötzlich, wie aus heiterem Himmel quasi, da haben wir, also du und ich, sozusagen direkt ein Glück gehabt. Gut, das Opfer jetzt vielleicht weniger, das schon. Aber, mei, es hilft alles nix. Weil tot ist tot. Da kann man nichts machen. Das weißt du wohl am besten. Ja. Nein, jetzt bin ich abgeschweift.

Doch wie du ja sicherlich schon mitgekriegt hast, widerfährt unserem mickrigen Kaff nun die zweifelhafte Ehre, ein nigelnagelneues Hotel hergebaut zu kriegen. Sapralott, könnte man da sagen. Aber es sind durchaus nicht alle Niederkaltenkirchner davon begeistert, frag nicht! Und bis man schaut, da ist es auch schon passiert, das Unglück. Und wer muss da natürlich wieder mal ran? Ja, genau. Ich.

Ein Scheißstress ist das bei der Polizei.

Also gut, auf geht's. Die Rita, die hockt bereits im Streifenwagen.

Ach, und nix für ungut, gell, und … ja, ein echt fettes Merci für deine großartige Treue!

Dein Eberhofer Franz

PS Also, wenn Sie praktisch lieber gesiezt werden wollen, dann gilt das Gleiche freilich für Ihnen. Eh klar.

www.rita-falk.de

Rita Falk im <u>dtv</u>

»Funkenflieger sind wir doch alle, Locke.
Für einen kurzen Moment, den wir Leben nennen.«

Rita Falk

Funkenflieger

Roman

ISBN 978-3-423-**26019**-0 (<u>dtv</u> premium)
ISBN 978-3-423-**21613**-5
Auch als eBook!

Eine kleine Stadt in Bayern.
Zwei Liebende und ein Baby, das nicht sein soll.
Ein leerstehendes Casino als Zufluchtsort …

Elvira war viel zu jung, um selbst Kinder zu haben – und ihre Söhne Kevin, Robin und Marvin haben es nicht gerade leicht mit ihr. Als eines Tages herauskommt, dass Kevin seine große Liebe Aicha geschwängert hat, noch bevor beide ihren Schulabschluss in der Tasche haben, kommt es beinahe zur Katastrophe. Denn Aichas Eltern setzen alles daran, dass das Kind nicht zur Welt kommt. Was tun? Marvin hat einen irrwitzigen Plan. Und für einige Wochen wird ihrer aller Leben kräftig durcheinandergewirbelt.

Ein zauberhafter Roman.
Und ein modernes Märchen.

Rita Falk im dtv

»Die Hommage an eine unzerstörbare Freundschaft.«
Björn Hayer, Süddeutsche Zeitung, SZ-Extra

Rita Falk

Hannes

Roman

ISBN 978-3-423-**21463**-6
ISBN 978-3-423-**28001**-3

Einfach nur gute Freunde ... Es ist einer dieser ersten warmen Frühlingstage, als Hannes und Uli sich voll Lebenshunger auf ihre Motorräder setzen. Natürlich machen sie auch die erste Tour des Jahres zusammen, so wie sonst alles im Leben. Von Kindesbeinen an. Noch nie konnte irgendetwas sie trennen. Doch was dann passiert, stellt ihr Leben komplett auf den Kopf: ihre Vergangenheit, ihre Pläne, ihre Hoffnungen – und ihre Zukunft. Und alles droht auseinanderzubrechen ...

Eine ganz besondere Geschichte über das Leben. Über die Kraft der Hoffnung, über Treue und Verrat. Vor allem aber über eine Freundschaft, die durch nichts auf der Welt zerstört werden kann. Tiefgründig und berührend.

»*Rita Falk kann nicht nur tolle Provinzkrimis schreiben. Diesmal brilliert sie mit einer Geschichte über Menschlichkeit und Mitgefühl. Berührend.*« Für Sie

Rita Falk, Jahrgang 1964, hat sich mit ihren Bestsellern um den Dorfpolizisten Franz Eberhofer in die Herzen ihrer Leser geschrieben. Sie ist verheiratet und Mutter von drei erwachsenen Kindern. ›Hannes‹ ist ihr erster Roman.

Bitte besuchen Sie uns im Internet: www.dtv.de